KU-082-780

KING'S GAME

L'auteur

Nobuaki Kanazawa est né en 1982 dans la préfecture de Hiroshima. Après l'université, il commence à écrire des romans par passion tout en travaillant dans l'informatique. Sa première œuvre, *King's Game*, a connu un succès retentissant et a fait de lui un auteur phénomène au Japon. Non seulement il a fait du portable un des ressorts principaux – presque le personnage central – de ses thrillers, mais il a fait partie des auteurs découverts par le biais d'Internet et des nouvelles technologies. Ce maître du suspense en est déjà à son septième roman.

Nobuaki Kanazawa

Traduit du japonais
par Yohan Leclerc

LUMEN

Titre original : *OUSAMA GAME* by Nobuaki Kanazawa

First published by Futabasha Publishers Ltd. in 2009

The French language edition published by arrangement
with Futabasha Publishers Ltd., Tokyo
through Tuttle-Mori Agency, Inc., Tokyo

Sommaire

Prologue – Dim. 18/10, 16:43 11
Règles du jeu 15
Liste des élèves de seconde B
du lycée préfectoral de Tamaoka 17
Ordre n° 1 – Lun. 19/10, 00:00 19
Ordre n° 2 – Mar. 20/10, 00:00 27
Ordre n° 3 – Mar. 20/10, 16:35 33
Ordre n° 4 – Jeu. 22/10, 00:00 47
Ordre n° 5 – Ven. 23/10, 08:15 61
Ordre n° 6 – Sam. 24/10, 08:06 79
Ordre n° 7 – Dim. 25/10, 14:34 125
Ordre n° 8 – Dim. 25/10, 23:36 147
Ordre n° 9 – Mar. 27/10, 00:43 171
Ordre n° 10 – Mer. 28/10, 00:00 187
Ordre n° 11 – Jeu. 29/10, 00:01 219
Village de Yonaki – Jeu. 29/10, 04:44 269
Ordre n° 12 – Ven. 30/10, 00:00 301
Ordre n° 13 – Sam. 31/10, 00:02 359
Épilogue – Lun. 16/11, 08:25 373

Avoir quelque chose à protéger est une force.
Avoir quelque chose à protéger est une faiblesse.

Prologue – Dim. 18/10, 16:43

On avait beau être en octobre, une chaleur humide de début d'été engluait l'atmosphère.

Sur les écrans de télévision, les présentateurs répétaient en boucle : « La canicule se poursuit, prenez vos précautions ! »

Les badauds s'éventaient le col de la main et se plaignaient d'un bout de la journée à l'autre, sans s'adresser à personne en particulier : « Ce n'est pas normal, ce temps ! », « Oh là là, quelle chaleur ! »

On trottinait plus qu'on ne marchait, afin de se mettre le plus vite possible à l'abri des rayons du soleil. Mais pas de doute : ce n'est pas l'allégresse qui faisait gambader les passants, bien au contraire.

L'après-midi fit place à un crépuscule d'une beauté plus ensorcelante encore qu'à l'accoutumée. Le lycée Tamaoka de la préfecture de Shizuoka se parait d'écarlate, telle une immense citadelle de cuivre.

Le climat hors normes qui s'était abattu sur l'archipel laissait présager de bien singuliers événements.

Nobuaki Kanazawa, élève de seconde au lycée de Tamaoka, s'activait à sa tâche, le front ruisselant de sueur. Après avoir rangé dans la resserre les plots jusque-là disposés à intervalles réguliers sur le terrain de sport, il en aplanissait le sol au moyen d'un grand râteau.

On était dimanche, jour de repos, mais une petite bande de lycéens désœuvrés s'étaient retrouvés au stade pour un match de football. Comme Nobuaki avait eu le malheur de marquer moins de tirs au but que tous ses camarades, il avait reçu en gage l'obligation de débarrasser le terrain.

Je n'en peux plus... maugréa-t-il intérieurement. *Je n'aurais jamais dû accepter ce satané pari !*

Au loin, le soleil s'enfonça derrière la ligne d'horizon, comme s'il avait attendu pour ce faire que le travail du jeune homme soit terminé. L'espace d'un instant, le firmament tout entier s'embrasa. Un scintillement à l'ouest, là où ciel et mer se rejoignaient, semblait suggérer la fin d'un monde et le début d'un autre.

La chaleur persista cependant une fois la nuit tombée. Les grandes usines pullulaient dans cette région maritime, et la marée haute lavait les plages souillées d'algues et de déchets dans un bruissement sinistre.

De hautes vagues s'abattaient contre les falaises rongées par l'érosion. La mer, agitée, bouillonnait. La rivière qui s'y jetait charriait des flots rougeâtres... ils se mêlaient, telle de l'encre, à l'eau salée qu'ils teintaient d'une couleur brique. On aurait dit qu'un torrent de sang se déversait dans l'océan.

Dans un des quartiers résidentiels de la ville, l'éclairage public se mit à clignoter, comme à bout de souffle. Une brise molle balayait les rues, faisant rouler les cannettes vides dans un cliquetis métallique. Le même vent agita les rideaux de la chambre de Nobuaki.

Les pièces d'un puzzle en jonchaient le sol. Le jeu avait été conçu à partir d'une photo prise trois semaines auparavant où figuraient tous les élèves de sa classe. Le cliché commémorait leur victoire lors de la dernière rencontre sportive du lycée – l'un des événements majeurs de leur vie scolaire.

L'établissement que fréquentait Nobuaki organisait quatre compétitions par an, une à chaque saison. L'idée était de développer aussi bien le corps que l'esprit des adolescents, d'approfondir à la fois leurs performances physiques et la cohésion de chaque classe. Ces épreuves s'appuyaient sur les activités pratiquées en cours de sport : basket, football, base-ball, judo, ping-pong, tennis…

La plupart des élèves de seconde B, la classe de Nobuaki, n'étaient pas de grands athlètes. Ils manquaient aussi cruellement d'esprit d'équipe – il faut dire qu'ils avaient tous une assez forte personnalité.

Bons derniers lors des rencontres du printemps et de l'été, ils avaient remporté par miracle le challenge à l'automne. La raison de ce prodige ? Le hasard. Les concurrents les plus forts s'étaient neutralisés mutuellement, et le champion d'une des équipes adverses s'était trouvé malade ce jour-là.

Pas de doute : une occasion pareille ne se représenterait plus jusqu'à la fin du lycée ! Pour fêter leur succès, ils s'étaient donc tous cotisés pour faire fabriquer un bel objet à partir de leur photo de vainqueurs.

Si après les deux premiers challenges, la classe entière grognait à tout bout de champ qu'elle commençait à en avoir assez des compétitions sportives, depuis l'automne en revanche, l'humeur avait changé. Le consensus général, c'est qu'ils avaient tous hâte d'être au championnat d'hiver.

Le front plissé par la concentration, Nobuaki se creusait la cervelle pour assembler le puzzle éparpillé sur le sol de sa chambre.

— C'est pas vrai, il m'en manque une ! marmonna-t-il tout haut. Juste là, un bout de visage... En plus j'ai perdu une heure à ranger le terrain... Ah, c'est pas mon jour !

Il eut beau chercher, impossible de retrouver le morceau disparu. Finalement, pris de lassitude, il balaya le jeu du revers de la main : les pièces se dispersèrent à nouveau sur le tapis.

Sur certaines figurait la tête d'un de ses camarades. Les trente-deux visages disséminés sur la descente de lit affichaient un grand sourire, savourant leur triomphe.

Règles du jeu :

1. Toute la classe est obligée de participer.
2. Les ordres du roi doivent être exécutés sous 24 heures.
3. Ceux qui n'obéiront pas aux consignes auront un gage.
4. Il est absolument impossible de quitter le jeu en pleine partie.

END.

Liste des élèves de seconde B du lycée préfectoral de Tamaoka :

1 Shingo Adachi ♂
2 Toshiyuki Abe ♂
3 Satomi Ishii ♀
4 Hirofumi Inoue ♂
5 Yûko Imoto ♀
6 Ria Iwamura ♀
7 Maki Iwamoto ♀
8 Kana Ueda ♀
9 Yôsuke Ueda ♂
10 Motoki Ushijima ♂
11 Akira Ôno ♂
12 Nobuaki Kanazawa ♂
13 Yûsuke Kawakami ♂
14 Chia Kawano ♀
15 Akemi Kinoshita ♀
16 Mami Shirokawa ♀
17 Daisuke Tasaki ♂
18 Hideki Toyoda ♂
19 Minako Nakao ♀
20 Misaki Nakajima ♀
21 Naoya Hashimoto ♂
22 Nami Hirano ♀
23 Toshiyuki Fujioka ♂
24 Chiemi Honda ♀
25 Yoshifumi Matsushima ♂
26 Masami Matsumoto ♀
27 Kaori Maruoka ♀
28 Yûsuke Mizuuchi ♂
29 Emi Miyazaki ♀
30 Shôta Yahiro ♂
31 Hiroko Yamaguchi ♀
32 Keita Yamashita ♂

Ordre n° 1 – Lun. 19/10, 00:00

Épuisé par une après-midi entière de football et le rangement du terrain, Nobuaki s'était couché plus tôt que d'habitude. Il dormait déjà à poings fermés quand son portable bipa. Un message. Il se redressa sur son lit, encore tout ensommeillé, et passa une main lasse dans ses cheveux ébouriffés.

— Quel est le crétin qui m'envoie un texto à une heure pareille ? grommela-t-il.

Lun. 19/10, 00:00. Expéditeur : Roi. Titre : Jeu du roi.
Message : Toute votre classe participe à un jeu du roi. Les ordres du roi sont absolus et doivent être exécutés sous 24 heures.
Aucun abandon ne sera toléré.
Ordre n° 1 : Élève n° 4, Hirofumi Inoue, élève n° 19, Minako Nakao.
Hirofumi et Minako doivent s'embrasser. END.

Le jeu du roi était une pratique fréquente chez les lycéens et les étudiants : l'un des participants, élu « roi », était chargé d'attribuer des missions, souvent embarrassantes bien sûr, à des camarades choisis au hasard.

— Quoi ? Encore une chaîne de lettres ? Pff, vraiment aucun intérêt !

Nobuaki régla en mode vibreur son téléphone portable, qu'il laissa tomber d'une main excédée sur son uniforme roulé en boule par terre, avant d'enfoncer une nouvelle fois la tête dans l'oreiller.

Le ciel, voilé d'une légère brume matinale, se teintait peu à peu de blanc.

— Je suis à la bourre ! marmonna Nobuaki.

Il avait dû filer au lycée sans même prendre le temps d'avaler son petit-déjeuner.

Sitôt la porte de la salle de classe franchie, il remarqua que ses camarades, plus bruyants qu'à l'accoutumée, semblaient curieusement agités. Une vingtaine d'entre eux étaient réunis en cercle au fond de la salle. Intrigué, Nobuaki se dressa sur la pointe des pieds afin de jeter un coup d'œil par-dessus leurs épaules.

— Que se passe-t-il ?

— Salut ! Tu n'as pas reçu le message ? rétorqua Naoya Hashimoto.

Naoya était le meilleur ami de Nobuaki. Plutôt bavard, il adorait faire des blagues. Son gros défaut ? Il avait deux mains gauches, et de très mauvais réflexes.

Il avait d'ailleurs beaucoup souffert trois semaines plus tôt, lors de la compétition sportive. Tous deux avaient pris part au match de basket. Naoya était le genre de joueur dont personne ne voulait dans une équipe, celui qu'on choisissait uniquement contraint et forcé, et toujours en dernier.

Il faut dire que dès que l'adolescent recevait le ballon, il le passait aussitôt à quelqu'un d'autre. On aurait dit que l'objet lui brûlait les doigts. Quand on accordait un lancer franc à Naoya, il ne parvenait tout simplement pas à tirer. Lorsqu'on finissait par lui ordonner de le faire, il refusait, affolé, toujours en train de chercher un coéquipier du regard. Pire, lorsque Nobuaki lui faisait une passe, son ami prenait souvent le ballon en pleine figure !

La raison de ce manège ? C'est que Naoya ne marquait jamais. Absolument jamais. Il avait le pire taux de réussite de l'équipe et en était tout simplement traumatisé.

Malgré tout, il restait motivé : il arpentait le terrain de long en large, traquant inlassablement la balle. S'il avait la chance de l'attraper, il la passait sur-le-champ. C'était sa façon à lui de contribuer au travail de l'équipe.

Je ne sais faire que ça, mais au moins je le fais bien. Mieux vaut que les autres conservent leurs forces et augmentent leurs chances de marquer, songeait-il.

À la mi-temps, la seconde B perdait 30 à 38. À bout de souffle, Nobuaki s'était assis sur le banc, une main posée sur l'épaule de Naoya, qui ahanait comme s'il venait de courir un marathon.

— Tu vas griller toutes tes forces, arrête ! Essaie au moins de marquer un panier, personne ne t'en voudra si tu te plantes. C'est un miracle si on est en finale, alors profites-en un peu !

— Ne dis pas n'importe quoi ! haleta son ami. Les miracles, ce n'est pas ma spécialité... Et puis je m'amuse déjà beaucoup, merci !

Un coup de sifflet retentit : la seconde mi-temps commençait.

À moins d'une minute de la fin du match, Naoya, placé juste sous le panier, réceptionna une passe de Nobuaki. 52 à 53... la seconde B était menée d'un point.

— Tire, allez ! Si tu marques, ça fera toute la différence !

Les dents serrées, le garçon prit une posture maladroite, comme s'il s'apprêtait à lancer un poids, et visa soigneusement. Le ballon atteignit le bord du panier...

— Si, un SMS m'a réveillé en pleine nuit, une histoire de jeu du roi, répondit Nobuaki.

Il posa sur sa table le sac qu'il portait en bandoulière – une sacoche assez usée, que sa mère lui avait offerte pour fêter son entrée au collège.

— Eh bien, figure-toi que tout le monde dans la classe a eu ce texto ! Et comme on trouve ça marrant, on est en train d'exécuter la mission !

— Sérieusement ? s'exclama Nobuaki.

Hideki Toyoda, assis sur son pupitre, les jambes ballantes, s'écria :

— Allez ! Hirofumi, Minako... ne faites pas vos saintes nitouches. C'est juste un smack ! Ne me dites pas que vous n'avez jamais embrassé personne, quand même ?

— Le bisou ! Le bisou ! renchérit Mami Shirokawa en tapant dans ses mains.

Mami était la figure de ralliement autour de laquelle gravitaient toutes les filles de la classe. Pas qu'elle soit la plus populaire du lot – simplement, s'opposer à elle revenait à devenir la cible de rumeurs sans fondement et à se retrouver exclue du groupe. La plupart de ces demoiselles n'osaient pas la contredire, de peur de devenir des parias.

Ses mains en porte-voix devant la bouche, Hideki beugla :

— Est-ce qu'on a le droit de désobéir aux ordres du roi ?

— Non ! répondirent à l'unisson plus de la moitié des élèves.

Le pauvre Hirofumi, mal à l'aise, s'approcha de Hideki pour le défier :

— J'aimerais bien t'y voir !

Minako, l'autre victime désignée, était une fille au caractère bien trempé qui traînait toujours avec Mami. Elle attendait son prétendant en tapant du pied, les bras croisés.

— Dis, tu comptes me faire poireauter encore longtemps, la mauviette ?

Un concert de railleries s'éleva du côté des garçons.

— Il n'y arrivera jamais !

— Moi, je parie qu'il l'embrasse !

— Laisse tomber, il est puceau !

— Ça va, arrêtez un peu ! capitula Hirofumi. C'est pas un smack qui me fait peur. J'y vais, attention les yeux !

Un sourire narquois aux lèvres, Hideki leva trois doigts de sa main droite.

— Je lance le compte à rebours ! Un… Deux…

Le pauvre garçon s'approcha de Minako, les jambes flageolantes. Il posa les mains sur ses épaules, se pencha vers elle puis, les yeux fermés, colla une bouche tremblante sur ses lèvres devant tous leurs camarades rassemblés.

Des flashs se mirent aussitôt à crépiter partout dans la salle : tous avaient sorti leur téléphone afin d'immortaliser la scène.

Au beau milieu de la clameur générale, Minako lança un regard furieux à Hirofumi, leva la main et lui asséna une bonne claque. L'adolescent poussa un grand cri de douleur. Les yeux larmoyants, il porta la main à sa joue rouge et gonflée.

— Tu t'y es pris comme un manche ! C'était carrément dégueu ! fit-elle avant de quitter la classe, folle de rage.

Une tempête de rires s'éleva dans la pièce.

— Pourquoi moi ? se lamenta Hirofumi, rouge de honte.

— Dément ! s'écria Hideki. Trop fort, ce jeu du roi ! Le divertissement parfait pour pimenter l'ambiance ! Ça faisait une éternité que je n'avais pas autant ri. Pitié, faites qu'on reçoive un autre message demain… Je sais, pourquoi on n'organise pas une soirée pour faire une partie tous ensemble ?

Tout en observant du coin de l'œil l'agitateur de service, dont l'excitation ne faiblissait pas, Nobuaki murmura :

— Je n'en reviens pas, ils se sont vraiment embrassés devant tout le monde…

— Forcément, quand Hideki s'y met, personne ne peut l'arrêter ! fit remarquer Naoya dans sa barbe, d'un air songeur.

Comme à leur habitude, les deux amis en profitèrent pour faire assaut de blagues :

— Ça, c'est bien vrai ! rétorqua Nobuaki. Dis donc, et si le roi envoyait un autre message, demain ? Qui sait, tu es peut-être le prochain sur la liste ?

— Ne parle pas de malheur !

— Pourtant, ça pourrait être l'occasion d'embrasser la femme de ta vie, Hiroko, la Vénus au bonnet F !

— Ah, Hiroko ! chantonna Naoya, extatique. Non, arrête de me donner de faux espoirs. Cette fille est un régal pour les yeux !

Leur professeur principal choisit ce moment précis pour entrer dans la salle, son cahier d'appel à la main.

— Asseyez-vous ! lança-t-il à la cantonade de son habituel air revêche.

Chacun regagnait en hâte son siège quand une grande variété de sonneries et de bips se firent entendre simultanément.

Lun. 19/10, 08:25. Expéditeur : Roi. Titre : Jeu du roi. Message : L'ordre a bien été exécuté. END.

Tous les élèves de la classe, jusqu'au dernier, avaient reçu le même texto.

Le reste de la journée se déroula sans encombre, identique à n'importe quelle autre. Le soir venu, tout le monde avait déjà oublié l'incident du jeu du roi. Chacun était depuis longtemps rentré chez lui lorsque, dans le ciel, un nuage en forme de spirale commença nonchalamment à s'étirer vers l'ouest, tel un serpent à la poursuite du soleil.

0 mort, 32 survivants.

Ordre n° 2 – Mar. 20/10, 00:00

Nobuaki habitait une maison un peu à l'écart du principal quartier résidentiel de la ville. Une petite demeure de plain-pied, bâtie quelque trente-deux ans plus tôt et qui comptait quatre pièces.

Après un repas qu'on ne pouvait vraiment pas qualifier de fastueux – composé comme d'habitude d'un bol de riz, d'une soupe miso et de deux petits plats à réchauffer –, Nobuaki alluma la télévision installée dans le salon. Il passa le début de la soirée à zapper entre une série, une émission musicale et un programme comique.

À 9 heures, il s'assit à son bureau pour attaquer ses révisions. Mais à peine était-il parvenu à la moitié de son travail que, gagné par la lassitude, il préféra commencer à lire les magazines entassés sur le sol de sa chambre.

Il n'arrivait pas à se sortir de la tête l'étrange impression que quelque chose clochait.

Soudain, son portable vibra : il avait reçu un message. Il sursauta à ce bruit, délaissa aussitôt la revue qu'il était en train de lire et se précipita pour consulter ses SMS.

Mar. 20/10, 00:00. Expéditeur : Roi. Titre : Jeu du roi.
Message : Toute votre classe participe à un jeu du roi. Les ordres du roi sont absolus et doivent être exécutés sous 24 heures.
Aucun abandon ne sera toléré.
Ordre n° 2 : Élève n° 18, Hideki Toyoda, élève n° 5, Yûko Imoto.
Hideki doit lécher les pieds de Yûko. END.

— Encore ? Mais Hideki ne fera jamais un truc pareil...
Un instant plus tard, le téléphone sonnait. À l'autre bout du fil, Naoya semblait ravi :
— Tu as eu le message ?
— Oui, je viens juste de le voir ! Heureusement que ce n'est pas tombé sur toi !
— Tu m'étonnes ! Mais la question, c'est surtout : tu crois que Hideki va s'exécuter ?
— Certainement pas ! C'est un têtu et un égoïste, il n'en fera qu'à sa tête ! répliqua Nobuaki sans hésiter.
— Ça promet, pour demain !
— C'est sûr, on va bien se marrer...
— J'ai hâte de voir ça !

Le lendemain matin, arrivé devant la porte de la classe, Nobuaki entendit des bruits de dispute à l'intérieur. Il se précipita dans la salle : un groupe d'élèves encerclait Hideki.
— Pourquoi est-ce que je devrais lécher les pieds de ce thon ? protestait l'adolescent.

— C'est bien toi qui as forcé les autres à s'embrasser, hier, pourtant !

— Oui, maintenant c'est ton tour ! insista Minako, la victime de la veille.

— Il n'a rien dans les tripes ! chuchota bien fort un élève à son voisin afin d'être entendu de toute l'assemblée. Hier, il a retourné toute la classe contre Hirofumi et Minako, mais aujourd'hui, tu penses, c'est lui qui est désigné… alors il se débine !

Incapable de contenir sa colère, Hideki donna un grand coup de pied dans la chaise la plus proche. Mami, la forte tête, croisa les bras, un sourire voluptueux aux lèvres, et s'empressa de renchérir :

— Tiens donc, c'est étrange… Et moi qui croyais que nul ne pouvait désobéir aux ordres du roi ! Alors, espèce de tyran ?

— Allez, Hideki, allez ! se mit à scander en chœur plus de la moitié de la classe.

Leur cible eut un rictus contrarié, puis, sans doute résigné, s'écria :

— Bon, puisque c'est ce que vous voulez ! Viens par ici, Yûko !

L'intéressée, tremblante, s'approcha de lui. Elle était très discrète, timide même avec les autres filles de la classe, et une partie des garçons n'hésitait pas à la traiter de laideron.

— Tu es sûr ? demanda-t-elle d'une toute petite voix.

— C'est un ordre du roi ! Allez, enlève ta chaussette !

— Mais… qu'est-ce que j'ai fait pour mériter ça ?

— C'est la règle du jeu ! Dépêche-toi !

Yûko s'assit sur une chaise et s'exécuta, tête baissée. Hideki défia l'assemblée du regard :

— Attention, vous n'avez pas intérêt à en manquer une miette !

Il s'accroupit, saisit le pied de la demoiselle, et lui lécha le bout du gros orteil. Les autres élèves, qui jusque-là avaient fait un raffut de tous les diables, l'observaient en silence.

Une fois qu'il eut léché les doigts de pied de Yûko, Hideki se releva et fusilla les curieux du regard.

— Alors, ça vous va ? Satisfaits ? À partir d'aujourd'hui, terminé ! C'est n'importe quoi, ce jeu débile !

Pour la consoler, la jolie Chiemi accourut auprès de Yûko, qui fondit en larmes et hoqueta :

— Ça va, ne t'inquiète pas, c'est bon…

Un peu plus loin, devant l'estrade, Hideki et Mami avaient commencé à se disputer.

— C'était répugnant ! Comment as-tu osé faire un truc pareil ?

— Oh toi, la ferme ! Je retire ce que j'ai dit : le jeu continue jusqu'à ce que ton tour arrive. Tu verras quel effet ça fait !

— Occupe-toi de tes affaires ! siffla la jeune fille.

— En tout cas, le roi est forcément l'un d'entre nous ! Si le prochain ordre est encore pour moi, je trouve le coupable et il va passer un sale quart d'heure !

Hideki envoya valser son pupitre d'un coup de pied et quitta la salle en claquant violemment la porte derrière lui. Chiemi frottait le dos de sa camarade, qu'elle tentait vainement de rassurer.

— Je comprends que tu aies eu peur... Moi non plus, je ne pensais pas qu'il irait jusque-là ! Tout va bien, maintenant, calme-toi...

Nobuaki s'approcha de l'élève prostrée, qu'il observa d'un air inquiet :

— Yûko, ça va ?

À ces mots, Chiemi se retourna, le visage déformé par l'inquiétude.

— Elle a l'air un peu calmée. Mais ce jeu du roi commence à me faire peur...

— Je sais. Hideki a retenu la leçon, je pense, alors si personne ne remet de l'huile sur le feu, ça devrait se tasser tout seul.

La rumeur s'était tue et la classe avait retrouvé son calme. C'est alors que Yûko, qui tenait son portable serré dans sa main, le jeta soudain loin d'elle avec un cri de terreur. Nobuaki ramassa le téléphone, dont il contempla l'écran.

Mar. 20/10, 08:19. Expéditeur : Roi. Titre : Jeu du roi. Message : L'ordre a bien été exécuté. END.

0 mort, 32 survivants.

Ordre n° 3 – Mar. 20/10, 16:35

Une fois la journée terminée, Nobuaki et Chiemi sortirent ensemble du lycée. Chaque jour depuis six mois, ils faisaient ainsi tranquillement le trajet du retour, rien que tous les deux.

Environ trois semaines après la rentrée, un dimanche après-midi, le jeune homme avait invité sa camarade sur les berges de la rivière Shikine, dont le lit longeait la ville. Assis côte à côte en classe, ils discutaient souvent, mais c'était la première fois qu'ils se rencontraient seul à seule en dehors des cours.

Ils avaient parlé de tout et de rien en se promenant à pas lents le long de la rive. Nobuaki, étrangement nerveux, semblait cacher un secret qu'il peinait à exprimer. Son amie se doutait un peu de la véritable raison de leur présence en cet endroit.

Bercés par le clapotis de l'eau, ils s'étaient arrêtés devant un des ponts qui franchissaient la rivière. Chiemi s'était décidée à prendre avec beaucoup de douceur la main de son compagnon. Il l'avait d'abord dévisagée d'un air surpris. Puis, rassemblant tout son courage, il avait déclaré :

— Chiemi… je t'aime. J'aimerais qu'on soit plus qu'amis.

Il lui avait fallu trois heures pour accoucher de ces deux toutes petites phrases. C'était leur première relation amoureuse, à l'un comme à l'autre.

Ils avaient quitté le lycée depuis cinq minutes déjà. Les yeux fixés sur la route goudronnée qu'illuminait la lumière rougeoyante du crépuscule, Chiemi demanda :

— Dis-moi, je peux passer chez toi, aujourd'hui ?

— Bien sûr, ça fait un bail ! D'ailleurs…

— Quoi ?

— Tu pourrais rester dormir, ce soir !

— Je ne sais pas trop…

— Allez, pour une fois.

— Je…

— Parfait, c'est décidé !

À peine arrivé chez lui, Nobuaki planta là sa camarade et disparut dans sa chambre. Avant de lui emboîter le pas, elle rangea les mocassins qu'il avait abandonnés dans l'entrée.

Elle se contraignait à afficher un air serein, mais sa nervosité était palpable. *Tu ne devrais pas te montrer trop distant…* soupira-t-elle dans son for intérieur. *Je veux bien croire que je compte pour toi, mais je vais finir par penser que je n'ai aucun charme…*

Ils s'attablèrent autour d'un repas de feuilles de chou farcies et de boulettes de viande au gingembre en compagnie de la mère de Nobuaki qui, au bout de quelques minutes, demanda à voix basse à la jeune fille :

— Tu connais la signification de ce plat, Chiemi ?

— Pardon ?

— Son sens caché. Pourquoi enrober une boule de viande bien juteuse d'une simple feuille de chou sans goût ? Comme si vos convives étaient végétariens en apparence mais carnassiers en réalité ! Dis-moi, crois-tu que Nobuaki préfère les légumes, ou la chair fraîche ?

Son fils s'étrangla sur la bouchée qu'il était en train de mâcher et fut pris d'une quinte de toux.

— Tu n'as pas à répondre à ça, Chiemi ! Maman, qu'est-ce que c'est que cette question tordue ? Je n'apprécie pas tes sous-entendus, mêle-toi de ce qui te regarde !

— Quand tu m'as prévenue que ton amie restait dormir, je me suis inquiétée, désolée ! Ça me semble naturel !

— Ça ne te concerne pas ! râla-t-il.

Chiemi riait sous cape. Pour finir son repas plus vite, Nobuaki entreprit d'engloutir sa nourriture à pleines bouchées qu'il fit descendre avec de l'eau. Il pressa sans tarder sa petite amie de faire de même. Il rongeait son frein :

Si cette vieille chouette continue à poser des questions indiscrètes, ce sera vite intenable !

L'intéressée, elle, caressait l'idée de demander son numéro de téléphone à sa jeune invitée. Ravie de ses manigances, elle affichait un sourire rayonnant, qui éveilla aussitôt la méfiance de Nobuaki.

— Ma mère va te demander ton numéro de portable, glissa-t-il discrètement à Chiemi. Surtout, ne dit pas oui !

— Comment l'as-tu deviné ? s'étonna sa génitrice.

— Ce n'est pas difficile de deviner ce qui te passe par la tête, je commence à te connaître !

Chiemi pouffa discrètement. Quand son petit ami eut le dos tourné, elle glissa à la vieille dame une note où elle avait griffonné ses coordonnées, accompagnées d'un court message : « Ça reste entre nous, mais la vérité, c'est que Nobuaki vous aime beaucoup. Il sait qu'il vous doit énormément. »

Une fois dans la chambre du garçon, ils travaillèrent un peu pour le lendemain, puis s'accordèrent une petite séance de jeux vidéo.

— Fais un effort, Chiemi. Tu es trop facile à battre !

— Oh, ça va ! Le foot, ce n'est pas ma tasse de thé, et je n'y ai jamais joué avant !

Tendu comme jamais, le jeune homme dissimulait mal une nervosité extrême. *Allez, un peu de cran !* se répétait-il en son for intérieur. Incapable de se concentrer sur sa tâche, il laissait ses doigts marquer les buts automatiquement, les uns après les autres.

Tous deux finirent par se lasser de cette activité et commencèrent à bavarder, adossés au lit. Nobuaki entreprit de se rapprocher par degrés infinitésimaux de Chiemi, priant pour qu'elle ne le remarque pas. Il finit par prendre son courage à deux mains, la regarda dans les yeux et, d'une voix tremblante, se lança à l'eau :

— Dis-moi…

— Oui ? répondit-elle, aussi fébrile que lui.

— Euh… C'est vraiment un bon jeu, tu ne trouves pas ?

Il vit tout de suite la déception se peindre sur le visage de sa petite amie.

— Pas mal. Mais tu ne fais pas de quartier, alors ce n'est pas très drôle. (Elle inspira un grand coup.) Au fait… Tu sais, ça commence à faire un moment qu'on sort ensemble… Je…

Comme pour lui couper la parole, leurs deux portables sonnèrent en même temps. Les aiguilles de la pendule accrochée au mur pointaient toutes deux droit vers le ciel. Ils échangèrent un regard un peu anxieux.

— Encore un message du roi ? Le jeu continue, tu crois ? Qu'est-ce qu'il est encore allé inventer ?

Mer. 21/10, 00:00. Expéditeur : Roi. Titre : Jeu du roi.
Message : Toute votre classe participe à un jeu du roi. Les ordres du roi sont absolus et doivent être exécutés sous 24 heures.
Aucun abandon ne sera toléré.
Ordre n° 3 : Élève n° 18, Hideki Toyoda, élève n° 3, Satomi Ishii.
Hideki doit toucher la poitrine de Satomi. END.

— Ça ne s'arrange pas… murmura Nobuaki. C'est encore Hideki qui a été désigné. Mais cette fois…

— Cette fois, il devrait être content… Tel que je le connais, ça risque de dégénérer !

— Carrément… Satomi est plutôt timide.

— Et jolie. Il ne va en faire qu'une bouchée.

— Ne t'inquiète pas. Je ne le laisserai pas faire ! Hideki a la grosse tête, et il n'écoute que lui, mais pas question qu'il pose ses sales pattes sur Satomi… Tu verras !

Après l'avoir dévisagé de longues secondes d'un air ébahi et un peu vexé, Chiemi se leva pour aller s'affaler sur le matelas qui lui était réservé. Sans un mot, elle s'emmitoufla dans sa couette.

Nobuaki eut beau lui demander ce qui n'allait pas, elle resta muette, et prétendit qu'elle s'était endormie. Il finit par se coucher lui aussi, vite emporté par le sommeil.

Très agitée, la jeune fille se réveilla au milieu de la nuit. Penchée sur le visage de Nobuaki, elle lui murmura au bout d'un moment :

— Je te déteste. Si c'était moi qui avais été désignée, tu aurais réagi comment ? Avec autant d'indignation que pour Satomi ?

La voix du garçon endormi la fit soudain sursauter :

— Tire, Naoya ! Un peu de courage !

Ses ronflements reprirent cependant aussitôt.

— C'est toi qui manques de courage ! murmura-t-elle.

Le lendemain matin, lorsqu'à huit heures à peine Nobuaki et Chiemi entrèrent en classe, ils trouvèrent Hideki assis sur le bureau du professeur, occupé à scruter la porte d'un regard d'aigle.

— Satomi ? Ah, ce n'est que vous… lança-t-il, visiblement déçu. Ça va ?

D'un air de regret, il leur adressa un petit signe de la main.

— Tu es là drôlement tôt, ce matin ! Tu arrives souvent à la dernière minute, d'habitude.

Il eut un ricanement sinistre.

— Évidemment ! Je suis en pleine forme, aujourd'hui ! Peloter Satomi ? Je n'avais plus du tout envie de participer, mais là... C'est vraiment pas de bol pour elle que les ordres du roi soient absolus ! Ne sois pas jaloux, Nobuaki... Je te raconterai !

— À ta place, je ne ferais pas le malin ! Yûko était en larmes après ce qui s'est passé hier ! s'écria Nobuaki.

— Arrête, je plaisante ! Pas la peine de t'énerver. J'en rajoute un peu, c'est plus marrant. Au fait, dis-moi... Chiemi et toi, vous arrivez ensemble, ce matin... Qu'est-ce que je dois comprendre ?

— Ça ne te regarde pas ! On n'a pas de comptes à te rendre, merci bien !

Le jeune homme serra les dents, vexé. Chiemi, gênée, contemplait ses pieds.

— Ah, mon petit Nobuaki ! Tu brilles dans beaucoup de domaines mais, avec les filles, tu es largué ! Méfie-toi, avec une copine aussi jolie, tu as intérêt à assurer, sinon quelqu'un va te la piquer... Allez, du vent ! Moi, j'attends Satomi.

Nobuaki en resta bouche bée.

Il est insupportable, ce type ! Un de ces quatre, il le regrettera, c'est sûr !

Petit à petit, les élèves vinrent s'asseoir chacun à leur place. Cependant, Satomi ne pointait toujours pas le bout de son nez. L'heure du début des cours, 8 h 30, approchait à grands pas.

C'est alors que la porte s'ouvrit avec un bruit sec. La classe entière tourna tout à coup la tête dans cette direction. Leur professeur principal venait d'entrer, le cahier d'appel sous le bras. Il monta d'un pas lourd sur l'estrade, posa le carnet sur son bureau, puis s'adressa à ses élèves.

— J'ai une annonce à vous faire pour commencer. Satomi est absente aujourd'hui, elle ne se sent pas bien.

Hideki se releva si brutalement que sa chaise valsa. Dans un grand fracas, elle heurta la table derrière la sienne.

— C'est n'importe quoi ! Juste aujourd'hui, comme par hasard ? Malade, mon œil ! s'exclama-t-il avant de redresser son siège, l'air très contrarié.

— Quel dommage ! Dire que tu étais venu plus tôt exprès pour l'accueillir… Elle t'a posé un lapin, qu'est-ce que tu crois ! La preuve qu'elle ne peut vraiment pas t'encadrer ! déclara Mami, d'un ton aussi mielleux que ses paroles étaient acerbes.

— Tais-toi, espèce de vipère !

Pendant ce temps-là, Nobuaki murmurait à Chiemi, assise à côté de lui :

— Satomi a décidé de rester chez elle. Elle a bien raison !

— Je la comprends, je n'aurais pas du tout eu envie de venir, à sa place…

Hideki fut sur les nerfs toute la journée. Maussade et belliqueux, il cherchait la bagarre au moindre prétexte. Bien sûr, les autres élèves, et en particulier les filles, mirent un point d'honneur à l'éviter soigneusement.

De retour chez lui, Nobuaki s'enferma dans sa chambre, jeta son sac sur son bureau et s'effondra sur le lit.

— Je suis crevé… marmonna-t-il.

Il avait passé la journée à surveiller Hideki. Frustré par l'absence de Satomi, ce démon avait tenté de faire subir le sort réservé à l'absente à toutes les filles qui passaient à sa portée, sans distinction.

À chaque fois que l'animal s'approchait d'une élève, Nobuaki s'était appliqué à lui mettre des bâtons dans les roues tout en criant à la future victime de s'enfuir. L'irritation de Hideki n'avait fait que grandir – il avait même tenté de s'attaquer à Chiemi.

Pour finir, il s'était glissé dans le dos de Mami. Nobuaki, épuisé par ses heures de vigilance, avait renoncé à intervenir. *Désolé, Mami, pardonne-moi !* avait-il murmuré dans son for intérieur.

Un sourire sardonique aux lèvres, Hideki avait tendu les mains vers la jeune fille…

Allongé sur son matelas, les yeux dans le vague, Nobuaki se remémora soudain un détail important. Il se redressa, sortit son portable de son sac et consulta ses textos. Puis il s'empressa de passer un coup de fil.

— Allô, tu m'entends ?

À l'autre bout de la ligne, Hideki avait décroché, mais le vacarme qui l'entourait empêchait son interlocuteur d'entendre quoi que ce soit. Cette forte tête adorait les jeux d'argent et les machines à sous, en particulier le pachinko, un loisir à la fois coûteux et bruyant. Nobuaki fit la grimace.

— Hideki, tu es encore à la salle de jeu ? Qu'est-ce que je t'ai dit la dernière fois ? Tu es vraiment irrécupérable ! Bon, ça suffit !

Il raccrocha et, excédé, balança son téléphone loin de lui, avant de s'affaler de nouveau sur les couvertures. Aujourd'hui, personne ne recevrait de message confirmant que l'ordre avait bien été exécuté. Et pourtant, cette idée le préoccupait étrangement.

Il n'éprouvait pas de haine pour Hideki. C'est vrai, son camarade était un sacré trouble-fête, qui parlait et agissait trop souvent sans réfléchir et sans égard pour les sentiments des autres. Il n'avait pas beaucoup de plomb dans la tête. Mais s'il avait beaucoup de défaut, il mordait la vie à pleines dents, ce qui faisait souvent plaisir à voir.

Quand il était là, on ne s'ennuyait jamais.

Deux semaines après son entrée au lycée, le conseiller d'éducation lui avait ordonné de raser sa barbe de trois jours, conformément au règlement intérieur. Malgré les protestations de Hideki, l'homme était resté ferme : l'élève serait renvoyé temporairement s'il n'obéissait pas dès le lendemain.

Le jour suivant, cette tête de mule n'avait rasé que la moitié droite de son visage. Passé dans la classe vérifier la bonne exécution de la consigne, le fonctionnaire en était resté bouche bée. Complètement décontenancé, il avait fini par quitter la salle sans demander son reste, en grommelant :

— Je m'en lave les mains !

Toute la classe avait éclaté de rire.

— Quoi, ça me va bien, non ? avait déclaré fièrement le trublion. Après tout, je me suis rasé, comme il l'a ordonné. Même lui n'a rien trouvé à y redire !

Hideki était le fils unique du PDG d'une compagnie de construction bien connue dans la région. Tout le monde s'attendait à ce qu'il suive les traces de son père et rejoigne l'affaire familiale dès la fin de ses études. Ses camarades le regardaient avec des yeux où se mêlaient à la fois jalousie et convoitise. Après tout, c'était une vie de chef d'entreprise à l'abri du besoin qui lui était offerte.

Il apportait souvent des magazines automobiles en classe.

— Mon vieux a promis de m'acheter une BMW Série 7 quand j'aurai fini le lycée ! se vantait-il auprès des autres élèves, fier comme un paon…

— On ne choisit pas sa famille, murmura Nobuaki en fermant les yeux, avant de sombrer presque aussitôt dans le sommeil.

Il se réveilla en sursaut. Combien de temps s'était-il écoulé ? La pendule murale indiquait 23 h 50.

— Bon sang, déjà si tard ? Je n'ai même pas dîné… Maman, tu aurais pu me réveiller ! grogna-t-il.

Dans dix minutes, il sera minuit, se dit-il. *Est-ce qu'un nouveau message du roi va tomber ?*

Nobuaki ramassa son portable. Seul le tic-tac de son horloge résonnait dans le silence étouffant de la chambre : 23 h 55.

1 SMS reçu.

Tiens, je pensais qu'il arriverait à minuit pile…

Il ouvrit le texto avec méfiance.

Mer. 21/10, 23:55. Expéditeur : Roi. Titre : Jeu du roi. Message : Plus que 5 minutes. END.

— Un compte à rebours ? Qu'est-ce que ça signifie ?

Peu de temps après, autre texto.

Mer. 21/10, 23:58. Expéditeur : Roi. Titre : Jeu du roi. Message : Plus que 60 secondes. END.

C'est la première fois qu'on nous expédie ce type de SMS… Minute, les ordres devaient bien être exécutés sous 24 heures, il me semble ? Oui, c'est ça ! Mais à quoi est-ce qu'il joue ?

Nobuaki tentait de retrouver les quelques phrases reçues la nuit précédente quand il vit s'afficher un troisième texto.

Mer. 21/10, 23:59. Expéditeur : Roi. Titre : Jeu du roi.
Message : Élève n° 18, Hideki Toyoda, élève n° 3, Satomi Ishii.
Condamnés à la mort par pendaison pour avoir failli à exécuter les ordres du roi. END.

Quoi ? Je rêve ? Qu'est-ce que c'est que ce délire ? Hideki et Satomi, condamnés à la pendaison ?

2 morts, 30 survivants.

Ordre n° 4 – Jeu. 22/10, 00:00

Jeu. 22/10, 00:00. Expéditeur : Roi. Titre : Jeu du roi.
Message : Toute votre classe participe à un jeu du roi. Les ordres du roi sont absolus et doivent être exécutés sous 24 heures.
Aucun abandon ne sera toléré.
Ordre n° 4 : Élève n° 17, Daisuke Tasaki, élève n° 20, Misaki Nakajima.
Daisuke et Misaki doivent avoir un rapport sexuel.
END.

— Il faut qu'ils couchent ensemble ? Mais c'est n'importe quoi ! Il plane, ce type !

Nobuaki poussa un profond soupir. Il vit s'afficher le nom de Chiemi sur l'écran du téléphone, et décrocha sur-le-champ. Elle semblait particulièrement nerveuse.

— Ça va ?

— À ton avis ? Tu as vu ces messages ? Hideki et Satomi, pendus ? Quelle mauvaise blague, vraiment ce n'est pas drôle ! Daisuke et Misaki, sommés de faire l'amour ? C'est complètement absurde ! C'est ignoble de suggérer un truc pareil, que va penser son petit ami, Shôta ?

— Doucement, calme-toi ! Bien sûr que tout ça est délirant. Ce n'est qu'un mauvais canular. Si on mord à l'hameçon, on rentre dans le jeu de ce malade. Il y a un manipulateur dans la classe, et il prend un malin plaisir à nous regarder nous agiter. Pourquoi Hideki et Satomi se pendraient-ils, de toute façon ? Ne t'inquiète pas, rien de tout ça n'est réel ! Tu devrais aller te coucher. On éclaircira toute cette histoire dès demain.

— Tu es sûr ?

— C'est promis. Repose-toi, ne t'inquiète pas.

— D'accord, bonne nuit.

Nobuaki était parvenu à soulager les inquiétudes de Chiemi dans un éclat de rire, mais lui-même devait bien reconnaître qu'il avait un mauvais pressentiment.

Après avoir raccroché, il appela Hideki, au cas où. Mais son camarade ne décrocha pas. Quant à Satomi, il ne connaissait pas son numéro.

Embrasser quelqu'un, lui lécher les pieds, lui toucher la poitrine… Où est-ce que ce pervers veut en venir, avec des défis pareils ? Bah, demain, on met un terme à ce jeu débile ! Avec Hideki, il faut qu'on essaie de trouver le coupable…

Le lendemain matin, lorsque Misaki arriva en cours, Mami se glissa derrière elle pour poser les deux mains sur sa poitrine.

— Coucou ! On dirait Hideki en personne, pas vrai ? Il m'a sauté dessus, hier, tu aurais dû voir ça ! Je lui ai retourné une de ces claques… Alors, tu as lu le message du roi ?

— Ah ah, très drôle ! Le texto ? Tu parles : quand j'ai vu apparaître mon nom, j'ai eu un sacré frisson… Je n'en revenais pas !

— Hideki n'est pas encore là ? Je me demande comment il a pris cette histoire ! Hier, il m'a appelée vers dix heures. Il avait gagné le gros lot au *pachinko*, et il a promis de m'offrir un portefeuille Gucci pour se faire pardonner son attitude de pervers ! J'ai hâte de voir mon cadeau ! Les garçons sont vraiment prêts à tout pour s'en payer une tranche !

Nobuaki parcourait la salle du regard, comme s'il cherchait quelqu'un. Chiemi lui posa la main sur l'épaule.

— Satomi et Hideki ne sont toujours pas là, on dirait.

— C'est vrai que je ne les ai pas encore vus… Satomi est peut-être toujours indisposée ? Hideki, lui, franchit toujours la porte le dernier, il ne va plus tarder.

— Je les ai appelés tous les deux après ce message qui faisait froid dans le dos, mais ils n'ont pas décroché. Ils ne m'ont même pas rappelée.

— Qu…

La sonnerie signalant le début des cours retentit. Cinq minutes plus tard, le professeur principal entra dans la classe, la mine grave.

Toujours aucun signe de Satomi, ou même Hideki, qui débarquait pourtant tous les matins *in extremis*.

— Ça demande du talent, d'arriver à la toute dernière seconde comme ça ! disait-il en ouvrant la porte de la salle.

Lorsque tout le monde fut assis, le nouvel arrivant s'adressa à ses élèves d'une voix étranglée :

— Merci de m'accorder toute votre attention... J'ai une terrible nouvelle à vous annoncer. Vos camarades Hideki Toyoda et Satomi Ishii sont décédés la nuit dernière. Leurs parents nous ont avertis ce matin.

Nobuaki ne comprit pas tout de suite le sens de ces paroles. Son cerveau tentait désespérément d'en déchiffrer la signification, mais tournait à vide. La nouvelle était trop soudaine, la réalité trop stupéfiante pour qu'il parvienne à l'assimiler. Le temps semblait s'étirer, distordu.

Il dut cligner cinq fois des yeux avant de percevoir enfin confusément la portée des phrases qu'il venait d'entendre. Aussitôt, il lui sembla qu'on le frappait en plein cœur, et un étau se referma soudain autour de sa poitrine.

Incapable de prononcer un mot, il peinait même à respirer.

Les rayons de soleil qui se déversaient dans la salle de classe l'éblouissaient. Sans doute à cause du contre-jour, la silhouette de l'enseignant était plongée dans l'ombre. Impossible de deviner son expression. Quelle tête pouvaient bien faire ses camarades ? La plupart lui tournaient le dos.

Le professeur balaya du regard les visages dans l'assistance avant de poursuivre.

— Il semblerait... qu'ils aient mis fin à leurs jours. Cet événement tragique nous cause à tous une profonde tristesse. Malgré tout, pour honorer leur mémoire, il ne faut pas...

Sans prendre le temps de réfléchir, Nobuaki se leva d'un bond.

— Hideki, suicidé ? Impossible ! Ça ne lui ressemble pas du tout ! Si la Terre était condamnée, il se serait accroché à la vie jusqu'au dernier moment ! S'il se faisait planter dans une ruelle sombre, je suis sûr qu'il reviendrait hanter son agresseur !

— Voyons, Nobuaki... Moi aussi, j'aurais préféré qu'il s'agisse d'un canular... Mais il faut accepter la réalité : Hideki et Satomi nous ont bel et bien quittés. Qui sait quels problèmes personnels ils ont dû affronter ! Je tiens à vous le redire : si jamais l'un d'entre vous a des soucis, n'hésitez pas à venir m'en parler. Surtout, ne restez pas murés dans le silence.

Hideki n'a pas mis fin à ses jours, je ne peux pas le croire ! Un désespéré ne serait pas allé à la salle de jeu, comme si de rien n'était, la veille de son suicide. Et Satomi, le même jour... Ça ne peut pas être une coïncidence !

Bien entendu, il n'y eut pas cours en première heure.

— Je vous laisse faire vos devoirs, dit le professeur en quittant précipitamment la salle.

Quand Nobuaki sortit son portable pour regarder le journal télévisé du matin, on donnait justement des nouvelles de ses camarades.

« Aujourd'hui, à l'aube, deux élèves de seconde du lycée préfectoral de Tamaoka ont été retrouvés morts pendus à

leurs domiciles respectifs. L'établissement nie la possibilité que ces décès aient pu être causés par des brimades, toutefois, les deux élèves étant camarades de classe, les autorités suspectent un lien et sont actuellement en train d'interroger les responsables pédagogiques. »

Nobuaki referma son téléphone et se rendit en salle des enseignants. Une réunion était en cours, mais il se précipita tout de même sur son professeur principal pour l'informer de ce qui se passait dans la classe depuis quelques jours.

— Cette histoire ne tient pas debout, enfin ! Tu regardes trop la télé. Ne te laisse pas perturber par ces messages. Je sais que vous vivez une épreuve difficile, mais vous devez vous ressaisir. Ne vous inquiétez pas, nous ferons tout pour qu'une telle tragédie ne se reproduise pas !

Nobuaki quitta la salle des professeurs d'un pas lourd. De retour à sa place, il regarda tour à tour les pupitres de Hideki et de Satomi, où avaient été déposées des fleurs. Hier encore, il y aurait vu ses camarades.

— Pourquoi est-ce qu'ils se sont pendus ? Faut qu'on m'explique, là ! s'écria Naoya derrière lui. C'est comme dans le message du roi… Est-ce que par hasard…

— Ça ne tient pas debout ! Arrête tes foutaises, Naoya ! lui hurla Shôta Yahiro en l'empoignant par le col.

— C'est quand même étrange, non ? Il y a un truc qui cloche. Ils sont morts pendus, comme indiqué dans le message du roi ! Les deux faits sont forcément liés… Nobuaki, tu es d'accord avec moi, hein ? On dirait une malédiction…

Sans répondre, Nobuaki quitta son siège et se dirigea vers le bureau du professeur. Il monta alors sur l'estrade et frappa le tableau du plat de la main : le tumulte de la salle laissa aussitôt place au silence.

— Qui envoie ces messages ? s'écria-t-il. Est-ce qu'il a aussi tué Hideki et Satomi en faisant croire à des suicides ? Qu'il se montre !

Personne ne dit mot.

Seule Misaki se leva, les épaules tremblantes. Tous les regards se portèrent sur elle.

— S'ils sont morts… à cause du jeu du roi… est-ce que ça signifie que je vais subir le même sort qu'eux ? demanda-t-elle, des sanglots dans la voix.

— Allons…

Nobuaki ne put rien répondre de plus. « Bien sûr que non », aurait-il voulu dire, mais Hideki et Satomi étaient bel et bien morts pendus.

Leur décès avait-il été causé par quelqu'un ? S'étaient-ils suicidés en même temps par pur hasard ? À moins qu'il ne s'agisse d'un genre de malédiction ?

Non, les malédictions n'existaient pas dans la vraie vie. Ce n'étaient que des superstitions d'un autre âge. Elles ne pouvaient pas être réelles. Et pourtant…

— Je sais !

Nobuaki extirpa le portable de sa poche, sélectionna un message du roi et appuya sur la touche « répondre » afin de vérifier le numéro de l'expéditeur. En vain : il n'apparaissait pas sur l'écran d'envoi.

— Quoi ? Qu'est-ce que ça veut dire ?

Foudre, séismes, typhons, éruptions volcaniques, ténèbres, malédictions, et enfin la mort. Les hommes avaient toujours vécu dans la crainte d'une menace ou d'une autre. Il y avait des phénomènes qu'ils redoutaient instinctivement… Peut-être les malédictions existaient-elles vraiment, même s'ils ne le savaient pas.

Chiemi tenta de rassurer Misaki :

— C'est absurde, voyons ! Ne t'en fais pas. Tu crois vraiment que ce jeu pourrait être fatal ?

Shôta se redressa à son tour et tapa du poing sur sa table.

— Exactement ! C'est une coïncidence, obligé. Ne crois pas à ces histoires, Misaki ! Si tu tiens à coucher avec Daisuke, je te jure que je te quitte !

Misaki le regarda d'un air effrayé.

— Mais ils sont morts ! Si c'est vraiment ce qui arrive quand on n'obéit pas aux ordres…

— Je t'assure que c'est impossible ! Amène-toi, Daisuke !

Le jeune homme, qui jusque-là était demeuré silencieux, se leva doucement et marcha jusqu'au siège de Shôta, la tête basse.

— Qu'est-ce qu'il y a ?

Shôta l'agrippa des deux mains par son col de chemise et resserra sa poigne.

— Si jamais tu couches avec ma copine sous prétexte que ce sont les ordres du roi, je t'étrangle !

— Com… compris… marmonna Daisuke, les yeux rivés au sol.

— Tu m'as bien entendu ! Et c'est valable pour toi aussi, Misaki !

— Mais…

— Allons, Shôta, ne t'énerve pas comme ça. Ils t'ont dit qu'ils n'allaient rien faire, intervint Nobuaki.

— Tais-toi, mêle-toi de ce qui te regarde ! Comment est-ce que tu réagirais à ma place, espèce d'hypocrite ?

Il finit par lâcher Daisuke et sortit de la pièce. Misaki le regarda s'en aller du coin de l'œil.

Nobuaki s'était approché de Chiemi, sur le point de fondre en larmes, et lui caressait gentiment le dos.

Hideki et Satomi ne reviendront plus jamais…

Ils n'avaient pas suivi les ordres et étaient morts de la façon indiquée dans le message. C'était une vérité irréfutable. La manière brutale avec laquelle leur présence quotidienne en cours avait pris fin avait bouleversé l'atmosphère de la classe.

Hideki avait été un type bien – en dépit de ses côtés énervants. On riait souvent du fond du cœur quand il parlait. Il égayait la classe.

Lors des rencontres sportives, Hideki jouait avec un entrain sincère et personne ne soutenait la seconde B plus que lui. Quand la classe échouait, il devenait glacial, mais quand elle gagnait, il rayonnait de joie.

Lorsque à l'occasion d'un championnat de football la seconde B avait perdu contre une autre classe, Nobuaki avait demandé à son camarade d'adresser quelques mots de remerciement à leur équipe.

— On a perdu, on a perdu. Il n'y a pas de quoi en être fiers, lui avait répondu Hideki.

Et la situation s'était envenimée.

Quelques jours plus tard, un ami proche de Hideki avait expliqué la réaction de l'agitateur de service à Nobuaki :

— C'est la carotte et le bâton. Il pensait qu'un rejet les pousserait à se surpasser.

« C'est la faute d'un autre si j'en suis arrivé là… » Ces derniers temps, on cherche de plus en plus à se protéger en blâmant son entourage pour ses propres malheurs. Même dans les compétitions sportives, certains se rejettent mutuellement la faute : « C'est parce qu'on m'a forcé à faire équipe avec un tel que j'ai perdu… »

Du narcissisme, voilà ce que c'est. Ce n'est pas juste. Si je perds, c'est de ma propre faute, pas de celle d'autrui. Si ça t'énerve, tu n'as qu'à redoubler d'efforts.

Ça me met hors de moi quand on me dit qu'on pardonne tout aux fils de riches. Dès que j'entrerai dans la vie active, je me retrouverai face à mes propres limites, à devoir affronter des situations injustes contre lesquelles les efforts s'avèrent parfois inutiles. J'ai hâte !

Le lendemain, Nobuaki s'était rendu chez Hideki afin de lui présenter ses excuses.

— Pendant la compétition, je me suis emporté. Je suis désolé.

— Je pense que les jeunes d'aujourd'hui ont besoin d'apprendre à optimiser le travail d'équipe, lui avait répondu Hideki. Plus on est égoïste, plus on a du mal à accepter de ne pas être parfait et plus on éprouve de la rancœur vis-à-vis de notre entourage et de nos parents qui nous poussent au succès. Bon, j'ai l'air de frimer en disant ça, mais je ne fais que répéter les paroles de mon père. Je ne vais pas entrer dans son entreprise. Je vais poursuivre ma propre voie. Si j'ai eu des mots un peu durs pendant la rencontre, c'est que je voulais que nos camarades se servent de cette défaite pour se motiver. Enfin, j'étais aussi dégoûté qu'on ait perdu !

— Tu n'es pas si bête que ça, en fait !

— Si, je suis un crétin ! Je te l'ai dit, je ne fais que répéter les mots de mon père.

Seuls quelques élèves avec lesquels il s'entendait bien connaissaient la vraie nature de Hideki.

Daisuke et Misaki devaient-ils se plier aux ordres qu'ils avaient reçus ? Ou bien devait-on considérer la mort de Hideki et de Satomi comme une coïncidence ?

Au milieu du tumulte de la salle de classe, Misaki sortit discrètement son portable et commença à taper un message avec fébrilité.

Alors que les cours avaient pris fin et que chacun s'apprêtait à rentrer chez soi, Chiemi, la mine déconfite, s'approcha de Nobuaki. Elle pleurait encore. Cependant, elle sécha vite ses larmes et s'efforça de sourire avant de l'attraper par la manche.

— Je vais à la veillée prévue pour Satomi. J'aimerais que tu me rejoignes, quand celle de Hideki sera finie.

— D'accord. Je t'appellerai.

À sept heures du soir, les garçons et les filles se rendirent chacun de leur côté aux veillées funèbres de Hideki et de Satomi.

Une foule nombreuse était venue dire adieu à Hideki et notamment beaucoup d'élèves scolarisés dans d'autres établissements. On ne pouvait pas vraiment les qualifier de bonnes fréquentations, mais tous pleuraient la disparition soudaine de leur ami. Ces jeunes, qui en temps normal ne semblaient pas du genre émotif, versaient à présent des torrents de larmes sans se soucier du regard des autres.

Quand mon père est mort, il y avait aussi foule à ses funérailles.

Nobuaki était encore en maternelle au décès son père. Il n'avait gardé aucun souvenir de lui vivant, mais se souvenait toutefois de la cérémonie funèbre. C'était à ce moment-là qu'il s'était rendu compte pour la première fois de la valeur de son père et du nombre de personnes qui le connaissaient.

Quand il s'était mis à sangloter, sa mère l'avait doucement pris dans ses bras.

— Nobu, ton papa fabriquait des fixations métalliques pour ampoules électriques dans une petite usine de banlieue. Son salaire était bas et on ne roulait pas sur l'or. Mais tu sais, j'étais heureuse avec lui. Et puis on t'a eu toi, notre plus grand trésor. Ton papa était fier de son travail. Il fabriquait des ampoules pour éclairer les pièces. Ce sont de tout petits objets, mais il disait qu'ainsi il apportait de la lumière à ses concitoyens. Pour sa demande en mariage, il m'a promis qu'il ferait briller mon cœur d'une lumière douce et chaleureuse.

» Ça m'a fait rire. Mais il a tenu sa promesse. Parce qu'il m'a laissé une belle lumière appelée Nobu… Tu sais à quoi on reconnaît la valeur d'un homme ? À la foule qui se presse à son enterrement. Tu vois, ton papa était quelqu'un d'extraordinaire. Alors tâche de devenir comme lui !

La mère de Nobuaki avait ensuite pleuré à chaudes larmes : les premières qu'elle montrait, car elle était jusque-là parvenue à contenir sa tristesse et à afficher un visage impassible.

Je ferai de ce petit quelqu'un de bien. Je te le promets. Tout ira bien, chéri.

Elle avait gentiment caressé le dos de son enfant.

— Papa… laissa échapper Nobuaki en touchant du doigt la photo de Hideki, superposant à son image celle de son père.

— Ça va ? murmura derrière lui Naoya.

— Oui, je vais bien… mais Hideki ne reviendra pas.

Après avoir quitté la veillée, Nobuaki rejoignit Chiemi dans le parc où ils s'étaient donné rendez-vous.

Ils ne parlèrent pas, car ils sentaient bien que s'ils ouvraient la bouche, la discussion finirait par porter sur Hideki et Satomi.

Lorsqu'ils arrivèrent sur les berges de la rivière Shikine, où Nobuaki lui avait fait sa déclaration, ils s'assirent sur l'herbe humide, Chiemi toujours agrippée à la manche de son petit ami.

Ils étaient là depuis un moment lorsque leurs portables sonnèrent en même temps.

Jeu. 22/10, 20:19. Expéditeur : Roi. Titre : Jeu du roi.
Message : L'ordre a bien été exécuté. END.

— Attends, Daisuke et Misaki ne se sont quand même pas conformés aux instructions ? s'exclama Nobuaki.

— J'ai bien peur que si… Dis, Nobuaki, qu'est-ce qu'on fait si on reçoit un ordre pareil ?

— Pas question d'obéir !

Le silence s'installa. Une question s'imposa à Nobuaki : comment le roi avait-il bien pu savoir que Daisuke et Misaki avaient couché ensemble ?

0 mort, 30 survivants.

Ordre n° 5 – Ven. 23/10, 08:15

L'air frais du matin résonnait du chant des alouettes et du pépiement des moineaux.

Nobuaki, des cernes sous les yeux et le teint blafard, marchait d'un pas pesant sur le chemin du lycée lorsque Naoya surgit dans son dos.

— Salut ! Ouh là, fais pas cette tête ! Je comprends ce que tu ressens, mais essayons de garder le moral. C'est un ordre facile, cette fois, il ne peut rien se passer de mal ! Même si ça m'inquiète que ce soit Shôta qui commande.

— Naoya... si tu te tues comme Hideki, je ne te le pardonnerai jamais.

— Crétin ! Je suis le roi des dégonflés, comment est-ce que tu voudrais que je mette fin à mes jours ?

— C'est toi le crétin ! Pourquoi tu te vantes d'un truc pareil ?

À minuit pile, tous les élèves de la classe, à l'exception de Hideki et Satomi, avaient reçu le même message :

Ven. 23/10, 00:00. Expéditeur : Roi. Titre : Jeu du roi. Message : Toute votre classe participe à un jeu du roi.

Les ordres du roi sont absolus et doivent être exécutés sous 24 heures.
Aucun abandon ne sera toléré.
Ordre n° 5 : Élève n° 30, Shôta Yahiro.
Shôta doit donner un ordre de son choix devant tout le monde. Celui qui reçoit l'ordre doit l'exécuter comme s'il provenait du roi. END.

Quand Nobuaki et Naoya entrèrent dans la salle de classe, Shôta et Daisuke étaient en train de se battre devant le placard à balais.

Shôta empoigna Daisuke par le col puis le projeta violemment contre l'armoire. Sa victime tomba au sol, les lunettes brisées sous le choc.

— Tu as couché avec Misaki hier, avoue !

— On n'avait pas le choix…

— Pas le choix ? Tu te fiches de moi ? hurla Shôta. Je vais t'apprendre à te taper ma copine ! Même si c'est elle qui t'a proposé, tu aurais dû refuser !

Shôta se jeta sur l'élève à terre et le roua de coups au visage.

— Espèce de salaud !

Son poing se couvrit du sang qui coulait du nez de Daisuke, qui semblait vouloir dire quelque chose, mais en était complètement incapable. Misaki, à côté d'eux, était recroquevillée sur elle-même, les mains sur le visage.

— Arrête, Shôta ! S'il te plaît, pardonne-nous ! Je suis vraiment désolée, j'avais peur… suppliait-elle.

— Je t'avais pourtant prévenue qu'il ne fallait pas croire à ces âneries ! Et d'après Daisuke, c'est toi qui l'as invité !

— J'avais peur, je te dis !

— C'est ça, prends-moi pour un idiot !

Nobuaki se précipita sur Shôta et, le saisissant à bras-le-corps, l'éloigna de Daisuke, qui se dépêcha de ramasser ses lunettes.

— Arrête de le frapper ! Même s'il est en tort, là, tu dépasses les bornes !

— Lâche-moi ! Tu veux que je t'en colle une, à toi aussi ?

— Calme-toi, enfin ! Je comprends ce que tu ressens, mais tu vas trop loin !

— C'est bon, j'ai compris ! Je vais le laisser tranquille.

Shôta se dégagea de l'étreinte de Nobuaki, puis se tourna vers les autres élèves en écartant les bras dans un geste théâtral.

— Le message disait bien que j'ai les pouvoirs du roi, cette fois ? Ça signifie que c'est moi qui mène le jeu !

Toute la classe se figea, parcourue d'un pressentiment atroce.

— Je ne vais pas me gêner, alors. Daisuke, va te pendre, comme Hideki et Satomi ! ordonna fièrement Shôta avant de partir d'un grand éclat de rire.

Alors qu'il se tenait les côtes, Nobuaki se précipita sur lui.

— Comment est-ce que tu peux demander un truc pareil ? Daisuke n'a aucune chance de s'en sortir, qu'il obéisse à l'ordre ou pas !

— Il n'a qu'à pas croire à ces bêtises ! Ne me dis pas que lui et Misaki ont eu raison de gober cette histoire. Il est génial, cet ordre, non ?

Avant de se diriger vers son siège, Shôta assena deux ou trois claques dans le dos à Nobuaki, qui le regarda s'éloigner d'un air furieux.

À cet instant, les portables avertirent toute la classe de l'arrivée d'un message. Chacun vérifia son téléphone.

Incrédule, Nobuaki ouvrit le sien et lut le dernier texto reçu :

Ven. 23/10, 08:21. Expéditeur : Roi. Titre : Jeu du roi.
Message : Toute votre classe participe à un jeu du roi. Les ordres du roi sont absolus et doivent être exécutés sous 24 heures.
Aucun abandon ne sera toléré.
Ordre n° 5 : Élève n° 17, Daisuke Tasaki.
Daisuke doit se tuer par pendaison. END.

— Qu'est-ce que je vais faire ? s'exclama l'intéressé avant de s'enfuir de la classe.

— Ça lui apprendra ! ricana Shôta.

— Espèce de...

Serrant le poing, Nobuaki se jeta sur lui.

— Arrête ! Tu risques de causer de nouveaux problèmes, intervint Chiemi.

— Exact ! Tu ne crois pas qu'il faudrait commencer par chercher une solution à celui de Daisuke ? ajouta Naoya.

Nobuaki se retint.

— Quand le professeur arrivera, Chiemi, dis-lui que j'aurai un peu de retard. Je pars à la recherche de Daisuke.

Le garçon n'était pas en vue dans le couloir. Nulle trace de lui non plus aux toilettes, dans les escaliers ou à la cafétéria. Nobuaki se rendit jusque dans le hall et regarda dans le casier à chaussures de Daisuke : elles n'y étaient pas.

Il sortit alors du bâtiment et fit le tour de la cour en appelant son camarade. Il alla finalement voir derrière le local annexe. Daisuke était assis sur un rocher au bord de l'étang boueux.

Nobuaki s'approcha dans son dos, à pas de loup. Lorsqu'il lui tapota l'épaule, Daisuke sursauta.

— Tu m'as fait peur ! Qu'est-ce qui se passe ?

— Comment ça ? Je suis venu te chercher parce que je m'inquiète, voilà ce qui se passe !

— Merci. Dis, qu'est-ce que je dois faire, à ton avis ?

Nobuaki s'assit à côté de Daisuke puis, avec un sourire, pointa du doigt son portable.

— Ne crois pas à ce que racontent ces messages. La mort de Hideki et Satomi est forcément une coïncidence.

— Une coïncidence ? Après ce qui leur est arrivé ? Même un gamin se rendrait compte qu'il ne s'agit pas d'un hasard !

Nobuaki ne sut pas quoi répondre.

— Pardon, je me suis emporté... dit Daisuke. Merci de t'inquiéter pour moi. Retourne en classe, la première heure a déjà commencé.

— Toi aussi, tu es en retard, je te signale.

— Je vais rester ici encore un moment.

— Reviens plutôt avec moi, on se fera passer un savon tous les deux !

Nobuaki lui tendit la main, puis écarquilla soudain les yeux.

— Pourquoi est-ce que je n'ai pas pensé plus tôt à un truc aussi simple ? Si cette histoire s'avérait sérieuse, c'est à minuit que la sentence devrait tomber, non ? Dans ce cas, il suffit que je sois avec toi à ce moment-là et tu ne risqueras pas de subir un châtiment !

— Comment ça ?

— Il suffit que je reste avec toi cette nuit ! Si on est ensemble, tu ne pourras pas te pendre !

— Je vois, même si j'essaie, tu seras là pour m'en empêcher. Et tu veux bien faire ça pour moi ?

— Mais oui, compte sur moi ! s'exclama fièrement Nobuaki.

Arrivé devant la salle de classe, il ouvrit craintivement la porte.

— Où étiez-vous passés ? Le cours a déjà commencé ! les réprimanda le professeur de physique, un homme âgé qui attendait avec impatience l'arrivée de la retraite.

— Désolé… Je ne me sentais pas très bien, je suis allé prendre l'air.

— Si tu crois que je vais avaler ce mensonge ! Dépêchez-vous d'aller vous asseoir !

— Pardon ! chuchota Daisuke à l'oreille de Nobuaki. C'est de ma faute s'il t'a remonté les bretelles.

— Ne t'inquiète pas, j'ai l'habitude !
Une fois à sa place, Nobuaki reçut un texto.

Ven. 23/10, 09:23. Expéditeur : Chiemi Honda.
Titre : Bien joué !
Message : Ouf ! Tout va bien, même si tu t'es fait sonner les cloches. Tu es vraiment malade ? END.

Il se tourna vers Chiemi et effectua le signe de la victoire.

— Je me sens en pleine forme, andouille ! cria-t-il sans réfléchir.

— Nobuaki, tu veux que je t'exclue du cours ? fit le vieux professeur en le dévisageant d'un regard sévère.

— Pardon.

Chiemi lui rendit son signe de main accompagné d'un grand sourire.

— Pourquoi tu fais ce geste ? Tu es bien mystérieuse, parfois.

Les cours étaient terminés et Nobuaki attendait Daisuke devant le portail du lycée tandis que des filles en jupe courte et des garçons en pantalon taille basse passaient devant lui.

Il les entendait discuter, insouciants.

— Dis, tu commences ton petit boulot à quelle heure ?

— Où est-ce qu'on sort, aujourd'hui ?

En temps normal, il n'y aurait pas prêté attention, mais aujourd'hui c'était différent. Il enviait leur quotidien ordinaire.

Il baissa les yeux, comme s'il ne souhaitait pas regarder la réalité en face.

Moi aussi, je suis un lycéen comme les autres qui aime échanger des plaisanteries et faire l'idiot.

Au bout d'environ cinq minutes, Daisuke arriva en courant.

— Désolé, je suis en retard !

— Ce n'est pas grave ! À propos, on va recevoir un coup de main, même s'il vient d'un bon à rien.

Naoya pointa le bout de son nez derrière Nobuaki.

— On s'est dit que plus on serait nombreux, plus tu serais rassuré, alors je viens aussi ! Ça te va ?

— Bien sûr ! Merci !

Ils prirent tous les trois le chemin de la maison de Daisuke et pénétrèrent peu de temps après dans un beau quartier où s'alignaient des résidences majestueuses. Daisuke finit par s'arrêter devant une demeure qui sortait du lot.

Ceinte d'un haut mur blanc, pourvue d'un grand patio, elle n'était pas sans évoquer un palais. Dans le garage, des voitures de luxe : une Mercedes-Benz Classe S, une Maybach Landaulet, une Lamborghini Gallardo... Nobuaki en restait bouche bée.

— Qu'est-ce que c'est que cet endroit ? C'est ici que tu vis ? Vous roulez sur l'or, en fait ?

— Ben, un peu.

— Comment ça, un peu ? Ta maison est cent fois plus grande que la mienne ! On vit vraiment dans un monde d'inégalités…

Ils empruntèrent un chemin de dalles en pierre bleue magnifiquement disposées qui les mena devant un hall d'entrée digne d'un hôtel de luxe : orné de marbre, il dégageait une image moderne tout en possédant un certain cachet.

Trois domestiques vinrent les accueillir.

— Bonsoir, monsieur Daisuke.

— Bonsoir. Voici Nobuaki et Naoya, des amis. Ils vont passer la nuit ici. Vous pouvez vous occuper des préparatifs ?

— Des femmes de chambre ! s'exclama Nobuaki, de plus en plus stupéfait. À croire que ta famille est restée bloquée au siècle dernier ! Chez moi, il n'y a que ma mère fatiguée, trentenaire autoproclamée de quarante-huit ans, qui m'attende. D'ailleurs, j'aimerais bien aller saluer la tienne, Daisuke.

— Elle est à l'étranger pour son travail. C'est pour ça qu'on a engagé des domestiques. Je ne sais pas ce que fait mon père… répondit tristement son camarade.

Puis il emmena Nobuaki et Naoya dans sa chambre.

La pièce, peinte dans les tons blancs, faisait environ trente-trois mètres carrés. Une plante décorative et un écran plasma soixante-cinq pouces se trouvaient non loin d'une baie vitrée à travers laquelle on pouvait voir un immense jardin. L'endroit ne donnait pas vraiment l'impression d'être habité.

Nobuaki enlaça la télévision comme s'il s'apprêtait à la soulever.

— Ta chambre est plus grande que mon salon ! Même ta télé est gigantesque. Comme je t'envie, déclara-t-il avec candeur. Désolé d'insister, mais décidément on ne vit pas dans le même monde !

Après dîner, ils se mirent à jouer à la console en attendant l'heure fatidique. Ils s'essayaient à la dernière version d'un jeu de football célèbre que Nobuaki mourait d'envie d'acheter, mais qui était bien au-dessus de ses moyens.

— Si jamais j'y passe, il est à toi ! s'exclama Daisuke alors que son camarade parcourait le mode d'emploi d'un air envieux.

— Si tu restes en vie, tu veux dire. Je vais venir jouer chez toi tous les jours, que tu le veuilles ou non !

— Ça ne me dérange pas... Tu seras toujours le bienvenu !

— Ce n'est pas tombé dans l'oreille d'un sourd ! Tu peux compter sur moi pour revenir, ne serait-ce que pour revoir vos jolies femmes de chambre.

Nobuaki sourit jusqu'aux oreilles, comme pour cacher son embarras.

— Allez, on joue ! Tu verras, on a vraiment l'impression d'être sur le terrain !

Naoya n'était pas seulement nul en sport, il était aussi très mauvais aux jeux vidéo. Même l'ajout de handicaps ne lui permit pas de gagner contre Daisuke et

Nobuaki. Quand il se vit demander s'il n'avait vraiment aucun talent particulier, il répondit fièrement :

— Non, pas un seul !

Ils disputèrent des matchs endiablés, tous trois échauffés à un point inhabituel.

En se concentrant ainsi sur un objectif, ils pouvaient vider leurs esprits de toute préoccupation inutile et permettre à leur courage de triompher de la terreur qui flottait dans l'air.

Néanmoins, ils espéraient que tout ce qui s'était passé jusqu'à présent n'avait été qu'une suite de coïncidences sans lien entre elles.

Le lecteur DVD afficha 23 h 50. Les garçons posèrent leurs manettes puis éteignirent l'écran de télévision.

— C'est l'heure.

Ils s'assirent en cercle autour des portables, tous trois aussi nerveux que s'ils s'apprêtaient à passer un entretien d'embauche. Le tic-tac de l'horloge résonnait violemment à leurs oreilles.

Leurs téléphones sonnèrent en même temps.

Ven. 23/10, 23:55. Expéditeur : Roi. Titre : Jeu du roi. Message : Plus que 5 minutes. END.

— Le texto est arrivé pile à l'heure, murmura Daisuke.

— Tout va bien se passer ! On est là. Et puis n'oublie pas qu'on a emporté de la pièce tout ce qui pourrait servir de corde. Tu n'as rien pour te pendre. Sans compter que la porte et les fenêtres de la chambre sont fermées à clé.

À nouveau, les téléphones sonnèrent.

Ven. 23/10, 23:58. Expéditeur : Roi. Titre : Jeu du roi. Message : Plus que 60 secondes. END.

Les trois garçons, les joues de plus en plus rouges, se prirent par les bras pour former un cercle.

Leurs portables signalèrent simultanément l'arrivée d'un autre message. L'instant décisif était venu.

— Comme l'ordre n'a pas été effectué, ce doit être un message de sanction. Je regarde !

Ven. 23/10, 23:59. Expéditeur : Roi. Titre : Jeu du roi. Message : Élève n° 17, Daisuke Tasaki.
Condamné à la mort par pendaison pour avoir failli à exécuter les ordres du roi. END.

Ils furent parcourus d'une vague de nervosité et de terreur. Nobuaki avait des sueurs froides.

En un sens, ils avaient attendu ce moment avec impatience. Tôt ou tard, l'heure fatidique devait arriver. Ils avaient eu beau tenter d'ignorer ce fait jusqu'à présent, une partie d'eux était restée perpétuellement dans l'angoisse.

Le décès simultané de Hideki et de Satomi était-il une coïncidence ou bien un coupable se cachait-il quelque part ? Tout allait s'éclaircir cette nuit-là.

Nobuaki était sur le qui-vive. Les garçons avaient apporté des clubs de golf trouvés dans la chambre du père de Daisuke. Leur hôte en empoigna un d'une main trempée de sueur.

Ils n'avaient pas rompu leur cercle depuis qu'ils avaient reçu le dernier message. Une minute s'écoula, puis trois... puis cinq.

— C'est bon, maintenant, non ? demanda Naoya en redressant la tête.

Nobuaki, à son tour, leva lentement les yeux.

— Apparemment, oui.

Daisuke regarda son propre corps, se palpa.

— Je n'ai rien ! déclara-t-il.

— On dirait bien !

Il se redressa et enlaça les deux autres.

— Je suis sauvé ! Pour de bon ! Merci, vraiment !

La tension qui l'habitait dut se relâcher d'un coup car ses genoux ployèrent et il s'affala sur le sol en pleurant à chaudes larmes. Nobuaki lui tendit la main.

— Les suicides de Hideki et de Satomi étaient bien une coïncidence. Ce jeu du roi n'est qu'un canular, des foutaises pures et simples ! Heureusement !

— Merci... du fond du cœur.

Délivrés de leur peur et de leur angoisse, les trois élèves laissèrent la joie les envahir.

Nobuaki reçut un appel de Chiemi.

— Qu'est-ce qu'il y a ? On était en pleine célébration.

— Daisuke va bien, alors ?

— Bien sûr, puisque je suis avec lui ! C'est pour ça qu'on se réjouit !

— Vraiment ?

— Mais oui, ne t'inquiète pas, il ne s'est rien passé ! On l'annoncera à tout le monde, demain.

— D'ailleurs… tu as vu le nouveau message du roi ? Cette fois, c'est Naoya qui a été choisi !

— Ho ho… c'est Naoya qui a été désigné par sa majesté, cette fois ? J'espère qu'il a pour ordre d'aller chercher des noises à notre prof d'EPS ultra-cruel, Kawashô en personne ! Ou un truc du genre… Ça serait terrible !

— Ne plaisante pas avec ces choses-là !

— Pardon, c'est juste que je suis content !

— Bon, allez-y doucement avec vos célébrations. Moi, je vais me coucher. Je suis fatiguée.

— Bonne nuit, Chiemi ! Je t'aime ! Je t'embrasse.

— Tiens donc… Tu étais moins enthousiaste l'autre jour !

— Pardon ?

Chiemi avait déjà raccroché.

Naoya s'était caché derrière la plante décorative – sans doute souffrait-il d'un profond traumatisme associé à M. Kawashô, le professeur d'EPS.

Tous trois firent ensuite la fête jusqu'à l'aube. Ce fut une nuit inoubliable.

Jusque-là, Nobuaki et Daisuke, bien que camarades de classe, ne s'étaient quasiment jamais parlé. Nobuaki n'aurait jamais imaginé devenir ami avec quelqu'un d'aussi calme et taciturne que Daisuke.

Mais ses préjugés s'étaient envolés. On ne comprenait vraiment certaines choses qu'en les expérimentant. Le jeu du roi avait été l'occasion pour ces deux élèves de mieux se connaître.

— On devrait peut-être remercier ce jeu, finalement, murmura Nobuaki.

Bien qu'il soit resté éveillé jusqu'à l'aube, Nobuaki ouvrit les yeux avant que son réveil ne sonne. Il regarda l'horloge de son portable : il était plus de 7 heures.

Je me sens lourd…

En effet, il ne put se redresser qu'à moitié. Naoya enlaçait sa taille.

— Beurk, ne me colle pas comme ça ! Tu n'es pas du tout mon style, en plus.

Nobuaki repoussa son ami du pied :

— Désolé ! Si tu avais été Chiemi, je n'aurais pas dit non, mais là…

— Ben quoi… on a envie de chaleur humaine, en cette saison ! fit Naoya.

— Tu es à moitié endormi, idiot ! Et vraiment mort de faim… Ah, ces jeunes !

Nobuaki replia son majeur, un sourire sardonique aux lèvres, avant d'assener une violente pichenette sur le nez de Naoya, qui poussa un grand cri de douleur et se renversa en arrière.

— Allez, debout ! Arrête de brailler ! On n'a presque pas dormi, la journée va être longue. Daisuke dort enc…

Nobuaki se figea, horrifié.

— Non, c'est pas vrai…

Aucun autre mot ne put franchir ses lèvres.

Il venait d'apercevoir son camarade, pendu dans un coin de la pièce.

Les cordons de la console étaient entortillés autour du cou du supplicié, qui portait de multiples traces de griffures. Peut-être se les était-il infligées en se débattant ? Ses mains pendaient, inertes. Son bas de pyjama était trempé.

Des scènes de la nuit précédente défilèrent dans la tête de Nobuaki.

« Si jamais j'y passe, il est à toi ! », « Si tu restes en vie, tu veux dire. Je vais venir jouer chez toi tous les jours, que tu le veuilles ou non ! », « Tu seras toujours le bienvenu ! », « Merci… du fond du cœur »…

Le terme « merci » se répétait sans fin dans sa tête, au point de se retrouver dénué de sens.

Le spectacle était si traumatisant que sa vision se troubla. Il mit plusieurs secondes à se forcer à accepter la réalité. Lorsqu'il eut recouvré un peu de son sang-froid, il se leva d'un bond.

— Daisuke ! Mais qu'est-ce qui s'est passé ? s'écria-t-il.

— Aaaah, Daisuke ! hurla Naoya, comme si lui aussi venait de comprendre la situation.

— Je vais le décrocher, appelle une ambulance !

Mais Naoya n'était plus qu'un torrent de larmes que les mots de Nobuaki ne semblaient pas atteindre.

— Qu'est-ce que tu fiches ? Ressaisis-toi ! La vie de Daisuke est en jeu, ce n'est pas le moment de pleurer… Je ne le laisserai pas mourir, je le jure !

Nobuaki déposa Daisuke sur le sol et le prit dans ses bras. Un silence déchirant emplissait la pièce.

— Allez, Daisuke ! Nous laisse pas tomber ! cria Nobuaki en lui martelant le torse.

Je t'en prie, dis que je te fais mal !

Nobuaki serra la main de son ami de toutes ses forces, tentant de lui transmettre sa volonté, son énergie.

— Ta main est froide... Beaucoup trop froide. Et ton visage est si blanc... comme tes lèvres... Pardon... si on était restés vigilants jusqu'au bout, tu serais sans doute encore vivant. Pourquoi est-ce qu'on est venus ici ? Pour faire la fête ?

Est-ce que je suis en train de faire un cauchemar ? Si oui, qu'on me réveille !

Une larme roula doucement sur sa joue.

Les portes et les fenêtres étaient toutes fermées à clé. Aucune trace d'entrée par effraction.

Nobuaki et Naoya montèrent dans l'ambulance et accompagnèrent le corps de Daisuke jusqu'à l'hôpital. Dans la salle d'attente, ils pleuraient toujours.

L'existence d'un être n'est pas quelque chose qui s'oublie facilement. Nobuaki ne parvenait pas à se défaire des images de Daisuke vivant, en bonne santé. Elles étaient imprimées sur sa rétine de façon aussi indélébile que sur de la pellicule : quand ils étaient assis au bord de l'étang, quand ils avaient disputé ce match de football endiablé...

Un camarade de classe était mort sous ses yeux. De la chair demeurait, mais plus d'âme.

— Je me demande quel genre d'endroit c'est, le paradis, laissa-t-il échapper.

— J'en sais rien, sanglota Naoya.

1 mort, 29 survivants.

Ordre n° 6 – Sam. 24/10, 08:06

Le portable de Nobuaki annonça l'arrivée d'un message.

— C'est Chiemi. Elle me dit de vite venir au lycée. « Est-ce que tu as oublié qu'on avait cours le samedi matin ? » elle demande… mais je ne me sens pas d'y aller.

— Moi non plus, fit Naoya.

Nobuaki vit qu'il avait reçu un autre texto avant celui de sa petite amie.

Sam. 24/10, 00:00. Expéditeur : Roi. Titre : Jeu du roi.
Message : Toute votre classe participe à un jeu du roi. Les ordres du roi sont absolus et doivent être exécutés sous 24 heures.
Aucun abandon ne sera toléré.
Ordre n° 6 : Élève n° 21, Naoya Hashimoto, élève n° 8, Kana Ueda.
Toute la classe doit voter pour élire le plus populaire des deux. Le perdant recevra un gage.
Si le vote n'a pas lieu, Naoya et Kana recevront un gage.
Abstentions interdites. END.

À la lecture du message, Nobuaki sentit ses forces l'abandonner. Il avait l'impression que son corps se faisait lentement dévorer de l'intérieur. Son téléphone lui glissa des mains.

— J'avais oublié… Cette fois, c'est toi qui as été désigné. Mais pourquoi toi ?

— Un concours de popularité ? Et le perdant reçoit un gage ? L'un de nous deux va forcément être puni. Si je gagne, Kana reçoit une sanction, et si je perds, c'est moi…

Naoya se prit la tête entre les mains. Il devait sacrifier la vie d'une camarade pour protéger la sienne, et les élèves qui allaient voter devraient prendre une décision similaire. Le perdant allait peut-être mourir.

Chacun était forcé de choisir entre deux « amis ».

Nobuaki ouvrit grands les yeux et regarda par la fenêtre d'un air soucieux.

Qu'est-ce qui se passe s'ils finissent à égalité ? Bon sang, comme trois élèves sont morts, on n'est plus que vingt-neuf dans la classe ! Ils ne pourront jamais obtenir un nombre équivalent de voix…

Sentant soudain quelque chose d'inhabituel sous sa veste, il plongea la main dans sa poche intérieure et en sortit un objet : le jeu auquel ils avaient joué la veille.

Une feuille de papier à lettres voltigea jusqu'au sol.

Daisuke avait dû glisser discrètement le tout dans sa poche alors qu'il était endormi.

Merci beaucoup, Nobuaki. Je tiens à te donner le jeu.

Je souhaite que tu le gardes, comme ça je pourrai venir jouer chez toi. Je ne t'ai pas demandé la permission parce que tu peux être vraiment têtu quand tu veux. La prochaine fois, on s'affrontera sur ta console. Je compte bien gagner !

Nobuaki remit soigneusement la boîte et la lettre dans la poche de sa veste, et appela Chiemi.

— Tu es en classe ?

— Oui. Je n'en reviens pas que tu ne sois pas encore arrivé !

— Je pars tout de suite.

Nobuaki raccrocha puis, saisissant sous les bras son camarade recroquevillé sur lui-même, le releva de force.

— On va au lycée !

— Pour quoi faire ?

— Tenter d'obtenir plus de votes que Kana !

— Mais dans ce cas-là, c'est elle qui va recevoir un gage…

— Tu veux être puni, alors ? s'emporta Nobuaki. On ne sait pas ce que sera le châtiment, mais tu pourrais en mourir !

Naoya, le visage toujours couvert de larmes, acquiesça.

Ils filèrent au pas de course vers leur établissement.

Pas question de perdre ce concours ! Je protégerai Naoya par tous les moyens, je le mènerai à la victoire coûte que coûte !

Une fois parvenu au bout du couloir de l'aile des secondes, Nobuaki ouvrit la porte de la salle de classe à la volée, puis se dirigea droit sur Shôta, qui fanfaronnait au milieu d'un attroupement de garçons.

— Cette poule mouillée de Daisuke sèche les cours. Il ne devrait pas croire au jeu du roi. Hier, j'en suis resté là parce qu'on a été interrompus, mais je ne lui ai pas encore pardonné. À bien y réfléchir, cet abruti est déjà mort, si ça se trouve. Il a dû se pendre comme je le lui avais ordonné. Une débilité pareille, ça fait de lui une espèce rare. De toute façon, même si ce type crevait, personne ne le remarquerait tellement il passe inaperçu ! J'ai peut-être commis un crime en tuant une espèce protégée.

— Serre les dents, Shôta !

— Hein ?

Alors que sa cible se retournait, Nobuaki lui envoya de toutes ses forces son poing dans la figure. Il en tomba de sa chaise. La classe était en émoi, et une des filles laissa même échapper un cri.

— Mais qu'est-ce qui te prend ? hurla Shôta.

Nobuaki lui lança un regard à glacer le sang.

— Daisuke est mort pendu, comme tu l'as ordonné !

— Tu rigoles ? Si c'est vrai, c'est vraiment un crétin monumental. Excellent !

— Je suis sérieux ! fit Nobuaki en dévisageant Shôta sans bouger d'un pouce. Écoute-moi bien, je ne te le répéterai pas deux fois !

— Ce n'est pas une blague ! intervint Naoya. Nobuaki et moi avons passé la nuit chez Daisuke, on est restés avec lui tout du long. Et ce matin, au réveil, on l'a retrouvé mort. Par pendaison. Et je peux vous affirmer une chose : il n'avait pas du tout l'intention de mourir.

— Arrête tes foutaises ! Je suis sûr que vous êtes de mèche, tous les trois ! Tu veux que je t'en colle une ? Ou bien tu as pété les plombs ?

Shôta empoigna Naoya par les cheveux.

— Ça suffit ! s'écria Nobuaki en saisissant Shôta par le col. Daisuke est mort à cause de ton ordre idiot, tu comprends ça ? Excuse-toi auprès de son cadavre !

Shôta avait soudain le regard fuyant.

Il est sérieux ? C'est pas possible...

Les élèves, paniqués, se mirent à bombarder Nobuaki de questions.

— C'est la vérité ?

— Daisuke est vraiment mort ? Alors pour Hideki et Satomi, ce n'était pas une coïncidence ?

— Explique-toi, Nobuaki ! Qu'est-ce qui se passe ?

Le jeune homme monta sur l'estrade, posa les deux mains sur le bureau du professeur et parcourut l'assemblée du regard.

— J'ignore complètement si nous sommes victimes d'une machination ou bien d'un genre de malédiction, mais ce qui est sûr, c'est que le jeu du roi est bien réel. Sinon, rien ne peut expliquer les morts de Hideki, Satomi et Daisuke. Trois élèves ne peuvent pas s'être pendus en si peu de temps par pure coïncidence... On reçoit un châtiment si on n'obéit pas aux ordres.

— C'est... une blague... murmura Shôta, blanc comme un linge.

— Tu penses que je mentirais alors que trois de nos

amis y ont laissé la vie ? L'ordre suivant est un concours de popularité entre Naoya et Kana.

Mami se précipita vers Nobuaki.

— Qu… qu'est-ce que tu racontes ? s'exclama-t-elle. On ne peut pas faire ça. Le perdant risque de mourir ! Tu nous demandes de choisir lequel tuer ? Tu plaisantes, j'espère ? Les autres, vous pouvez choisir entre Naoya et Kana ? Vous êtes capables de voter si ça peut coûter la vie à quelqu'un ?

Le silence se fit dans la salle, jusqu'à ce que la voix d'une élève le rompe. C'était Kana Ueda, la deuxième cible de l'ordre.

— Une seconde ! Si on n'agit pas, on va recevoir une sanction tous les deux, non ? On n'a pas le choix, alors. Pourquoi est-ce que je devrais commettre un double suicide avec un garçon comme Naoya ? Mon honneur est en jeu.

Nobuaki observa un à un les visages de ses camarades.

— Eh bien, c'est décidé. Mettons-nous d'accord pour ne pas en vouloir à son adversaire, quel que soit le résultat et quoi qu'il arrive. Choisissez tous en votre âme et conscience.

— Parfait ! dit Kana, le regard mauvais.

D'un tempérament énergique, elle avait l'esprit vif, même si ses notes n'étaient pas exceptionnelles.

Elle était aussi étrangement orgueilleuse et la moindre atteinte à sa fierté la vexait et la mettait dans une colère noire.

Kana était en outre obstinément attachée à une chose :

Les hommes viennent naturellement vers moi. Je veux être leur centre d'intérêt. Qu'ils m'obéissent au doigt et à l'œil. Tout le monde souhaite être indispensable aux autres et plaire au sexe opposé.

Un engrenage de désirs tordus s'enclencha en grinçant dans l'esprit de la jeune fille.

— Quand aura lieu le vote ? demanda-t-elle en fusillant Nobuaki du regard.

— Ici même, à partir de 14 heures, qu'est-ce que tu en dis ? Les autres, ne soyez pas en retard !

Assise près de la fenêtre, l'air détaché, Ria Iwamura fit la moue.

— À partir du moment où on met deux individus en concurrence, quel que soit celui qu'on choisit, le jour viendra où on regrettera de ne pas avoir voté pour l'autre, grommela-t-elle à voix basse.

Pendant la pause du matin, Nobuaki, Naoya et Chiemi se rendirent dans le préau derrière le bâtiment de l'école.

Leur classe comportait actuellement vingt-neuf élèves : quatorze garçons et quinze filles. Il fallait obtenir au moins quinze votes pour l'emporter.

— Naoya, tu vas d'abord t'occuper de convaincre les garçons, déclara Nobuaki. Chiemi et moi, on va tenter de diviser le vote des filles. Comme elle s'entend bien avec Masami, Kaori et Emi, on devrait parvenir à les convaincre ! Et bien sûr, Chiemi aussi va voter pour toi !

L'intéressée acquiesça.

Nobuaki comptait obtenir le vote de quatre filles, Chiemi incluse, et onze voix sur les quatorze des garçons. Neuf en enlevant la sienne et celle de Naoya. Toutefois, une méthode aussi simple que « convaincre les autres » serait-elle vraiment suffisante ? Voilà ce qui l'inquiétait.

— La réussite de ce plan dépendra du nombre de votes qu'on recevra des garçons… Ne t'en fais pas. Tout le monde sait que tu es quelqu'un de bien. On ne peut pas te détester. Tu obtiendras les voix nécessaires ! Tu m'écoutes, Naoya ?

Son ami, qui le fixait d'un regard abattu, ne répondit rien. Quand Chiemi inclina la tête d'un air interrogateur, il ouvrit finalement la bouche :

— Si je gagne, Kana va recevoir une sanction. J'ai l'impression qu'il vaudrait mieux que je perde… Comme ça, personne n'aura à pâtir de ce conflit sordide.

— Tu crois que c'est le moment de te préoccuper des autres ? s'écria son ami. Je t'en prie, bats-toi ! Je ne supporterais pas que tu disparaisses, pense à ce que je ressens, aussi !

— Nobuaki…

— Laisse-moi juste te dire une chose… Tu veux que personne ne souffre ? Chiemi et moi, on aurait beaucoup de peine s'il t'arrivait quelque chose.

— D'accord, je comprends. Désolé.

Pendant ce temps, Kana avait donné rendez-vous à

Akira Ôno dans la resserre de la cour du lycée. Devant le garçon médusé, elle défit un à un les boutons de sa chemise en partant du haut, dévoilant un soutien-gorge couleur chair. Puis elle retroussa les pans de sa jupe à pois jusqu'à révéler le haut de ses cuisses.

— Akira, aide-moi… dit-elle en approchant le visage si près du sien que leurs nez faillirent se toucher.

Le garçon était incapable de détacher le regard de ce généreux décolleté.

Akira était un passionné de figurines. Il était aussi féru de jeux vidéo coquins peuplés de charmantes héroïnes qu'on aurait dites tout droit sorties d'un des mangas qu'il dévorait.

Assez corpulent, il n'était pas du genre à avoir un grand succès auprès des filles. Au collège, on l'avait d'ailleurs surnommé « la porcherie », à cause de sa constitution physique, mais aussi de son odeur corporelle. Même au lycée, il arrivait encore qu'on l'appelle ainsi.

— Ka… Kana chérie. Qu'est-ce qui t'arrive ?

— J'ai peur, tu sais. Dis, tu es au courant de ce qui risque de se passer si je perds ? On ne pourra plus se voir. Au fait, tu ne voudrais pas sortir avec moi, après-demain ?

— Tu… tu sais, je suis un homme, Kana. Dans ces moments-là, les hommes doivent protéger les filles et prendre les choses en main. C'est pareil dans les simulations de drague. Je ne laisserais personne se mettre entre nous, pas même le grand Méphisto. Je le pulvériserais d'un coup d'Ultima.

— C'est vrai ? J'ai hâte de voir ça ! Si je gagne, tu pourras faire tout ce que tu veux. Je t'adore !

Durant la pause déjeuner, Nobuaki passa voir Mami. Les paroles de celle qui faisait office de leader pour les filles de la classe avaient un poids non négligeable. Si ces demoiselles s'opposaient à leur chef, elles perdraient leur place au sein de la classe, aussi avaient-elles pour règle tacite de ne jamais lui tenir tête.

— Pour qui est-ce que tu vas voter, Mami ?

— Pour Kana. Désolée, mais je déteste Naoya. Son côté peureux m'énerve.

— Je t'en prie, c'est quelqu'un de vraiment très important pour moi !

Alors que Nobuaki était sur le point de se mettre à genoux, Kana débarqua en courant et le bouscula, avant de saisir la main de Mami.

— J'ai confiance en toi, Mami ! dit-elle les larmes aux yeux. Tu es quelqu'un d'irremplaçable, la classe ne peut pas se passer de toi. Si jamais tu étais désignée par le roi, je te garantis que je te viendrais en aide… D'ailleurs, tu voulais un portefeuille Vuitton, non ? Si le mien te plaît, je te le donne.

Kana vida son portefeuille à damier de son contenu et le tendit à Mami.

— Oh, tu es sûre que ça ne te dérange pas ? Ne t'inquiète pas, j'avais l'intention de voter pour toi, de toute façon.

Kana lui fit un sourire radieux.

Honnêtement, je ne peux pas l'encadrer, pensa-t-elle.

Elle s'y croit trop, cette pimbêche ! Tout le monde lui fait des ronds de jambe juste parce qu'elle n'est pas trop moche. Avec son caractère de cochon, elle n'a que son joli minois pour elle. Moi, j'ai plus de succès auprès des garçons.

Nobuaki se rendit ensuite auprès de Misaki.

Aucune chance avec Mami, pour l'instant. Quand même, se laisser acheter par des cadeaux, alors que des vies sont en jeu… Est-ce que Naoya vaut moins qu'un portefeuille Vuitton ?

Assise à sa place, le regard fuyant, Misaki semblait terrorisée. Lorsqu'elle aperçut Nobuaki, ses yeux le supplièrent de ne pas approcher – elle se doutait certainement de ce qu'il allait lui dire.

— Je t'en prie, vote pour Naoya. C'est mon ami. Je te serai redevable à vie ! Pardon d'avoir frappé Shôta. Je me suis emporté à cause de la mort de Daisuke, je suis vraiment désolé.

Daisuke est mort parce que ton petit copain lui a ordonné de se pendre. Si tu as ne serait-ce qu'un soupçon de culpabilité, vote pour Naoya. Il a essayé de lui venir en aide.

Misaki, troublée par les paroles de Nobuaki, balbutia quelque chose d'incompréhensible. C'est alors que Kana surgit devant elle, prit sa main entre les siennes et jeta un regard mauvais au garçon.

Je vois clair dans ton jeu !

Lorsqu'elle reposa les yeux sur Misaki, ils étaient embués de larmes.

— J'ai confiance en toi, je sais que tu voteras pour moi ! On est amies, après tout. Souviens-toi de toutes nos discussions sur nos histoires de cœur… Et puis, c'est triste pour Daisuke, mais tu n'as rien fait de mal. C'est ton petit ami le coupable. Tu ne crois pas que ce sont plutôt Nobuaki et Naoya qui ont quelque chose à se reprocher ? Ils étaient juste à côté de lui.

Les supplications de Nobuaki et Kana résonnèrent les unes après les autres aux oreilles de la jeune fille :

— Ne laisse pas mourir Naoya, vote pour lui !

— Tu es mon amie, non ? S'il te plaît, aide-moi !

— Je veux sauver Naoya. Je suis vraiment désolé…

— C'est ton petit copain qui a tué Daisuke.

— Arrêtez ! Je suis incapable de faire un choix. Je ne supporterais pas de voir quelqu'un d'autre mourir ! s'écria Misaki en secouant la tête, les mains sur le visage.

— Si tu ne choisis pas, Naoya et Kana subiront le châtiment tous les deux.

Nobuaki se mit à genoux, et Misaki le regarda la supplier de toutes ses forces.

C'est grâce à Daisuke que j'ai pu échapper au gage. Nobuaki et Naoya se sont démenés pour le protéger, et moi je n'ai rien pu faire. Pourtant, Nobuaki ne me reproche rien. Au contraire, il s'est excusé d'avoir frappé Shôta alors que c'est lui qui a tué Daisuke…

— Je vais voter pour Naoya. Ma décision est prise, déclara-t-elle.

À ces mots, Kana changea brusquement d'attitude et flanqua un coup de pied au pupitre de Misaki.

— Traîtresse ! Tu te rends compte de ce que tu viens de dire ? Que ma vie a moins de valeur que celle de

Naoya ! C'est comme si tu me condamnais à mort. Daisuke ne t'a pas suffi, tu veux me tuer aussi, hein ? Sale hypocrite, j'avais confiance en toi ! Il te faudra tuer combien de camarades avant d'être satisfaite ? Alors que toi, tu t'en es tirée en couchant avec Daisuke…

— Ne… ne dis pas ça. C'est dur pour moi aussi…

— Et toi, Nobuaki, tu es un beau salaud ! Tu n'as pas honte de te servir de Daisuke comme ça ? Espèce de lâche ! Qui est-ce qui n'a pas réussi à le protéger ? Tu vas me le payer !

Kana sortit de la pièce, visiblement décidée à ne pas en rester là.

Tant pis si je me fais traiter de lâche, pourvu que je puisse sauver Naoya.

Le jeune homme vint justement taper sur l'épaule de Nobuaki.

— Merci… Tu es allé jusqu'à te mettre à genoux pour moi.

— Ce n'est qu'une courbette, elle ne me coûte rien. Mais raconte-moi plutôt comment les choses se passent avec les garçons. Tu les as tous vus ?

— Oui, mais… répondit Naoya d'une voix sans énergie.

— Ne me dis pas que…

— Je ne peux pas trop me prononcer pour Akira, mais à part lui, ils ont tous accepté de voter pour moi !

— Ne me fais pas des frayeurs pareilles ! s'exclama Nobuaki, soulagé.

Bien qu'il fût encore trop tôt pour souffler, les choses semblaient être en bonne voie pour eux. Même si deux ou trois élèves les trahissaient, ils obtiendraient probablement les quinze votes requis. Seuls les mots que Kana avait prononcés en s'en allant inquiétaient Nobuaki : « *Tu vas me le payer !* »

Dans un coin de la salle, Shingo Adachi murmurait quelque chose à l'oreille de Motoki Ushijima.

— Ça commence à me fiche la trouille. On ne devrait pas parler du jeu du roi à la police ?

— Figure-toi que les flics sont venus chez moi, hier. Ils m'ont vraiment montré leur plaque et tout. C'était la première fois que j'en voyais une de mes propres yeux. Ils m'ont demandé mon nom... J'ai essayé de leur parler du jeu du roi, mais ils ne m'ont pas cru. Ils m'ont répondu que je devrais les accompagner au poste si je ne disais pas la vérité. C'était de l'intimidation ! Au fait, pour qui tu votes ?

— Bah, peu importe. Par contre...

C'était ce qui allait se passer ensuite qui préoccupait surtout les deux élèves.

Si le jeu se poursuivait, ils risquaient eux aussi de recevoir des ordres, un jour ou l'autre. Il était donc crucial d'éviter de se faire des ennemis pour l'instant. Valait-il mieux accorder une faveur à Naoya ou à Kana ?

Depuis la mort de Hideki, dont le rire et la franchise soudaient entre eux les garçons de la classe, le groupe avait perdu sa cohésion.

Dans les toilettes, Nobuaki contemplait le miroir, tandis qu'à côté de lui Naoya se passait de l'eau sur le visage. Tout en s'observant dans la glace, Nobuaki cherchait comment obtenir le vote d'une certaine fille.

L'élève en question s'appelait Ria Iwamura. Ni Nobuaki ni Chiemi n'avaient quoi que ce soit en commun avec elle. Personne dans la classe n'avait quoi que ce soit en commun avec elle.

Nobuaki n'avait jamais vu Ria parler avec un autre camarade. Pendant les rencontres sportives, elle ne participait pas aux matchs et se contentait de regarder le ciel, l'esprit ailleurs.

— J'ai beau réfléchir, je ne vois pas quoi faire. Mais ça ne coûte rien d'essayer.

Shôta apparut dans le miroir, dévisageant Nobuaki d'un regard perçant. Il lui saisit le bras.

— Qu'est-ce que tu veux, Shôta ?

— Tu as un moment ?

Naoya les considérait d'un air craintif.

— Reste ici, je ne vais pas lui faire de mal.

Puis il glissa les mains dans les poches de son pantalon et sortit des toilettes.

Nobuaki le suivit jusque sur le toit de l'établissement, battu par le vent. Les deux garçons se tenaient face à face.

Shôta fixait le sol des yeux.

— J'ai appris que tu comptais voter pour Naoya. Je te remercie, déclara Nobuaki.

— C'est bien la première fois ! Je suis vraiment désolé pour Daisuke. Si tu savais comme je regrette d'avoir prononcé ces mots. Ça me fiche la trouille de penser que quelqu'un est mort à cause d'une blague que j'ai sortie sans réfléchir. Je ne sais pas non plus quoi faire pour ce concours de popularité. Oh, je vais voter pour Naoya, ne t'inquiète pas. Ce n'est pas ce que je voulais dire... Peu importe pour qui on vote, on va tuer l'autre. Je n'en peux plus ! Qu'est-ce que je dois faire, bon sang ? Tu peux m'expliquer ?

— C'est trop tard pour pleurnicher ! répondit Nobuaki, l'air froid et digne. Tu n'es pas le seul responsable de la mort de Daisuke. Toute la classe est coupable, pour ne pas avoir pris ce jeu au sérieux. Et puis... si j'avais été plus vigilant, il serait peut-être encore vivant. Moi aussi, cette histoire me rend malade. C'est vrai que notre vote pourrait bien mettre fin à une vie. Par contre, il nous permettra aussi d'en sauver une autre, j'en suis sûr ! Je veux aider Naoya. Pour l'instant, c'est la seule chose qui compte à mes yeux.

Shôta posa la main sur sa joue enflée suite au coup de Nobuaki. Il pleurait.

— Je ne pensais pas être quelqu'un de si faible... Dire que je me la raconte tout le temps...

— Tout le monde a des faiblesses et des moments peu glorieux... Pardon de t'avoir frappé.

— Daisuke ne peut plus souffrir, maintenant... Il ne peut même pas penser qu'il a mal.

Nobuaki passa la main dans le dos de son camarade en larmes.

Quelle était la raison qui poussait quelqu'un à tuer ? La vengeance, la rancune, les problèmes d'argent, les conflits amoureux… ou bien un simple coup de tête ? Sans lois, les hommes n'auraient-ils aucun scrupule à commettre des meurtres ?

— Je ne veux pas garder de dette envers vous, alors laisse-moi t'expliquer quelque chose… reprit Shôta, la voix tremblante. À ce rythme, Naoya est sûr de perdre.

— Comment ça ? s'exclama Nobuaki.

— Tu ne savais pas que Kana se prostituait ?

— Quoi ?

— Et ça lui rapporte pas mal, on dirait. Il faut croire qu'elle a tellement envie de fric qu'elle est prête à coucher avec des vieux pervers pour en obtenir.

— Mais quel rapport avec le concours de popularité ?

— Tu es lent à la détente, toi ! Enfin, j'imagine que tu es trop jeune pour comprendre… Ça signifie que Kana n'hésitera pas à vendre son corps pour arriver à ses fins. Elle a déjà acheté plus de la moitié des garçons, et à part Chiemi et Misaki, toutes les filles… Toute la classe, en fait, cherche à éviter de se mettre qui que ce soit à dos, en prévision de l'avenir. Chacun se demande s'il vaut mieux se concilier les bonnes grâces de Naoya ou de Kana.

Nobuaki en restait sans voix. Apprendre que Kana allait s'accaparer tous les votes lui avait porté un coup au moral, mais découvrir que le commerce des corps allait décider de la vie ou de la mort d'un être humain le choquait encore plus.

Les relations humaines, l'amitié… ont-elles la moindre valeur ?

Il se sentit soudain envahi par la tristesse et la solitude. La plupart de ses camarades s'attendaient à une défaite de Naoya.

« Vu que les autres vont sûrement voter pour Kana, peu importe qui je choisis, ça ne changera pas le résultat. Ce n'est pas de ma faute si Naoya perd. Ce n'est pas ma responsabilité s'il meurt… »

Nobuaki agrippa la rambarde métallique du toit.

— Une vie est en jeu ! hurla-t-il.

— Tu crois que la vie d'un autre a de l'importance ? À moins d'être un hypocrite de première, on fait toujours passer sa pomme en premier. Dans la resserre du gymnase, il y avait des capotes usagées par terre. Ils ne se cachent même pas. Quoi qu'il en soit, je veux bien voter pour Naoya, même si ça ne servira à rien.

Ce disant, Shôta se dirigea vers la porte de sortie.

— Merci d'avoir fait en sorte que Naoya n'assiste pas à cette discussion, déclara Nobuaki. Tu as bien fait de lui demander de ne pas nous suivre. S'il avait entendu ça, il aurait reçu un choc.

— Ma raison était loin d'être aussi noble. Je ne voulais pas qu'il me voie dans cet état lamentable, c'est tout.

De retour dans la salle de classe, Nobuaki alla interroger les garçons présents :

— Tu vas voter pour Naoya, hein ?

— Euh… bien sûr. Ne t'inquiète pas, on est amis.

Tous évitaient de croiser son regard. Le mot « amitié »

ne lui avait jamais paru aussi creux et vide de sens qu'à présent.

L'élève qu'il cherchait ne se trouvant pas dans la pièce, il ressortit.

Lorsqu'il arriva devant la resserre du gymnase, il entendit une voix féminine pousser des gémissements à travers la porte coulissante. La poignée était glacée.

Après un instant d'hésitation, il finit par retirer sa main. L'idée d'assister aux ébats de quelqu'un d'autre le répugnait, et il ne voulait pas non plus savoir qui avait trahi Naoya.

Il s'éloigna du local en silence. Une larme roulait sur sa joue.

Il était 13 h 50 : plus que dix minutes avant le vote.

Nobuaki prit une décision et rédigea un message qu'il envoya à plusieurs élèves en même temps.

On choisit tous la voie qui nous arrange le plus.

Debout devant l'estrade, Nobuaki contempla la classe. Le sourire effronté de Kana retint son attention.

— Tout le monde a pris un papier ? Je voudrais juste vous dire une chose avant que vous n'inscriviez un nom : quel que soit le résultat, n'en veuillez à personne !

Les élèves insérèrent l'un après l'autre leurs bulletins dans la boîte en carton posée sur l'estrade, suivant l'ordre de la liste d'appel.

Chiemi écrivit « Naoya Hashimoto » et « Kana Ueda » en grand sur le tableau noir. Naoya se bouchait les oreilles, affalé sur son pupitre. Kana, le visage serein, remettait son soutien-gorge en place.

Leurs attitudes étaient radicalement opposées.

Nobuaki prit une profonde inspiration et s'efforça de se calmer. Puis il plongea la main droite dans l'urne et en retira un à un les bulletins, les présentant à chaque fois à l'assistance avant de lire à haute voix le nom inscrit dessus.

Idiot, même pas besoin de compter. C'est moi qui vais gagner, pensait Kana.

Même si je perds, je n'aurai pas de regret. Mais je dois au moins remercier tous ceux qui se sont battus pour moi, se disait quant à lui Naoya.

— Kana, Kana, Naoya, Naoya, Kana, Kana, Kana, Naoya, Naoya, Kana, Naoya, Kana, Kana, Naoya.

À la moitié du dépouillement, le résultat était de six votes pour Naoya et huit pour Kana.

Le visage de Kana laissa paraître une légère irritation.

Qu'est-ce que ça signifie ? C'est une blague... Les résultats sont bien trop serrés. Je devrais remporter une victoire écrasante, pourtant. Qu'est-ce qu'ils ont tous fichu ? Ils se rendent compte que je vais mourir si je perds ? Ils ne se sont quand même pas contentés de prendre ce qui les arrangeait avant de me trahir ?

Kana ressentit soudain une terreur insondable. Elle avait l'impression de gravir pas à pas les marches de l'échafaud.

Mes voix sont sûrement rassemblées dans la seconde moitié, c'est tout, tenta-t-elle de se rassurer.

— C'est moi qui vais gagner ! dit-elle, serrant les bras pour arrêter de trembler.

Le décompte se poursuivit.

— Naoya, Kana, Kana, Naoya, Kana, Naoya, Naoya, Naoya, Naoya, Kana, Naoya, Naoya, Naoya, Kana, Naoya. Vingt-neuf voix au total.

Nobuaki n'avait pas compté les votes, il s'était contenté de les lire. Il se retourna et se mit à énumérer nerveusement les hachures au tableau. Son cœur battait la chamade, sa gorge était étrangement sèche.

— Et le résultat est… seize voix pour Naoya, treize pour Kana.

Naoya, effondré sur sa table, releva brusquement la tête.

— J'ai gagné ? Vraiment ? Merci !

Bondissant de joie, il alla serrer la main à quelques-uns de ses camarades.

— Qu'est-ce que tu racontes ? C'est moi qui ai gagné, ça ne fait aucun doute !

Kana ne pouvait accepter la vérité.

— Tu as forcément triché, poursuivit-elle, le visage déformé par la peur et la colère. Je suis allée jusqu'à vendre mon corps pour…

Kana avait commencé à se prostituer pour deux raisons : la curiosité et l'argent. Toutefois, ses objectifs premiers avaient peu à peu évolué au fur et à mesure qu'elle avait récidivé.

Quand je me vends, le client n'a d'yeux que pour moi. D'une façon ou d'une autre, je suis indispensable à quelqu'un. Il me traite avec soin, il me dit qu'il veut me revoir, que je suis belle.

Ces moments lui apportaient un plaisir inégalé, dont elle était devenue dépendante.

Kana se sentait plus facilement esseulée que la moyenne. Elle ressentait toujours un manque quand elle était seule.

Elle avait pourtant eu un petit ami. Mais plus leur relation s'était approfondie et plus elle avait remarqué chez lui des choses qui lui déplaisaient. Bientôt, un seul compagnon ne lui avait plus suffi. Elle souhaitait que beaucoup plus d'individus aient besoin et envie d'elle. Beaucoup plus d'hommes.

Il lui arrivait aussi de s'inquiéter de n'avoir rien en commun avec les filles de son entourage. Néanmoins, au bout d'un moment, elle s'était mise à donner d'elle une image fausse, qui avait acquis une existence propre.

Kana brisa son portable dans un craquement sec.

— Je n'en ai plus besoin. Je vais faire table rase de ce passé sordide. Je voulais être indispensable, désirée par quelqu'un, sous une forme ou une autre… Que prouve ce vote ? Que je n'ai vraiment aucun charme ? Quelle cruauté de la part du roi de me donner un ordre pareil ! Je ne voulais pas perdre… Cette défaite remet en cause mon statut.

Les téléphones de toute la classe sonnèrent en même temps.

Sam. 24/10, 14:10. Expéditeur : Roi. Titre : Jeu du roi. Message : Kana Ueda va recevoir un gage. END.

La jeune fille se leva et se mit à hurler comme une possédée avant de se prendre la tête entre les mains et de la secouer violemment.

— Non, je refuse ! Pas question de mourir pendue parce que le roi l'a décidé ! Ce n'est pas lui qui m'a tuée, ce sont Naoya, Nobuaki et tous ceux qui n'ont pas voté pour moi ! déclara-t-elle en se précipitant vers une fenêtre.

— S… Stop ! Que quelqu'un l'arrête !

Kana se jeta de tout son poids contre la vitre et passa au travers.

Au bout d'environ deux battements de cils particulièrement longs, on entendit un corps s'écraser au sol. Le bruit le plus sinistre du monde.

Tous accoururent et se penchèrent aux fenêtres.

Au milieu des plates-bandes, Kana offrait un spectacle atroce. Les extrémités de ses doigts étaient agitées de spasmes, comme si elles demandaient à vivre encore. La salle de classe se trouvait au quatrième étage : on avait peu de chances de réchapper d'une telle chute.

Sa tête avait dû heurter de plein fouet les briques du parterre, car du sang s'en écoulait et se répandait lentement sur sa peau blanche en une multitude de petites veines. De belles fleurs épanouies encerclaient son cadavre, comme pour rendre hommage à ce corps qui, de son vivant, avait captivé tant d'hommes.

Des hurlements s'élevèrent dans la classe.

— Kanaaa ! cria Chiemi. Vite, que quelqu'un appelle

une ambulance ! Dépêchez-vous, je vous en supplie !

Misaki avait du mal à appuyer sur les touches de son téléphone tant ses mains tremblaient.

Naoya passa l'appel. Les genoux de Nobuaki s'affaissèrent.

— Pourquoi est-ce qu'elle a fait une chose pareille ?

Seule Ria était demeurée assise à sa place, visiblement indifférente aux événements qui l'entouraient.

— À partir du moment où on met deux individus en concurrence, quel que soit celui qu'on choisit, le jour viendra où on regrettera de ne pas avoir voté pour l'autre… murmura-t-elle. Maintenant, l'apparence de cette fille reflète la personnalité qu'elle avait de son vivant. Quand on lui propose des fleurs ou du sang, elle se tourne sans hésiter vers le sang. Heureusement qu'elle est morte dans un bel endroit. Peut-être qu'elle souhaitait qu'une jolie fleur s'ouvre en elle. On ne choisit pas sa naissance, mais on peut choisir sa façon de mourir.

À cet instant, toute la classe reçut un nouveau message.

Sam. 24/10, 14:22. Expéditeur : Roi. Titre : Jeu du roi. Message : Le gage de Kana Ueda a été décidé. Elle doit faire sa déclaration à celui qu'elle aime. END.

— Aaaah ! hurla Nobuaki en jetant de toutes ses forces l'urne contre le sol.

Les bulletins voltigèrent dans la salle.

— C'est de ma faute !

— Comment ça ? lui demanda Chiemi.

— J'ai menti pour que Naoya reçoive des votes... Mais je n'imaginais vraiment pas que Kana se jetterait par la fenêtre.

Nobuaki montra à Chiemi le message qu'il avait envoyé.

— Pourtant, je savais que l'un des deux devrait recevoir un châtiment...

Nobuaki posa la tête contre le sol et demanda pardon du fond du cœur à Kana un nombre incalculable de fois.

Le sous-directeur avait accouru et ordonné aux élèves de ne pas bouger de la salle.

Il reparut au bout d'un petit moment et appela d'abord Naoya, avant de convoquer chaque élève un à un, dans l'ordre de la liste d'appel.

— Suivant, Kanazawa. Prends ton sac et suis-moi.

Dans la salle où le sous-directeur le mena, se trouvaient deux inspecteurs, un jeune et un vieux.

— Alors comme ça, tu prétends que le décès de tes camarades a été causé par ce roi ?

— Oui, c'est bien ça.

Le plus âgé lui rit au nez.

— Nous sommes de votre côté. Alors j'aimerais que tu nous fasses confiance et que tu nous parles franchement. Tu seras bientôt un adulte, Nobuaki !

— Mais je vous répète la même chose depuis tout à l'heure ! Je vous ai déjà raconté tout ce que je sais. Pourquoi est-ce que vous refusez de me croire ?

— Nous n'avons pas le temps pour ces enfantillages ! Bon, tu peux y aller. On va appeler la personne suivante. Merci pour ton précieux témoignage, lâcha le policier.

Sur ce, l'interrogatoire de Nobuaki prit fin.

Lors du sien, Mami avait affirmé que le coupable était l'un de ses camarades. De plus, elle était allée jusqu'à donner les noms des élèves qu'elle considérait comme suspects.

Depuis le début, la police soupçonnait le coupable de se trouver dans la seconde B, aussi avait-elle limité son champ d'investigation aux membres de la classe. Ces entretiens lui servaient à obtenir des informations sur l'état de la classe et à établir un profil du criminel.

Les lycéens qui avaient passé leur interrogatoire avaient le droit de rentrer chez eux.

À 5 heures passées, Nobuaki marchait seul sur le trottoir quand il entendit Naoya l'appeler dans son dos. Ils se rendirent ensemble dans un jardin public qui surplombait toute la ville.

C'était un lieu réconfortant, d'où l'on pouvait apercevoir d'un seul coup d'œil des bâtiments s'étaler à perte de vue. Des lampadaires se dressaient à intervalles réguliers et, au loin, le scintillement de la ligne côtière rappelait les vibrations d'une corde à piano. Même le lycée de Tamaoka était visible. Comme à son habitude, la ville était parfaitement paisible.

Les deux élèves s'assirent côte à côte sur un banc en

bois où poussaient quelques moisissures. Naoya sortit alors deux cannettes de jus de fruit de son sac et en donna une à Nobuaki. La boisson était déjà tiède.

— Pourquoi est-ce que tu m'as attendu ? On t'a appelé en premier, non ?

— Je tenais à te parler seul à seul... Normalement, j'aurais dû perdre, pas vrai ?

— Toujours est-il que tu as gagné. La preuve, tu es en train de me parler en ce moment même !

— Shôta m'a expliqué que c'est grâce à toi si j'ai remporté la victoire.

— De quoi il se mêle, celui-là ?

— Merci du fond du cœur, Nobuaki ! Je te dois la vie. Tu es un véritable héros !

— Arrête ! La vérité, c'est que j'ai tiré profit de la faiblesse des autres.

Nobuaki fit lire à Naoya le message qu'il avait envoyé.

Sam. 24/10, 13:50. Destinataire : Shingo Adachi.
Titre : C'est Nobuaki.
Message : J'ai trouvé un moyen d'échapper au jeu du roi. Mais pour cinq personnes seulement, et uniquement quand la compétition sera terminée. Je te propose de tenter le coup à la fin de cette manche, avec Chiemi, Naoya et Mami. Comme je veux que Naoya nous accompagne, il doit absolument gagner le concours. Qu'est-ce que tu en dis ? Je peux toujours demander à quelqu'un d'autre.

Nobuaki avait envoyé ce message à sept camarades qui auraient probablement voté pour Kana.

— Tu leur as promis un moyen de s'échapper…

Naoya en laissa tomber sa cannette de jus de fruit.

— Les résultats ont dépassé toutes mes espérances. J'ignore comment on peut sortir de ce jeu. S'il existe un moyen, j'aimerais bien le connaître ! J'ai menti à tout le monde pour récupérer des voix, et j'ai poussé Kana au suicide.

Les sept élèves contactés avaient tous répondu qu'ils voteraient pour Naoya, comme il l'espérait. Parmi eux se trouvaient des garçons que Kana avait séduits à l'aide de son corps. Ils l'avaient trahie pour s'échapper du jeu du roi.

Nobuaki savait que ces garçons accepteraient sa proposition. Il avait décuplé leur nervosité en suggérant qu'une seule personne supplémentaire pouvait s'échapper. Il avait en outre envoyé son message au dernier moment, pour qu'ils n'aient pas le temps d'en discuter avec d'autres.

L'élection se déroulant à bulletin secret, avec vingt-neuf participants, chacun pensait que son vote seul n'aurait aucune influence sur le résultat. Leur impatience de sortir du jeu les avait empêchés de réfléchir à tête reposée et ils avaient tous choisi sans hésitation de lâcher Kana.

Rien ne comptait plus que soi-même. Nobuaki avait déjà pris amèrement conscience de la vacuité du mot « amitié », et cette impression n'avait fait que se renforcer. Bien qu'il ait réussi à sauver Naoya, Nobuaki était tiraillé par le doute. *Qu'est-ce que les amis ? Qu'est-ce que la confiance ?* se demandait-il.

Accomplir son objectif l'avait empli de tristesse, car il avait dû trahir des camarades pour remporter la victoire.

— Une seconde ! s'écria Naoya. Tu devrais plutôt t'inquiéter de ceux que tu as trompés. Ils doivent être en colère, non ? Si cette histoire s'ébruite, tu vas être dans de beaux draps !

— Tu crois que certains me préparent un sale coup ? Non, rien à craindre. Ces sept-là ne parleront à personne.

— Comment est-ce que tu peux en être aussi sûr ?

— Parce que j'ai agi de manière diabolique. Si ce message venait à être divulgué, on leur dirait qu'ils ont trahi Kana pour sauver leur peau. Et comme j'avais précisé dans le message que ta victoire était une condition expresse, si tu avais perdu, la question ne se serait même pas posée. Ils n'ont pensé qu'à leur propre survie, quitte à sacrifier leur amie. Ils ne peuvent avouer ça à personne, et j'ai tiré parti de cette affreuse réaction en chaîne... Un vrai démon, je te dis. C'est quand Kana a reçu son gage que j'ai enfin pris conscience de ce que j'avais fait.

Nobuaki ne regrettait pas son geste. Il n'aurait pas pu rester les bras croisés lorsque son ami était au pied du mur.

Un autre facteur avait contribué à la victoire de Naoya : Shôta avait secrètement informé une de ses camarades que Kana avait offert ses faveurs à des garçons en échange de leurs voix. Et la fille en question avait le béguin pour un des élèves séduits par la sulfureuse manipulatrice.

— Tu aimes ce type, non ? Kana s'est servie de son corps afin qu'il vote pour elle.

Nobuaki, lui, ignorait tout de l'histoire.

En compagnie de Naoya, il contemplait le vaste paysage qui s'étendait sous leurs yeux.

Il venait souvent dans ce jardin public quand il était déprimé. De là, même les choses grandes paraissaient minuscules. Il espérait que ses soucis eux aussi rétréciraient, ne serait-ce qu'un tout petit peu – il en aurait été réconforté.

— Je me demande jusqu'à quand le jeu du roi va se poursuivre, fit soudain Naoya.

— Jusqu'à ce que toute la classe soit morte, non ?

— Ne parle pas de malheur !

— J'ai peur d'être à minuit, avoua Nobuaki, abattu.

Ce soir-là, vers 8 heures, les deux amis étaient assis sur le canapé du salon de Chiemi.

— Bon, et si tu m'expliquais pourquoi il fallait qu'on vienne chez elle ? demanda Nobuaki, de mauvaise humeur.

— Ses parents sont occupés tous les deux, aujourd'hui. Ils ne peuvent pas rentrer.

— C'est pas une raison !

— En fait, elle est vraiment terrifiée, sauf qu'elle le cache pour ne pas t'inquiéter. Elle voudrait sûrement que tu restes avec elle… C'est ce que m'a dit Kaori.

— Et voilà, encore Miss Je-fourre-mon-nez-partout !

— Si tu ne protèges pas Chiemi, qui va s'en charger ? Kaori a aussi ajouté que tu devrais faire plus d'efforts pour comprendre les filles.

— Naoya, ça t'arrive d'avoir une opinion à toi ?

— Mais oui, enfin, arrête de me charrier... Ah, et puis c'est sûrement Chiemi qui va faire à manger, ce soir. Je suis sûr que ça va être délicieux !

— Tiens, c'est vrai, je n'ai jamais goûté à un de ses plats !

La voix de Chiemi se fit entendre depuis la cuisine.

— Le repas est prêt ! Je ne suis pas très douée aux fourneaux, mais je suis plutôt confiante, ce coup-ci.

Des relents âcres émanaient de la cuisine.

— C'est quoi, cette odeur ? demanda Nobuaki en se pinçant le nez. On devrait peut-être ouvrir une fenêtre, non ?

Lorsqu'ils entrèrent dans la pièce, Nobuaki et Naoya en restèrent bouche bée : trois assiettes de riz au curry – un plat typique, assez sucré, de viande et de légumes – étaient alignées devant Chiemi, qui affichait un sourire espiègle.

L'espace d'un instant, Nobuaki n'en crut pas ses yeux. C'était bel et bien du riz au curry – mais quelque chose clochait. Pas de doute, c'était de la préparation que provenait l'odeur.

— Est-ce que des gremlins sont venus mettre la pagaille ? s'écria-t-il. Tu sais bien qu'il ne faut pas nourrir les mogwaïs après minuit !

— Je ne comprends rien à ce que tu racontes, dit Chiemi, perplexe, tout en s'emparant de la bouteille de thé.

Une grimace sur le visage, Nobuaki cherchait toujours l'origine de la catastrophe.

— À l'odeur, je dirais que tu as rajouté du bouillon de poule, non ?

— Oui ! Il ne fallait pas ? répondit Chiemi, un sourire radieux aux lèvres.

— Je vois… Et une bonne dose de ketchup aussi, pas vrai ?

— L'autre fois, j'ai vu mon père en manger en accompagnement, alors j'ai pensé qu'on pouvait l'incorporer dès le début, pour qu'il mijote.

— Tu as goûté le résultat ?

Naoya pinça la cuisse de Nobuaki. Ses yeux semblaient dire : « Chiemi y a mis tout son cœur, fais un effort. »

— Là, tu m'en demandes beaucoup… murmura Nobuaki.

Naoya apporta les assiettes sur la table.

— Miam… Ça a l'air bon ! fit-il avant d'en prendre une bouchée. Hmm… Chiemi, c'est délicieux ! Il est super, ce curry !

Il mâchait avec application : de petites larmes apparurent au coin de ses paupières.

— C'est vrai ? Ça me fait plaisir, je me suis décarcassée ! C'est préparé avec beaucoup d'amour !

Nobuaki s'assit à son tour, leur souhaita un bon

appétit et avala une cuillerée de curry. Il comprit instantanément la cause des yeux humides de Naoya.

C'est pas possible, il se force à manger ! Quelle abnégation ! C'est sans doute un des pires curry jamais préparés !

— Toi aussi, tu devrais manger, Chiemi ! Tu dois avoir faim, déclara-t-il après un petit moment d'hésitation.

Elle versa du thé dans leurs trois verres puis s'assit et porta une cuillerée à sa bouche. Son expression changea alors du tout au tout. Leur ami avait déjà terminé son assiette.

— Pardon, Naoya… C'était gentil de ta part de finir tout ton plat !

— Mais non ! Ça m'a fait plaisir…

— Ce n'est pas la question ! s'exclama Nobuaki, cuillère à la main.

— Chiemi s'est donné du mal ! Et puis ce n'est pas si mauvais.

— Donc tu reconnais que c'est infâme !

— Je n'ai jamais dit ça ! C'est toi qui interprètes.

Furieux, Naoya jeta sa cuillère et agrippa Nobuaki par le col. Il pleurait à chaudes larmes, sans pouvoir s'arrêter. Il n'était vraiment pas dans son état normal.

— Je vous jure que j'ai trouvé ça délicieux ! Je n'y comprends rien… Pourquoi est-ce qu'aucun plat ne m'a jamais paru aussi savoureux ?

— C'est l'émotion. Si tu avais mangé un vrai bon repas, tu te serais sans doute carrément évanoui, sourit Nobuaki, une main sur son épaule. Heureusement que tu peux encore te disputer avec moi et piquer des crises de larmes, hein ?

Ces quelques paroles renfermaient une myriade de sentiments, tout un éventail de non-dits.

Il était plus de 10 heures. Nobuaki et Chiemi faisaient la vaisselle dans la cuisine : Nobuaki récurait le curry qui avait accroché dans la casserole avec de la paille de fer, tandis que Chiemi lavait les assiettes.

— C'est incroyable à quel point tu as pu encrasser cette gamelle. Je suis admiratif, en un sens.

— Ça va, pas la peine d'en rajouter ! Je me suis donné de la peine pour te faire plaisir.

— Désolé ! Allez, ne fais pas la tête.

Nobuaki caressa légèrement la joue de Chiemi d'une main pleine de savon.

— Ah, ne me touche pas !

— Tu dis ça mais tu as l'air contente.

— Pas du tout !

— Allons, pas la peine de rougir... Au fait, c'est bien bruyant, à côté !

Naoya, affalé sur le canapé, regardait la télévision en riant à gorge déployée.

— File-nous un coup de main, toi aussi !

— Non ! Débrouillez-vous tout seuls, et ne vous disputez pas ! Moi, je veux regarder la télé.

Nobuaki lui jeta une serviette à la figure.

— Dans moins de deux heures, un nouveau message va arriver et le jeu du roi va reprendre, dit soudain Naoya d'un ton grave.

Nobuaki ne sut pas quoi répondre. Il savourait pleinement le répit qui leur était accordé.

Chiemi et lui délaissèrent la vaisselle, se dirigèrent vers le canapé du salon et balancèrent des coussins au visage de Naoya.

Ils étaient des lycéens on ne peut plus banals. Jusqu'à récemment, l'inquiétude ne faisait pas partie de leur quotidien, mais les choses étaient différentes désormais. Ils se trouvaient confrontés à la terreur de la mort. Jamais ils n'auraient pu imaginer qu'un tel jour arriverait, même dans leurs pires cauchemars.

Tous trois commencèrent à se raconter leurs histoires de cœur pour apaiser leurs nerfs.

— Nobuaki, si tu savais comme je t'envie d'avoir une petite amie aussi mignonne, déclara Naoya, un coussin dans les bras. J'aimerais avoir une copine comme Chiemi, moi aussi !

— Je suis sûre que tu peux trouver mieux que moi, gentil comme tu es.

— Impossible, il ne pige rien aux femmes, fit Nobuaki.

— Dans ce domaine, il y a pire que lui !

— Pardon ?

— Vous allez vraiment bien ensemble ! dit Naoya en les regardant tous les deux. Ça vous arrive de vous disputer, Nobuaki, tu charries parfois Chiemi, mais vous avez toujours l'air de vous amuser. On a l'impression que vous vous comprenez parfaitement l'un l'autre. J'espère que vous trouverez le bonheur !

— Qu… qu'est-ce que tu racontes ? s'exclama Nobuaki. C'est encore Kaori qui t'a dit ça ? Au fait, tu vas te décider à sortir avec elle ? Elle fourre peut-être son nez partout, mais je suis sûr qu'avec elle, même un bon à rien comme toi filerait droit ! Elle te disciplinerait, dans tous les sens du terme. Tu savais que malgré son petit gabarit elle a une force incroyable ?

— Je sens que je n'y survivrais pas… Ah oui, je voulais te demander, Chiemi… Tu es une enfant unique ?

— Oui… répondit-elle d'un ton évasif.

Les parents de Chiemi lui avaient affirmé qu'elle était fille unique.

Il lui restait un vague souvenir de l'époque où elle commençait tout juste à parler, une réminiscence aussi indistincte que la vision fugace d'un phare qui brillerait à plusieurs dizaines de kilomètres de distance.

« Pardon, papa. »

Le plus ancien souvenir qu'elle possédait était celui d'un petit enfant de la même taille qu'elle en train de pleurer. Un enfant qui lui semblait familier. Elle en avait parlé un jour à ses parents et leur avait demandé si elle était vraiment fille unique.

Son père lui avait répondu d'un simple « oui ». Lorsqu'elle avait essayé de les questionner plus avant, ils avaient résolument éludé le sujet.

Chiemi avait interrogé de nombreux amis sur leur plus ancien souvenir et tous avaient répondu se rappeler d'événements datant de leur quatrième ou cinquième année qui les avaient profondément marqués. Ils se composaient à parts égales de moments heureux avec leurs parents et de moments douloureux.

Le premier souvenir de Nobuaki était les funérailles de son père. Celui de Naoya, d'avoir dormi dans le même lit qu'une petite fille au jardin d'enfants.

Leurs trois portables signalèrent en même temps la réception d'un nouveau message. Il était 23 h 55. S'agissait-il encore d'un compte à rebours cinq minutes avant la fin ? Pourtant, le concours de popularité avait eu lieu, et l'ordre avait bien été exécuté, cette fois.

Nobuaki lut le message.

Sam. 24/10, 23:55. Expéditeur : Roi. Titre : Jeu du roi. Message : Toute votre classe participe à un jeu du roi. Les ordres du roi sont absolus et doivent être exécutés sous 5 minutes.
Aucun abandon ne sera toléré.
Kana Ueda n'a pas encore exécuté son ordre. Cependant, elle en est incapable car elle n'est plus de ce monde. Il revient donc à son adversaire de la remplacer. L'élève n° 21, Naoya Hashimoto, doit avoir un rapport sexuel. En cas de non-exécution, le gage sera la mort par auto-immolation. END.

Bien sûr que Kana n'a pas effectué son ordre, puisqu'elle s'est tuée avant !

La vision de Nobuaki s'assombrit et un froid glacial

s'empara de lui. L'horloge murale indiquait qu'il restait quatre minutes et cinquante-deux secondes avant minuit. Les battements de son propre cœur lui semblaient assourdissants, comme s'ils lui étaient retransmis à plein volume par une stéréo.

Sortir tout de suite et demander à une femme dans la rue... Non, impossible. Un viol... C'est absurde, on ne pourrait...

Alors que Chiemi et Naoya s'apprêtaient à leur tour à consulter le message, Nobuaki les attrapa brutalement par les bras.

— Ne regardez pas ! Venez par ici, tous les deux !

— Qu'est-ce qui te prend ?

— Tu me fais mal !

Nobuaki les entraîna à sa suite, ignorant leurs protestations.

— Je te dis que tu me fais mal ! Ne tire pas comme ça.

— Où est-ce que tu nous emmènes ?

Une fois arrivé devant la chambre de Chiemi, Nobuaki les poussa tous les deux à l'intérieur, puis il referma la porte et la bloqua de l'extérieur.

— Lisez le message ! dit-il, encore haletant, à ses camarades.

Le silence se fit pendant un moment qui sembla durer une éternité mais qui, en réalité, n'avait pas dû excéder quelques dizaines de secondes. Seule une planche de bois séparait Nobuaki de ses amis. Ils avaient beau se trouver à deux pas, ils lui paraissaient à présent extrêmement lointains.

— Vous comprenez le sens de mon geste ?

Chiemi et Naoya martelèrent désespérément la porte.

— Ouvre !

— Ouvre, enfin ! Je ne pige rien du tout !

— Taisez-vous et écoutez-moi ! On n'a plus le temps ! Naoya, si c'est toi, je peux te pardonner ! Chiemi, je suis vraiment désolé ! Dépêchez-vous de passer à l'acte ! (Il poursuivit d'une voix tendue :) Ne m'obligez pas à vous faire un dessin. Il n'y a pas une minute à perdre ! Vous savez ce qui se passe si on n'obéit pas aux ordres !

Les deux autres continuaient à tambouriner et à secouer la poignée. Nobuaki s'appuya de tout son poids contre la porte pour la maintenir fermée.

— Écoute-moi bien, Nobuaki. S'il s'agissait d'une autre fille, je n'hésiterais pas une seconde, mais je ne souhaite pas être sauvé au point de te trahir en couchant avec Chiemi. Je te l'ai dit, je veux que vous soyez heureux, je vous soutiens.

— Comment tu comptes nous soutenir si tu es mort ? cria Nobuaki.

— Ça, on peut le faire de n'importe où !

Naoya s'appuya lui aussi contre la porte pour tenter de l'ouvrir. Nobuaki résista.

— Ouvre !

— Pas question ! Je t'ai dit que je te pardonnerais ! Ça arrive tous les jours que des types couchent avec la copine d'un pote.

— Chiemi est ta petite amie ! Je ne peux pas faire ça ! Je vous adore tous les deux, alors j'en suis absolument incapable !

— Tu veux vraiment mourir ? Il te suffit de prendre Chiemi dans tes bras pour régler le problème ! Tout le monde couche avec un tas de partenaires différents, dans sa vie ! rugit Nobuaki, hors de lui.

— Je ne peux pas te trahir. On est amis, oui ou non ? lui répondit calmement Naoya.

C'est parce qu'on est amis que je ne veux pas que tu meures. Parce qu'on est amis que je te pardonne.

Nobuaki sécha ses larmes.

— Écoute-moi bien, Chiemi ! Force Naoya coûte que coûte ! Je t'en supplie ! On n'a vraiment plus le temps !

Pas de réponse.

— Je t'aime, Chiemi ! Tu es incroyablement nulle en cuisine, mais j'adore ta gentillesse, ton charme, ta générosité, ton sourire et ces petits gestes ravissants que tu fais parfois !

— Moi aussi, je t'aime ! déclara la jeune fille d'une voix radieuse. Tu es négligent et tête en l'air mais tu sais être dévoué et sensible !

Merci, Chiemi. Je suis content de t'avoir pour petite amie.

Nobuaki essuya ses dernières larmes d'un revers de manche.

— Et je suis prêt à céder la place à Naoya pour cette fois, parce que sa vie en dépend. C'est quelque chose d'irremplaçable.

— Qu'est-ce que tu racontes ? Peu importe ma vie, je refuse de faire ça ! Je sais que vous n'avez pas encore…

— Ne dis pas un mot de plus ! le coupa Nobuaki. Chiemi, je compte sur toi.

Puis il inclina profondément la tête face à la porte. De l'autre côté, la jeune fille acquiesça, résolue.

Dans la chambre, des bruits de lutte violents, des cris et des gémissements mêlés de pleurs se succédèrent.

— Pardon, Nobuaki. Il m'a coincée contre le mur, je ne peux plus bouger, fit Chiemi en sanglotant.

— Je suis vraiment content de t'avoir rencontré et d'être devenu ton ami, dit Naoya, la voix rauque.

— Ne me fais pas tes adieux !

— Je n'ai pas d'autre choix.

— Ce n'est pas encore fini ! Ça ne peut pas se terminer ainsi ! Tu pleures, je peux l'entendre dans ta voix. Je suis sûr que tu es mort de peur, alors arrête de jouer les durs ! Tu n'as pas à faire ça !

— Sois heureux avec Chiemi quand je ne serai plus là, répliqua Naoya en reniflant. Je vous adore ! Je n'ai pas envie de mourir, mais… ce salaud ne me forcera pas à faire un truc pareil !

Cet idiot a refusé de me trahir et le délai est presque écoulé. Il ne me reste plus qu'à jouer ma dernière carte…

Nobuaki ouvrit la porte et pénétra dans la chambre sens dessus dessous. Son ami, qui avait plaqué Chiemi contre le mur, dans un coin, se retourna en entendant des pas approcher.

— Accroche-toi, Naoya ! s'écria Nobuaki.

— Quoi ?

Le jeune homme serra le poing et frappa de toutes ses forces son camarade, qui tomba à la renverse et se cogna violemment les reins contre le bureau.

— Pardonne-moi… répétait Nobuaki sans cesser de le rouer de coups, encore et encore, la mort dans l'âme.

Chiemi fermait les yeux. Elle avait compris ce que son petit ami essayait de faire mais ne pouvait pas l'en empêcher.

À présent, Nobuaki contemplait le visage couvert de sang et de larmes de son ami inconscient.

— N'oublie pas que tu portes aussi la vie de Kana sur tes épaules… Je compte sur toi pour le reste, Chiemi. Pardon, mais il faut faire vite…

Son amie lui adressa un faible sourire.

— Ne t'inquiète pas.

Rien de ce qu'elle aurait pu dire n'aurait apaisé Nobuaki, même s'il était l'instigateur de la solution choisie. Dévasté, il quitta la pièce.

— C'était le seul moyen…

Il poussa un hurlement où se mêlaient douleur, frustration et désespoir et leva les yeux au ciel. Son cœur débordait de colère… Il regarda ses poings, rouges d'un sang qui, il le sentait, ne partirait jamais, même en les lavant.

Bon sang, je n'en peux plus ! C'est n'importe quoi ! Il ne reste que deux minutes, en plus. Et le message de confirmation qui n'est toujours pas arrivé… D'ailleurs, est-ce qu'on peut avoir un rapport sexuel en étant évanoui ?

— Si Naoya reçoit quand même un gage, je vous bute ! s'écria-t-il pour chasser son inquiétude.

Il avait mal aux poings. Il avait mal au cœur. Il souffrait comme si chacun de ses os avait été brisé.

Quand il pensait à ce que Chiemi et Naoya faisaient en ce moment… Mais une vie n'avait pas de prix.

— Sauvez-le ! pouvait-il seulement supplier.

Plus que soixante-dix secondes. Il se blottit contre la porte.

Son portable sonna. Était-ce le message confirmant l'exécution de l'ordre ?

Sam. 24/10, 23:58. Expéditeur : Roi. Titre : Jeu du roi. Message : Plus que 60 secondes. END.

Ça, je le sais, que le temps est quasiment écoulé ! Est-ce que le prochain texto va m'annoncer que l'ordre a été exécuté ou bien qu'un gage va être attribué ?

Nobuaki attendit, le clapet de son portable ouvert. Si un message arrivait dans le temps imparti, Naoya serait sauvé. S'il arrivait après, ce serait pour émettre une sentence.

Il restait quarante secondes. La flamme qui brillait dans son cœur commença à vaciller. 39… 30. *Pas encore de message ?*

20… *Courage, Chiemi.*

10… *En si peu de temps, c'est sans doute impossible.*

9, 8, 7, 6… *Je m'en doutais, comme il est inconscient…*

5, 4… *Toujours rien ?*

3… *Il vient, ce message, oui ou non ? Est-ce qu'il est trop tard ? Pas question que Naoya reçoive un châtiment !*

2…

1 message reçu.

Nobuaki ferma les yeux, baissa la tête et attendit que Chiemi sorte de la chambre.

Au bout de plusieurs minutes, la porte s'ouvrit dans un bruit sec et sa petite amie apparut, inexpressive. Elle était habillée.

Nobuaki l'attira promptement à lui pour la prendre dans ses bras.

— Pardonne-moi… Je suis un vrai salaud.

— C'est la chose la plus difficile que j'aie jamais eue à faire. Je t'aime, Nobuaki. Je prie pour que ça ne dresse pas une barrière entre nous. Mais je ne pouvais pas laisser Naoya mourir.

Honteux, Nobuaki ne trouva rien à répondre. Il prit connaissance du message.

Sam. 24/10, 23:59. Expéditeur : Roi. Titre : Jeu du roi. Message : L'ordre a bien été exécuté. END.

Le couple soigna les blessures de Naoya, encore inconscient. Une larme roula sur la joue de Nobuaki. Exprimait-elle de la gratitude envers Chiemi ou bien une profonde tristesse ?

— Chiemi… murmura-t-il. Je te promets qu'on restera ensemble pour toujours.

1 morte, 28 survivants.

Ordre n° 7 – Dim. 25/10, 14:34

Ça va être l'heure.

Nobuaki était rentré chez lui tôt dans la matinée mais n'avait pas pu fermer l'œil une seule seconde.

On était dimanche, aussi n'avait-il pas cours. Cependant, à 8 heures du matin, il avait envoyé un message à tous ses camarades de classe :

> *Rendez-vous à 15 heures au parc de Nata, dans le quartier d'à côté. Les garçons doivent absolument venir.*

En chemin, Nobuaki se mit à réfléchir.

Cette fois, le gage est un arrêt cardiaque. Le roi ne sera donc pas aussi clément qu'avec Kana. Au train où vont les choses, si on ne fait rien on va encore s'entre-déchirer, et ce ne sera pas beau à voir.

Ni Nobuaki ni les autres n'avaient la moindre idée de ce qu'était le jeu du roi ni de la façon d'y mettre un terme. Pour l'instant, ils avaient surtout pris conscience, suite à la mort de plusieurs camarades, de leur attachement à la vie. Si fragile, si précieuse.

Nobuaki vérifia de nouveau le message qu'il avait reçu.

Dim. 25/10, 00:00. Expéditeur : Roi. Titre : Jeu du roi.
Message : Toute votre classe participe à un jeu du roi. Les ordres du roi sont absolus et doivent être exécutés sous 24 heures.
Aucun abandon ne sera toléré.
Ordre n° 7 : Tous les garçons participent à ce jeu. Ils doivent tirer 100 feuilles de papier à tour de rôle, dans l'ordre de la liste d'appel. Chacun peut tirer entre une et trois feuilles. Celui qui obtiendra la centième recevra un gage. Si le jeu n'a pas lieu, tous les garçons recevront un gage.
Cette fois-ci, le gage sera la mort par arrêt cardiaque.
END.

Les garçons étaient tous arrivés à l'heure au parc de Nata, à l'exception d'Akira Ôno. De nombreuses filles avaient également décidé de venir, soit par inquiétude, soit par simple curiosité. Ria Iwamura se détachait nettement du lot, étant la seule à porter son uniforme scolaire.

Elle était, comme à son habitude, calme et aussi impassible qu'un mannequin dans une vitrine. Personne ne comprenait ce qui lui passait par la tête. Il n'était pas dit que quelqu'un dans la classe, garçon ou fille, lui ait déjà parlé.

En dépit de la mort de quatre élèves, elle n'avait jusqu'ici pas esquissé un seul haussement de sourcil et n'avait même pas croisé le regard de Nobuaki quand il lui avait demandé de voter pour Naoya lors du concours de popularité.

D'une beauté hors du commun, Ria avait les jambes élancées, la peau pâle et lisse et les yeux envoûtants, aux pupilles si noires que le monde entier semblait s'être consumé en elles.

Elle époustouflait tous ceux qui la voyaient en photo par la splendeur de ses traits, mais donnait en chair et en os une impression radicalement différente.

À son arrivée au lycée de Tamaoka, les rumeurs sur son physique avaient vite fait le tour de l'établissement, des élèves de première et terminale avaient débarqué en force dans la salle de seconde B, et un fan-club à sa gloire s'était même formé pendant un temps. Mais les effectifs du groupe s'étaient réduits de moitié au bout d'un mois, et il s'était dissous au bout de deux.

Akira, le seul élève que l'on attendait encore, arriva après 3 heures de l'après-midi. Il avait dû courir, car il était couvert de sueur.

— Puisque tout le monde est là, on va commencer, annonça Nobuaki.

Ria s'avança alors devant lui.

Qu'est-ce qu'elle a l'intention de faire ?

Incapable de masquer sa surprise, l'assemblée scrutait ses moindres faits et gestes.

La jeune fille posa une pile de cartes sur la table en bois. Il y avait un numéro inscrit sur chacune d'elles.

— Ce sera plus facile de s'y retrouver si les chiffres sont écrits.

— Merci.

Il y avait à l'origine seize garçons dans la classe, mais il n'en restait plus que quatorze, désormais, tous dispersés autour de la table.

Les filles s'étaient rassemblées en cercle autour d'eux et discutaient en chuchotant.

— Elle a une jolie voix, Ria. Mais ce jeu va pousser les garçons soit à supplier qu'on les épargne, soit à signer l'arrêt de mort d'un camarade, dans la seconde moitié.

— C'est vrai... le nombre de papiers que va tirer celui qui arrivera à la 97e feuille va déterminer celui qui recevra la centième... et le châtiment qui l'accompagne.

— Quelle horreur ! C'est bien pensé, comme façon de jouer avec la vie.

Le parc de Nata était plongé dans le silence.

— Commence, Shingo, tu es le premier sur la liste ! dit Nobuaki pour donner le coup d'envoi.

— Je sais. Bon, je me lance.

Shingo Adachi tira trois cartes. Puis ce fut au tour de Toshiyuki Abe, le numéro 2, de tendre la main vers les papiers.

— Shingo a déjà pris trois feuilles... dans ce cas je fais pareil. Quatre, cinq, six.

Chacun piocha des cartes en énonçant à chaque fois les numéros. L'élève n° 4, Hirofumi Inoue, annonça : « Sept, huit. » L'élève n° 9, Yôsuke Ueda : « Neuf. » Le numéro 10, Motoki Ushijima : « Dix, onze. » Le 11, Akira Ôno : « Douze. »

Et le numéro 12, Nobuaki Kanazawa : « Treize, quatorze, quinze. »

Les garçons tiraient leurs cartes calmement, dans l'ordre.

Le numéro 13, Yûsuke Kawakami, annonça : « Seize, dix-sept. » Le numéro 21, Naoya Hashimoto : « Dix-huit ». Le 23, Toshiyuki Fujioka : « Dix-neuf, vingt, vingt et un ». Le 25, Yoshifumi Matsushima : « Vingt-deux, vingt-trois, vingt-quatre. » Le 28, Yûsuke Mizuuchi : « Vingt-cinq, vingt-six. » Le 30, Shôta Yahiro : « Vingt-sept, vingt-huit. » Le 32, Keita Yamashita : « Vingt-neuf, trente, trente et un. »

— Au bout d'un tour, on est arrivés à trente et un... Shingo, tu peux entamer le deuxième, déclara Nobuaki.

Shingo annonça : « Trente-deux, trente-trois. » Toshiyuki : « Trente-quatre, trente-cinq, trente-six. » Hirofumi : « Trente-sept, trente-huit. »

Lorsque son tour vint, Yôsuke n'essaya même pas d'attraper une carte.

— Vous savez pourquoi on fait ça, vous tous ? lança-t-il. On décide qui sera le prochain à y passer. On doit jouer à la roulette russe entre amis pour condamner quelqu'un à mort. Je refuse de participer à un truc pareil !

— Je me fiche de tes états d'âme, mais tire une carte ! lui rétorqua Yûsuke Kawakami d'un ton condescendant. Tu as lu le message, petit malin ? Si on s'arrête en plein milieu, on va tous subir la sentence. Tu ne veux pas condamner quelqu'un à mort ? Tu n'as qu'à prendre le centième papier ! On sera tous ravis de te rendre service, si c'est ce que tu souhaites. Dans le cas contraire, on n'a pas d'autre choix que de continuer. Alors dépêche-toi de piocher !

Yôsuke se tourna vers Kaori, qui croisa son regard, secoua la tête et ferma les yeux.

Ne te fais pas d'ennemis. S'il te plaît, tire une carte.

Yôsuke acquiesça et tendit la main vers la pile.

— Pardon de cette interruption… Trente-neuf, quarante.

Motoki annonça : « Quarante et un, quarante-deux, quarante-trois. » Akira : « Quarante-quatre, quarante-cinq, quarante-six. » Nobuaki : « Quarante-sept, quarante-huit. » Yûsuke : « Quarante-neuf, cinquante. »

La première moitié du jeu était terminée, mais le nombre de papiers que chacun avait choisi de tirer jusque-là n'avait pas grande importance. Plus cruciale serait la deuxième partie, et surtout les vingt dernières feuilles. Tout dépendrait de qui tirerait les numéros 97 et 98.

Si par exemple quelqu'un prenait les cartes 97, 98 et 99, il signerait l'arrêt de mort du prochain sur la liste. S'il ne piochait que deux papiers, l'élève suivant n'en tirerait qu'un, désignant par là même celui qui recevrait le gage.

Quatre-vingt-sept était le chiffre-clé. Les garçons de la classe étant au nombre de quatorze, celui qui tirerait ce numéro ne repasserait plus, même si les autres ne prenaient qu'un papier chacun.

Naoya annonça le numéro 51 ; Toshiyuki, les numéros 52, 53 et 54 ; Yoshifumi, 55, 56 et 57 ; Yûsuke, 58 et 59 ; Shôta, 60 et 61 ; Keita, 62 et 63. Le deuxième tour était terminé.

Shingo annonça : « Soixante-quatre, soixante-cinq et soixante-six. » Toshiyuki : « Soixante-sept. » Hirofumi : « Soixante-huit et soixante-neuf. » Yôsuke : « Soixante-dix. » Motoki : « Soixante et onze et soixante-douze. » Akira : « Soixante-treize. » Ce fut alors au tour de Nobuaki.

Je ne pourrai pas tirer le 88, alors il vaut mieux que j'en prenne le plus possible, pour augmenter mes chances de ne pas repasser.

« Soixante-quatorze, soixante-quinze, soixante-seize. »

Akira s'approcha de lui et agrippa son bras.

— Tu m'as envoyé un message bidon pendant le concours de popularité, avoue ! murmura-t-il. Tu disais que tu me ferais sortir du jeu du roi si Naoya gagnait.

Le visage d'Akira était terrifiant, déformé par la haine et l'hostilité. Nobuaki frémit face à l'aura meurtrière qui émanait de lui.

— Euh… Oui, c'est vrai, j'ai menti. Je suis vraiment désolé. Pardon.

Aïe ! Il a un grain, ce type !

La partie continuait comme si de rien n'était.

Yûsuke annonça : « Soixante-dix-sept. » Naoya : « Soixante-dix-huit et soixante-dix-neuf. » Toshiyuki :

« Quatre-vingts, quatre-vingt-un. » Yoshifumi : « Quatre-vingt-deux. » Yûsuke : « Quatre-vingt-trois et quatre-vingt-quatre. » Shôta : « Quatre-vingt-cinq, quatre-vingt-six et quatre-vingt-sept. »

Akira se mit à resserrer son étreinte sur le bras de Nobuaki, comme s'il cherchait à le broyer.

— Ha ha ha ha ! Désolé, tu dis ? T'es un sacré malin, toi. Un vrai démon. Après ce qui s'est passé, j'ai parlé de ton message à un autre élève. Il s'en est pris à moi : « C'est pour cette raison que tu as trahi Kana ? Tu me déçois. C'est à cause de trucs comme ça que personne ne t'aime. » Mais il ne t'a rien reproché. Ça fait deux poids deux mesures, tu ne crois pas ? Il m'a jeté un regard froid, l'air de dire : « Ça t'apprendra à essayer de te tirer en douce tout seul. » Pourquoi c'est moi le traître alors que tout est de ta faute ?

» J'étais trop terrifié pour ne pas accepter ton offre. Tu disais qu'il ne restait qu'une place, je n'avais pas le choix. Je voulais sortir avec Kana… me promener avec elle en lui tenant la main. Tu imagines ce que j'ai ressenti quand j'ai compris que ton message était une ruse pour que je donne ma voix à Naoya ? J'ai abandonné mon ange pour accomplir les basses œuvres d'un démon.

Nobuaki se rappela le dépouillement des votes. Un message était écrit sur un des bulletins :

Kana, pardon. Je vote pour Naoya mais mon cœur est à toi. Je t'aime.

— Quatre-vingt-huit ! Ouf, maintenant je ne repasserai pas ! Le jeu est fini pour moi.

Keita bondissait de joie. Voyant cela, Akira plissa les yeux et dit à Nobuaki :

— On dirait que le tour de Keita ne viendra plus. La fin approche. On est vraiment sur le fil du rasoir, non ?

— Oui.

— J'aimais Kana ! Et toi, après nous avoir séparés et t'être joué de nous, tu l'as tuée ! C'est atroce, tu es un véritable démon ! Les monstres comme toi, je devrais les renvoyer en enfer d'un coup d'Ultima !

Son accès de rage venait du fond du cœur. Tous les regards des garçons convergèrent sur lui.

Shingo tira une carte.

— Quatre-vingt-neuf ! Moi aussi, j'ai fini !

Vint ensuite le tour de Toshiyuki Abe.

— Quatre-vingt-dix, quatre-vingt-onze. J'en ai terminé… C'est ce que vous pensiez que j'allais dire, pas vrai ? Qu'est-ce qui se passerait si je ne prenais pas mes papiers ?

Toshiyuki n'avait pas tiré de carte.

— On recevrait tous un gage. La partie n'est pas encore finie.

Yûsuke Kawakami le fusilla du regard. Son poing serré était parcouru de tremblements.

Je vais te tuer.

— Ne bouge pas ! s'écria Toshiyuki au moment où Yûsuke s'apprêtait à faire un pas en avant. Si je m'arrête là, on meurt tous, non ? C'est l'occasion de me venger. Je n'ai jamais pu t'encadrer.

Yûsuke prenait Toshiyuki pour son larbin. Il l'obligeait à faire ses devoirs et ses dissertations à sa place, ou encore l'envoyait acheter ses sandwichs à la cafétéria, sans jamais lui confier de monnaie. Ses demandes s'étaient multipliées, jusqu'à ce qu'il lui réclame directement de l'argent.

Toshiyuki ne pouvait rien lui refuser. S'il essayait, Yûsuke s'arrangerait pour qu'il soit mis au ban de la classe, ou le passerait à tabac dans les toilettes.

Cependant, Toshiyuki ne pouvait pas non plus racketter qui que ce soit, ni voler des sous dans les portefeuilles de ses parents. En désespoir de cause, il s'était mis à emprunter de l'argent à sa petite amie, qui fréquentait un autre lycée. « Je dois acheter des chaussures à crampons pour le football », « Il me faut des livres pour l'école », prétextait-il.

Ce petit manège se poursuivit quelque temps. Toshiyuki ne rendant jamais les sommes qu'il empruntait, sa petite amie finit par perdre patience.

— Je ne te demanderai pas l'argent que tu me dois. Mais en échange, je ne veux plus te voir, lui avait-elle déclaré.

Tout se passait bien avec elle, avant que ce type ne fasse de moi sa tête de turc.

Lorsqu'il s'était plaint à Yûsuke que sa copine l'avait quitté à cause de lui, son tourmenteur avait ricané :

— Qu'est-ce que j'ai à voir là-dedans ? Lâche-moi les baskets !

Yûsuke a fichu ma vie en l'air.

— Avant, je ne pouvais pas m'opposer à toi, déclara Toshiyuki, un sourire effronté aux lèvres. Mais maintenant, les choses sont différentes, Yûsuke !

Alors que Nobuaki s'apprêtait à intervenir, Yûsuke l'en empêcha.

— Je me charge de lui. Je le comprends mieux que personne, murmura-t-il. (Puis, se dressant, l'air imperturbable, devant Toshiyuki :) Allez, tire une carte tout de suite et je te pardonne pour cette fois.

Il sortit une cigarette de sa poche avant de l'allumer d'une main experte.

— Qu'est-ce que tu racontes ? Si je ne fais rien, tous les garçons recevront une punition !

— Pour la dernière fois, tire un papier ! Tu as dix secondes. Je te connais, tu vas finir par obéir. Arrête de nous faire perdre notre temps, c'est pénible.

— Je suis sérieux. La mort ne m'effraie pas. Si tu me présentes tes excuses pour tout ce qui s'est passé, je tirerai une carte.

— Plus que sept secondes.

— J'obéirai si tu t'excuses, je te dis !

— Trois secondes.

— Demande-moi pardon !

— Deux secondes.

— Je ne prendrai pas de papier !

— Tu n'as pas le courage nécessaire pour mourir. Plus qu'une seconde. C'est fini.

— Tu crois que je vais obéir ? Je t'ai demandé de t'excuser !

Toshiyuki, les larmes aux yeux, piocha deux papiers numérotés 90 et 91 puis les serra contre sa poitrine comme des trésors.

— Voilà, ça, c'est le Toshiyuki que je connais, dit Yûsuke en l'applaudissant. O.K., le spectacle est terminé ! Je vous demande pardon pour le souci que mon bon ami Toshiyuki vous a causé, alors excusez-le !

Toshiyuki était soumis corps et âme à Yûsuke. Il était incapable de lui tenir tête.

Tu parles, qu'il le comprend. Il le contrôle, oui.

La voix d'Akira vint interrompre le cours des pensées de Nobuaki.

— Quel trouble-fête ! Mais rassure-toi, je ne ferai rien d'aussi bête.

Il restait neuf papiers, les prochains élèves à passer étant, dans l'ordre : Hirofumi, Yôsuke, Motoki, Akira et Nobuaki.

Hirofumi tira les numéros 92 et 93, Yôsuke les 94 et 95.

Tandis que Nobuaki trépignait, Akira riait à gorge déployée près de lui.

— Enfin ! Ça se goupille parfaitement, le ciel est avec moi.

Motoki annonça : « Quatre-vingt-seize, quatre-vingt-dix-sept. »

Plus que trois feuilles. Si Akira prenait seulement la première, Nobuaki tirerait ensuite la 99 et Yûsuke Kawakami recevrait le gage. S'il piochait les numéros 98 et 99, ce serait Nobuaki qui mourrait.

Akira pointa du doigt la carte marquée 98 et regarda Nobuaki en se léchant les babines.

— Vos vies sont entre mes mains, c'est génial ! Alors, Nobuaki, tu ne me demandes pas de t'épargner ? Tu ne vas pas me supplier à genoux de tuer Yûsuke à ta place ? C'est pourtant ta spécialité, de courber l'échine.

Yûsuke s'interposa entre les deux élèves. Son attitude avait changé du tout au tout.

— Akira, sauve-moi, je t'en prie ! Je suis trop jeune pour mourir. Donne le gage à Nobuaki ! Je t'offrirai ce que tu veux.

Toshiyuki Abe observait la scène, une expression indéchiffrable sur le visage.

— Attends, Yûsuke ! C'est maintenant que les choses deviennent intéressantes.

Akira attrapa la carte numérotée 98 et s'éventa avec.

— J'en ai pris une ! Nobuaki, si tu ne me supplies pas toi aussi, tu vas vraiment mourir. Est-ce que tu comptes t'en aller avant ta précieuse petite amie ? Et si je te demandais de te mettre à poil pour nous montrer tes fameuses courbettes ? J'accepterais peut-être de t'aider, alors... Non, en fait, j'ai une meilleure idée ! Chiemi, tu sais dans quelle situation se trouve ton cher petit copain, n'est-ce pas ?

— Elle n'a rien à voir avec tout ça ! s'écria Nobuaki en l'attrapant par le col.

— Toi, ferme-la ! Chiemi, je suis sûr que tu comprends la situation. Tu veux aider ton petit ami ? Alors déshabille-toi sur-le-champ ! Complètement.

Si tu ne le fais pas, Nobuaki recevra un gage. C'est ce que tu veux ?

— Non, pas devant tout le monde !

— Elle a l'air bien décidée, on dirait ! s'exclama Akira dans un rire.

Chiemi ôta l'une après l'autre sa veste et sa chemise. Elle ne portait plus au-dessus de la ceinture qu'un soutien-gorge rose et dévisageait Akira d'un air digne.

— J'ai bien fait de me lever ce matin ! fit-il, les yeux écarquillés.

— Qu'est-ce qui te prend, Chiemi ? cria Nobuaki. Arrête, quoi que tu fasses, il va me tuer. C'est inutile ! Il va m'obliger à tirer le numéro 100.

Chiemi lui adressa un sourire doux comme une caresse.

— Ce n'est certainement pas inutile, puisque je le fais pour toi ! Si je peux augmenter ne serait-ce que légèrement tes chances d'être sauvé, alors ça ne me dérange pas de m'humilier en public…

Akira cracha par terre.

— Quelle scène touchante ! Se sacrifier pour celui qu'on aime, ça demande du cran. C'est beau, l'amour… Vous voulez voir un spectacle intéressant, vous autres ?

— Un spectacle ? Ça commence à bien faire ! hurla Nobuaki. Je reconnais que j'ai mal agi, mais c'est quand même toi qui as trahi Kana ! Rhabille-toi, Chiemi !

— Tu ne comprends pas, Nobuaki. C'est mon ange qui m'a fourni cette occasion, en me conférant le pouvoir terrible de juger mes camarades et de décider lequel mourra !

— Chiemi n'est pas concernée ! C'est moi qui suis en tort, alors dépêche-toi de me punir !

Nobuaki resserra sa poigne sur le col d'Akira.

— Il ne faut pas que la sentence soit trop simple, ce ne serait pas intéressant.

— Arrête, Akira ! Ça ne mène à rien, tout ça. (Naoya remit sur les épaules de Chiemi sa veste tombée à terre puis dévisagea son camarade de classe.) C'est moi qui me suis battu contre Kana, Nobuaki a agi pour m'aider. Alors je vais prendre sa place. Demande-moi ce que tu veux, je le ferai.

— Ne viens pas t'en mêler ! s'écria Nobuaki en le fusillant du regard.

— Une belle démonstration d'amitié, maintenant ? Quelle chance tu as, Nobuaki ! Je t'envie d'avoir des proches qui t'aiment autant, même si ce genre de chose est un mystère pour moi. (Il poursuivit en ricanant :) Tiens ! je viens d'avoir une idée formidable ! Il y a des W.-C., dans ce parc. Chiemi, si tu te mets toute nue et que tu viens aux toilettes me sucer la…

Quelque chose se brisa en Nobuaki.

— Espèce de salaud !

Il frappa Akira à la joue de toutes ses forces et le colosse s'effondra à terre.

Nobuaki lui accorda le même regard qu'à un tas d'ordures.

— Tire le numéro 99.

— Tu as osé me frapper ! Je prendrai le papier, comme tu le souhaites, à condition que tu me supplies la tête baissée, comme tu sais si bien le faire.

— S'il te plaît, tire le 99, demanda Nobuaki en se mettant à genoux et en posant le front au sol.

Akira lui piétina la tête comme s'il s'agissait d'un mégot de cigarette.

— Tu es pitoyable !

— Tu vas trop loin ! intervint Naoya. Retire ton pied, Akira. Si tu pioches le numéro 99, il devra recevoir la sanction, et pourtant il te supplie de le faire quand même. Tu ne comprends donc pas ce qu'il ressent ?

Les autres élèves, demeurés silencieux jusqu'ici, renchérirent :

— C'est trop ! Tu te crois où, sale *no life* pervers ?

— Pauvre Nobuaki !

— Enlève ton pied !

— Oh, vous prenez tous son parti ? Je me suis peut-être un peu emporté, c'est vrai. Pardon, Nobuaki, dit Akira d'une voix contrite avant de lui tendre la main pour l'aider à se relever.

Nobuaki s'apprêtait à la saisir lorsque le garçon la releva promptement au-dessus de sa tête.

— Non, je plaisante ! T'y as cru, abruti ?

Il se tourna vers la table où étaient posées les cartes.

— Attends, Akira ! s'écria Naoya en le saisissant à bras-le-corps pour l'empêcher de tirer un papier.

Hélas, il ne faisait pas le poids face au géant.

— Adieu, Nobuaki.

Akira prit la carte marquée 99 et la brandit avec ostentation devant lui.

— Il l'a vraiment fait... gémit Naoya.

Yûsuke serra le poing devant sa poitrine, comme en signe de victoire. Le centième numéro ne lui reviendrait pas.

Il adressa à Nobuaki un sourire narquois.

Ne m'en veux pas. Si tu dois t'en prendre à quelqu'un, c'est à toi et à Akira.

— C'est ici que ma route s'arrête. Naoya, Chiemi, je suis désolé, laissa échapper Nobuaki.

— Pourquoi est-ce que ça doit finir comme ça ? cria Chiemi.

Naoya tomba à genoux.

— C'est terminé.

— On récolte ce qu'on sème, je suppose, dit Nobuaki en se relevant lentement. C'est ma punition pour avoir menti. Tout est ma faute. Pardon, je n'ai pas pu tenir ma promesse.

— Qu'est-ce que je vais devenir sans toi ? Pourquoi est-ce que tu dois mourir ? Tu m'avais promis qu'on resterait ensemble pour toujours, qu'on ne se séparerait jamais !

— Je suis désolé, Chiemi.

Elle se cramponna à Nobuaki en pleurant. Les larmes roulaient sur ses joues et tombaient goutte à goutte avant d'être absorbées par la terre.

— Est-ce que tu comprends la douleur de Kana, à présent ? s'exclama Akira dans un éclat de rire. Ce qu'elle a ressenti quand elle a sauté ? Tu as traversé les mêmes épreuves, Nobuaki, et maintenant tu vas mourir d'une crise cardiaque. Ce qui est dommage, c'est que tu vas laisser un beau cadavre. Mais ta mort va racheter tes crimes !

Nami Hirano avait les yeux rivés sur Nobuaki. Elle hésitait à accourir auprès de lui mais, Chiemi le serrant dans ses bras, elle se retint.

Nobuaki, tu vas vraiment mourir ? Tu vas disparaître de ma vie ?

Il s'écarta de Chiemi.

— Naoya, retrouve le roi et mets un terme au jeu à ma place ! Repense à ce qui s'est passé. Le roi est quelqu'un qui nous connaît bien et j'ai l'impression qu'il a tout calculé. Alors je pense qu'il ne doit pas être loin. Il se trouve peut-être dans cette classe, si ça se trouve... Et puis je te confie Chiemi. Tu essaies peut-être de les cacher, mais je connais tes sentiments.

Naoya, toujours effondré, secouait la tête.

— Reprends-toi, Naoya ! Ce n'est pas le moment de se mettre dans des états pareils !

Nobuaki brandit le poing et leva le pouce. Son ami lui rendit son geste.

— Je te pardonne pour cette fois. Mais si tu me rejoins, tu me le paieras !

Nobuaki tira la carte marquée 100.

— Faites-moi un dernier sourire. Si vous pleurez, moi aussi je vais être triste.

À cet instant, tous les portables se mirent à sonner.

1 message reçu.

Nobuaki avait beau se montrer brave, la mort lui faisait peur.

Jusqu'à présent, lorsqu'il se réveillait, il se retrouvait à chaque fois dans un paysage familier, et une journée paisible commençait. Mais dorénavant, il ne rouvrirait plus jamais les yeux.

Nobuaki eut beau chercher à graver les visages de Chiemi et de Naoya au fond de lui, sa vision était embuée de larmes. Il s'efforçait de garder le sourire pour ne pas peiner ses amis, mais sans succès : son corps était plus honnête que son esprit.

Il regarda le message reçu.

Dim. 25/10, 16:20. Expéditeur : Roi. Titre : Jeu du roi. Message : Le perdant du jeu a été décidé : élève n° 11, Akira Ôno.
Condamné à la mort par arrêt cardiaque. END.

— C'est Akira qui a perdu ? Pas moi ?

Nobuaki, n'en croyant pas ses yeux, se tourna vers l'élève condamné. À cet instant, le géant porta la main à son cœur et s'écroula.

— Pourquoi est-ce que c'est moi qui reçois le châtiment ? Je ne comprends pas… C'est encore une de tes manigances, Nobuaki ? Si c'est le cas, tu es vraiment un démon. À moins que… tu ne sois le roi ?

— Je… je n'ai rien fait.

— Tu es… tu es…

Akira se mit à ramper à quatre pattes en gémissant et agrippa le pantalon de Nobuaki, mais son poing se desserra petit à petit, puis lâcha prise pour aller se poser sur sa poitrine.

— Qu'est-ce qui m'arrive, Kana chérie ? Je vois, tu me demandes de monter te rejoindre au ciel…

Akira ne bougeait plus. Nobuaki l'allongea sur le dos. Il avait les yeux exorbités et de la salive s'écoulait de sa bouche ouverte.

Nobuaki posa doucement sa main tremblante sur la cage thoracique du colosse : son cœur avait cessé de battre.

— Mais qu'est-ce qui s'est passé, bon sang ? cria Nobuaki.

Ria, qui observait la scène, laissa échapper un sourire rusé et s'apprêtait à quitter le jardin public sans demander son reste quand Shôta lui saisit le bras.

— Attends une seconde ! Tu avais prévu que ça finirait ainsi, pas vrai ?

Sans rien répondre, la fille se dégagea de la prise de son camarade et s'en alla.

Une ambulance emmena Akira à l'hôpital. Trente minutes plus tard, une voiture de police débarqua, gyrophare allumé et sirène hurlante.

Les agents déroulèrent un ruban autour du parc et examinèrent les lieux. Les deux inspecteurs venus la veille au lycée arrivèrent. Le vétéran du binôme jeta un coup d'œil aux alentours.

— C'est quoi le problème de cette classe ? Elle attire les suicidaires et les moribonds, ou quoi ?

— On devrait peut-être parler de victimes. Le corps est celui d'un dénommé Akira Ôno, quinze ans, arrêt cardiaque. Vous pensez qu'il y a un lien entre toutes ces morts suspectes ?

— Qui sait, demande au macchabée. Il est peut-être au courant de tout.

— Inspecteur, un peu de tenue. Et si les élèves vous entendaient ?

1 mort, 27 survivants.

Ordre n° 8 – Dim. 25/10, 23:36

— Qu'est-ce que tu fais dans un endroit pareil ? demanda Nobuaki, perplexe, en s'approchant de Chiemi.

Il soufflait un vent glacial. La jeune fille se tenait à environ cinq mètres devant lui, seule. Sa frange lui masquait le visage.

Ils se trouvaient dans un parking, au sommet du centre commercial où ils avaient acheté le cadeau d'anniversaire de Chiemi quelques semaines auparavant.

Il était alors noir de monde, mais à présent, pas une seule voiture n'était garée.

Chiemi tourna subitement le dos à Nobuaki.

— Selon les ordres du roi, je dois mourir pour que tu sois sauvé… Alors il faut que je saute.

— Attends ! Moi, je ne l'ai pas reçu, ce message ! Tu es sûre que ce n'est pas une erreur ?

— Oui, je l'ai bel et bien lu !

— À quoi est-ce que tu penses ? Ne fais pas l'idiote !

Une voiture surgit soudain à côté de Chiemi. Ébloui par la lumière des phares, Nobuaki ferma les yeux et s'en détourna. Au bout de quelques instants, il les rouvrit.

Chiemi avait déjà disparu. Kana se tenait à sa place, sur une jambe. Du sang s'écoulait de ses orbites vides.

— C'est toi qui m'as mise dans cet état !

— Aaaah !

Nobuaki se réveilla en sursaut, dans sa chambre.

Le songe lui avait paru si réaliste qu'il n'avait pas l'impression d'avoir rêvé. Tout son corps était trempé de sueur, comme s'il revenait d'une marche sous la pluie.

Il s'essuya le cou et poussa un profond soupir.

Kana est morte par ma faute, et Chiemi aussi s'en ira un jour. Tous ceux que je côtoie disparaissent...

Son portable l'avertit d'un appel – numéro inconnu. Il décrocha avec circonspection.

— Allô ?

— Nobuaki ? Désolée de t'appeler si tard. C'est Nami. J'ai demandé ton numéro à Mami.

— Ah, Nami... Qu'est-ce qu'il y a ?

— J'ai quelque chose d'important à te dire. Ça concerne le jeu du roi...

Elle semblait avoir du mal à en venir au fait.

— Est-ce que tu sais quelque chose ?

— J'ignore si ça a un rapport avec le jeu, mais j'ai trouvé un article sur le Net qui parlait d'une classe où beaucoup d'élèves sont morts par pendaisons, auto-immolations, arrêts cardiaques ou accidents de la circulation inexpliqués. Il ne donnait pas le nom de l'école.

Nobuaki en eut des frissons dans le dos. Les événements étaient semblables à ceux qui affectaient la seconde B.

— Si ce jeu continue comme ça, est-ce qu'il ne va pas nous arriver la même chose ? poursuivit Nami.

— Ce n'est pas impossible…

Nobuaki lui demanda l'adresse du site où se trouvait l'article.

— Est-ce que tu as parlé de cette histoire à quelqu'un d'autre ?

— Non, seulement à toi pour l'instant.

— Alors s'il te plaît, ne le dis pas encore aux autres. Je pense que ça ne ferait que les troubler encore plus.

— D'accord ! C'était bien mon intention, de toute façon !

— Pourquoi ?

— En observant ce qui se passait, j'ai eu l'impression que toi, tu pourrais mettre un terme à ce jeu. C'est pour ça que je t'ai appelé. Et puis ce n'est pas dur d'imaginer qu'une telle information provoquerait la panique.

— Je ne suis pas sûr que j'y arriverai… mais j'essaierai de ne pas te décevoir !

— O.K. ! À demain en cours, alors. Bonne nuit !

Nami raccrocha sans même attendre la réponse.

Nobuaki alluma son ordinateur et rechercha la page Web que sa camarade lui avait indiquée.

L'enquête de la police et des spécialistes n'a pas permis d'établir un mobile. Il pourrait s'agir d'un

suicide collectif...
La possibilité que des élèves se soient entre-tués n'est pas non plus écartée...
Le corps de l'élève qui s'est jeté de la falaise n'a pas encore été retrouvé.

L'article était tel que l'avait décrit Nami. Si ce jeu du roi se poursuivait, leur classe subirait peut-être le même sort.

Nobuaki effectua aussi une recherche sur les mots « jeu du roi ».

Jeu du roi : un grand classique pour animer les soirées Jeu du roi pendant une fête d'intégration
Comment tricher pour être élu roi à chaque fois !
Quelques idées de gages

— Aucun intérêt !

Puis il rechercha le terme « malédiction ».

Les malédictions existent-elles ?
Lancer des malédictions
Malédictions et magie noire

— Ça ne sert à rien !

Nobuaki s'allongea sur son lit.

Je n'ai pas envie d'y croire, mais ce qui se passe actuellement est peut-être bien dû à une malédiction. En tout cas, on dirait que le jeu du roi a déjà eu lieu par le passé.

Nobuaki repensa aux ordres reçus jusqu'à présent.

Les victimes semblent avoir été sélectionnées au hasard, mais il y a une certaine logique. Daisuke et Misaki ont été choisis pour l'ordre n° 4, et Shôta pour le suivant.

Si Misaki exécutait sa consigne, Shôta, son petit ami, allait forcément se mettre en colère, et il avait reçu l'autorisation de donner l'ordre de son choix. Puis il y a eu le concours de popularité.

Je sens qu'il existe des liens de cause à effet dans cet enchaînement. La colère et la haine sont à chaque fois présentes.

— On nous manipule.

La haine engendrait la haine et ce cycle se répétait éternellement.

Le portable de Nobuaki sonna, venant interrompre le cours de ses pensées. Il était minuit.

Lun. 26/10, 00:00. Expéditeur : Roi. Titre : Jeu du roi.
Message : Toute votre classe participe à un jeu du roi. Les ordres du roi sont absolus et doivent être exécutés sous 24 heures.
Aucun abandon ne sera toléré.
Ordre n° 8 : Élève n° 22, Nami Hirano.
Nami doit se donner un ordre à elle-même, puis l'exécuter comme s'il émanait du roi. END.

— Un ordre à soi-même ? Le roi a demandé quelque chose de similaire, il n'y a pas longtemps… Mais ça paraît trop simple. Il suffit de s'ordonner de respirer ou de manger quelque chose, non ? En plus, le gage n'est même pas indiqué, cette fois.

Nobuaki reçut un nouvel appel. Le numéro affiché était le même que tout à l'heure.

— J'ai fini par recevoir un ordre… Nobuaki, tu penses que le roi se trouve dans la classe, non ? lança tout de suite Nami.

— Peut-être, oui.

— Je sais que tu sors avec Chiemi, mais… est-ce que tu accepterais de rester avec moi, rien qu'une journée ? S'il te plaît !

— Hein ? Qu'est-ce que tu racontes ? s'exclama Nobuaki.

Cette fois encore, Nami avait mis fin à la communication avant d'écouter la réponse.

— Mais qu'est-ce qui lui prend ? Elle m'a encore raccroché au nez, en plus !

Son portable s'alluma. Il avait reçu un message.

Lun. 26/10, 00:07. Expéditeur : Roi. Titre : Jeu du roi.
Message : Toute votre classe participe à un jeu du roi. Les ordres du roi sont absolus et doivent être exécutés sous 24 heures.
Aucun abandon ne sera toléré.
Ordre n° 8 : Élève n° 22, Nami Hirano.
Nami doit toucher le roi. END.

Cette fois-là, ce fut Nobuaki qui l'appela.

— C'est quoi, cet ordre ?

— C'est ce que j'ai choisi. Je savais que tu m'appellerais tout de suite, dit-elle avec un petit rire. Tu es vraiment quelqu'un d'attentionné. Tu t'inquiètes pour moi alors que tu ne connaissais même pas mon numéro il y a une demi-heure.

— Qu'est-ce que tu crois ? Bien sûr que je m'inquiète, et je suis certain que les autres aussi !

— Mais c'est toi qui m'as téléphoné le premier. Tu marquerais beaucoup de points à un test d'affection.

— Quoi ? s'exclama Nobuaki.

— Pardon, je n'aurais pas dû dire ça, ça te met dans l'embarras. Tu cherches seulement à arrêter ce jeu pour le bien de tous… Je voulais t'être utile, alors je me suis ordonné de toucher le roi. Pas bête, hein ? Maintenant, je n'ai plus qu'à toucher tout le monde un par un et si le coupable se trouve dans la classe, on recevra un message de confirmation. C'est parfait, non ?

— Parfait ? Et si le roi n'est pas parmi nous, qu'est-ce que tu vas faire ? s'écria son camarade.

— J'ai confiance en ton raisonnement. Ça me suffit.

— Ne sois pas aussi insouciante !

Nami repensa à la journée de la veille, au parc de Nata, quand Nobuaki et Chiemi s'étaient enlacés devant elle.

Le ton de sa voix changea brusquement.

— Regarde les choses en face… répondit-elle avec froideur. Si on reste les bras croisés, quelqu'un pourrait mourir quand même… Dis-moi plutôt, tu n'as pas oublié ta promesse ? Tu dois rester avec moi toute la journée !

— Je n'ai pas le souvenir de t'avoir promis quoi que ce soit. Tu as raccroché avant.

— Espèce de menteur ! Alors que moi, j'ai pris le risque de recevoir un châtiment parce que j'avais confiance en toi ! s'écria Nami avant de se mettre à sangloter.

— C'est bon, j'ai compris ! Ne pleure pas, j'ai horreur de ça.

— Ha ha, j'ai réussi ! Je peux compter sur toi pour tenir ta promesse ?

— C'étaient des larmes de crocodile, alors. Mais au fait, Nami…

Le combiné émit deux bips, signe que la communication avait été coupée.

Jamais deux sans trois…

Le lendemain, à la fin des cours, tous les élèves restèrent dans la classe, où l'on sentait planer une certaine nervosité.

Nobuaki et Nami se tenaient sur l'estrade. Tous les regards étaient tournés vers la jeune fille.

En dépit de l'anxiété et de l'appréhension générale, un sourire se dessinait sur le visage de Nami, comme si elle allait se mettre à danser d'un instant à l'autre. Nobuaki lui jeta un coup d'œil et poussa un soupir.

Est-ce qu'elle a bien conscience de la situation dans laquelle elle s'est fourrée ?

— Je pense que vous êtes déjà au courant, mais Nami s'est donné comme ordre de toucher le roi, dit-il, tenant la feuille d'appel. Elle va maintenant poser la main sur tout le monde, un par un, et si l'un de nous est le coupable, on devrait recevoir un message de confirmation.

Naoya applaudit, comme pris d'une illumination soudaine.

— Mais bien sûr ! Le roi sera celui qu'elle aura touché juste avant que le texto n'arrive.

— Tu viens seulement de comprendre ? Nami risque sa vie pour qu'il ne fasse plus de victimes. Bon, on va commencer par Shingo.

— Je ne suis pas le roi, tripote-moi autant que tu veux ! déclara Shingo en s'approchant, le torse bombé.

Elle a creusé sa propre tombe. Ce serait injuste qu'on ne reçoive aucun SMS de confirmation, songea Nobuaki tandis que la jeune fille s'apprêtait à toucher Shingo.

Nobuaki observait attentivement les moindres faits et gestes de ses camarades, afin de ne laisser échapper aucun détail.

Nami posa la main sur l'épaule de Shingo. Il n'y eut pas de message.

— Rien. Au suivant, alors.

Nami répéta la même manœuvre avec chaque élève qui s'avançait, l'un après l'autre.

— Au dernier des garçons, Keita !

Nami toucha l'épaule de Keita. Le message de confirmation ne vint pas.

Au bout du compte, le test n'avait donné aucun résultat sur les garçons de la classe : il ne restait que les filles.

Nobuaki suivit du doigt les noms inscrits sur la liste

d'appel. Son cœur se mit à battre la chamade.

Est-ce qu'il se trouve vraiment parmi nous un démon qui a pris apparence humaine ? Rien que d'y penser...

Nobuaki aperçut Nami en train de discuter avec Shingo, assis devant elle. Elle ne montrait pas le moindre signe de nervosité ou d'inquiétude.

— Tu es incroyable ! Je t'admire, laissa échapper Nobuaki.

— Pourquoi ça ? lui répondit Nami d'un air détaché.

— Non, pour rien. On va le trouver, ce roi !

— Oui, et après on passera la journée ensemble !

Nami, quand je te regarde, ça me remonte le moral. Merci pour tout.

Nobuaki se claqua les joues des deux mains pour se ressaisir.

— Bien, on continue ! La première fille est Satomi.

— Elle n'est plus là, s'éleva une voix tremblotante au milieu du silence qui régnait dans la salle.

— Pardon... Yûko, tu peux venir ?

— D'accord.

Nami la toucha. Pas de message.

— J'avais beau savoir que ce n'était pas moi, j'avais quand même un peu peur... avoua-t-elle avec un soupir de soulagement. Qu'est-ce que je serais devenue si un texto était arrivé ?

Les filles s'avancèrent une par une.

— Nami, Chiemi, Masami, Kaori, Emi, Hiroko, annonça Nobuaki, lisant les six noms restants sur la liste d'appel.

— C'est au tour de Nami. Tu peux ven... Ah, c'est vrai, tu es déjà là !

— Oui !

— Bien sûr. Bon, à Chiemi, alors.

Nobuaki baissa de nouveau les yeux sur la feuille d'appel.

Chiemi ne peut pas être le roi. Masami... est célèbre pour ses affaires de cœur, même si elle essaie de s'en cacher. Elle peut sortir avec deux, voire trois garçons en même temps comme si de rien n'était et ça lui cause des ennuis. Par contre, elle a toujours l'air de bonne humeur. Kaori... a tendance à fourrer son nez partout, mais elle est gentille et d'une droiture exemplaire. Emi... est du genre effacé et se laisse facilement influencer par les opinions des autres. Hiroko... bûche comme une forcenée parce qu'elle veut faire carrière plus tard. Elle a toujours les meilleures notes de la classe.

Chiemi s'était approchée de Nami.

— Je m'inquiète pour toi, lui dit-elle doucement. Et si le roi n'est pas parmi nous ? Ça ne te préoccupe pas ?

L'expression de Nami se fit soudain plus dure.

— Je ne veux pas de ton inquiétude. Tu n'as pas confiance en ton petit ami ? Quel que soit le résultat, je ne regrette rien, et je n'ai pas peur non plus !

— Vraiment ?

— Le roi se trouve parmi les cinq filles restantes, ça ne fait aucun doute ! En ce moment même, il est là à essayer de nous tuer ! Ça pourrait être toi. Peut-être que tu caches un démon derrière cette jolie frimousse, poursuivit Nami en touchant Chiemi d'un geste brusque.

À cet instant, le portable de Nobuaki l'avertit d'un message reçu.

— Quoi ? s'exclama-t-il. C'est impossible, enfin !

Il consulta sur-le-champ le SMS.

Lun. 26/10, 16:47. Expéditeur : Maman. Titre : Dîner. Message : Je suis en train de faire les courses. Qu'est-ce que tu veux manger ce soir ? Du bœuf, comme tu aimes ? Ou alors des saucisses, c'est moins cher. J'attends ta réponse. Sois prudent en rentrant. Ta mère de 30 ans.

— Celle-là, alors ! Ce n'est pas le moment ! aboya Nobuaki à l'adresse de son téléphone.

Il releva la tête dans un sursaut : ses camarades l'observaient tous en silence. Visiblement, aucun portable n'avait sonné en dehors du sien.

— Euh... désolé. Une petite méprise.

— Ne nous fais pas des frayeurs pareilles ! C'était qui ? lui demanda Chiemi.

— Ma mère. Elle veut savoir ce que je voudrais manger ce soir... Ça demande réflexion, lui répondit-il d'un air qu'il voulait détendu.

— C'est bon, tu peux t'en aller, maintenant, dit Nami, mécontente, en poussant Chiemi dans le dos. On sait que tu n'es pas le roi.

— D'accord, pas la peine de me bousculer !

— Ensuite, c'est à Masami, déclara Nobuaki. Tu...

tu peux venir, s'il te plaît ?

— Dépêche-toi de me toucher, Nami, les regards des autres me font peur !

La jeune fille s'exécuta. Ce n'était pas Masami… Il ne restait plus que trois suspectes. Un véritable tumulte s'éleva dans la salle.

L'atmosphère était devenue explosive : les élèves étaient pris dans un tourbillon de méfiance et de confusion qui les entraînait par le fond tel un dangereux courant marin. La trépidation se lisait dans les yeux de Nami.

— Qui… qui est la suivante ? Alors, euh…

— C'est moi. Je te le dis tout de suite, je ne suis pas le roi, fit Kaori en se dressant devant Nami, les bras croisés.

Nouveau contact, mais aucun message n'arriva… Plus que deux personnes.

Si ni Emi ni Hiroko n'est le roi, alors il ne se trouve pas dans la classe. Auquel cas, Nami va recevoir un gage. Est-ce que je me serais trompé ?

Nobuaki avait les jambes en coton.

Nami toucha Emi. Pas de message.

— Il ne reste plus que Hiroko, c'est ça ? demanda-t-elle d'une petite voix en se tournant vers Nobuaki.

— Oui… Si c'est elle le roi, elle devrait tout faire pour éviter que tu la touches.

— Alors c'est Hiroko le roi ? s'exclama Shôta.

— Pas du tout, enfin ! se récria Hiroko en lui lançant un regard farouche.

— Tu es bien la seule qui reste, pourtant. Pas la peine de monter sur tes grands chevaux juste parce que tu as quelques bonnes notes ! fit-il en se levant.

— Doucement, ce n'est pas moi, je te dis ! Nami, dépêche-toi de me toucher ! dit Hiroko d'un air furibond avant de s'avancer en écartant la table qui se trouvait sur son chemin.

Incapable de contenir sa colère, elle se précipita sur Nami, qui la repoussa des deux mains. La jeune fille avait maintenant effleuré tous les élèves de la classe. Chacun attendait l'arrivée d'un message en retenant son souffle.

L'espace semblait se déformer devant les yeux de Nobuaki, comme si la salle entière avait été transportée dans un autre monde.

Au bout du compte, aucun texto ne vint. Les portables des élèves restèrent muets et leur dernière lueur d'espoir s'évanouit telle une bulle de savon qui éclate.

Le coupable ne serait donc pas parmi nous ?

Nobuaki tomba à genoux, prostré. Nami vint alors poser la main sur son épaule.

— Tant pis. On va continuer à chercher, dit-elle, encourageante.

— Facile à dire. Tu vas recevoir une sanction à cause de mon erreur de jugement.

Nami le dévisagea avec un grand sourire. Ses traits avaient la douceur de ceux d'une mère prenant pour la première fois son enfant dans les bras.

— Ça ne fait rien ! J'aurais bien aimé qu'on trouve le roi, mais… tant pis. J'étais prête à recevoir un gage de toute façon.

Chiemi, qui avait accouru auprès d'eux, prit la main de son petit ami, qui se tourna vers elle et s'apprêtait à lui parler quand Nami intervint :

— Tout va bien ! C'est moi qui vais recevoir le châtiment cette fois, et ça ne me dérange pas.

— Peut-être, mais… Nobuaki est déprimé…

— Il faut que j'aille aux toilettes, fit le jeune homme avant de s'éclipser.

Tout le monde avait espéré que le stratagème d'aujourd'hui, fondé sur son idée, permettrait de démasquer le roi. Voilà pourquoi il lui était pénible de rester dans la classe.

Lorsqu'il revint des W.-C., seule Nami se trouvait encore dans la salle.

— Où sont les autres ?

— Partis.

— Tous ?

— Oui, même Chiemi, alors on peut rentrer nous aussi, non ? fit Nami en lui passant son sac avant de lui prendre la main.

— Cesse de me tirer… Où est-ce que tu as l'intention d'aller, d'ailleurs ?

— Chez toi.

— Quoi ? Impossible.

— Et ta promesse, alors ? Tu avais juré qu'on resterait ensemble aujourd'hui ! Et moi, je dois recevoir un gage, dit-elle, remuant le couteau dans la plaie avant de se remettre à sangloter.

— Bon, d'accord, mais juste cette fois-ci !

— C'est bien toi ! Toujours aussi gentil !

— Tu faisais encore semblant de pleurer ?

— Les larmes sont un élément essentiel de l'arsenal féminin.

Elle faisait bonne figure, mais la tristesse se lisait dans ses yeux.

— Seulement jusqu'à demain, on est bien d'accord ?

Nobuaki, prenant soudain conscience de ce qu'il venait de dire, se couvrit la bouche. Nami allait recevoir un gage à minuit : il n'y aurait peut-être plus de lendemain pour elle.

Une fois arrivés à destination, ils filèrent tous les deux dans la chambre de Nobuaki, sans écouter les commentaires de sa mère qui leur parvenaient depuis la cuisine. Tout lui expliquer aurait été trop compliqué.

Nami ferma la porte puis vint se blottir contre le torse du garçon.

— Oh là, une seconde !

— Enfin seuls ! Pour les cinq heures à venir, on est un couple, d'accord ?

— C'est impossible, enfin ! répondit Nobuaki en posant les mains sur les épaules de la jeune fille.

— Pourquoi ?

— Tu me demandes pourquoi ? Je te rappelle que je sors avec Chiemi.

— Juste pour aujourd'hui…

— Tu ne vas pas te remettre à pleurnicher ?

Mais les larmes de la jeune fille étaient bien réelles.

— Tu pleures vraiment ?

Nami se serra contre lui sans rien dire.

— Je t'aime depuis très, très longtemps. J'ai toujours espéré que tu rompes avec Chiemi pour sortir avec moi. Mais l'autre fois, quand je l'ai vue se déshabiller pour te venir en aide, je me suis dit que je ne faisais pas le poids. Je n'avais aucun angle d'attaque.

Nobuaki s'écarta légèrement et contempla les yeux rouges de larmes de sa camarade.

— Tu ne t'es quand même pas donné cet ordre par rivalité avec Chiemi ?

— Je voulais t'aider à retrouver le roi... et tant pis si on ne le démasquait pas, ça me donnait une excuse pour rester avec toi jusqu'au moment de recevoir mon châtiment.

Nobuaki ferma les yeux puis releva la tête.

— C'était vraiment idiot ! À cause de ça, tu... tu...

— Mais non ! Je voulais que celui que j'aime me regarde. (Elle resserra son étreinte, puis poursuivit :) J'ai vraiment peur, en fait ! Alors s'il te plaît, prends-moi dans tes bras jusqu'à ce que la sentence tombe ! Comme ça, je n'aurai pas de regret.

Nobuaki ne sut pas quoi répondre.

Chiemi, pardonne-moi, juste pour cette fois, songea-t-il en enlaçant Nami.

Dire qu'une fille aussi pure et gentille va recevoir un châtiment...

— Merci, murmura-t-elle. Je suis comblée.

Pendant un long moment, Nobuaki ne fit que la

tenir patiemment dans ses bras, pour tenter d'alléger un tant soit peu sa peine. Il ne pouvait rien de plus pour elle et prenait toute la mesure de son impuissance.

Durant le repas, et même après, Nobuaki et Nami parlèrent de différents sujets mais évitèrent soigneusement d'aborder la question du jeu du roi.

— C'était la faute de Naoya, cette fois-là ! Parce que c'est un abruti.

— Oh, je ne savais pas que les choses s'étaient passées comme ça !

— Il y a quelques affaires peu avouables à son sujet que personne ne connaît. Par exemple, tu savais que...

Nobuaki reçut alors un appel de Chiemi.

— Ne décroche pas, s'il te plaît, dit Nami, lui agrippant le poignet alors qu'il tentait de prendre son portable.

Il acquiesça et posa le téléphone sur le sol.

La soirée s'écoula en un clin d'œil. Il était déjà 23 h 55, le moment où se déclenchait habituellement le compte à rebours du roi.

Le corps menu de la jeune fille était parcouru de tressaillements.

Elle est terrifiée. Qu'est-ce que je pourrais bien faire si je savais que j'allais perdre la vie dans quelques minutes ? Rien du tout, sans doute. Non, j'irais voir les êtres qui me sont chers... Chiemi, Naoya, maman. Nami m'a choisi moi plutôt que celle qui l'a mise au monde.

Nobuaki passa doucement les mains sur la taille de Nami et l'attira à lui avec tendresse.

Lun. 26/10, 23:55. Expéditeur : Roi. Titre : Jeu du roi. Message : Plus que 5 minutes. END.

Nobuaki sentait les tremblements de Nami s'intensifier.

En outre, la respiration de la jeune fille était devenue tellement rapide qu'il se demanda si elle ne commençait pas à souffrir d'hyperventilation.

— Je dois avoir des yeux de lapin, maintenant, dit-elle d'une petite voix.

Voyant son amie faire si bonne figure tout en étant incapable de lui venir en aide, Nobuaki ne put contenir ses larmes.

— Tout le monde a peur, tu sais, même moi. Mais toi, tu es plus forte que ça. Je te demande pardon, c'est ma faute.

— Je ne regrette rien.

— Pas la peine de jouer les braves, je sens ton corps trembler.

Nami enfouit sa tête dans le torse de Nobuaki.

Lun. 26/10, 23:58. Expéditeur : Roi. Titre : Jeu du roi. Message : Plus que 60 secondes. END.

Elle lui caressa tendrement la joue.

— Dis, j'ai une dernière requête... Tu veux bien... m'embrasser ?

Sans rien dire, Nobuaki enveloppa le visage de la jeune fille entre ses mains et joignit ses lèvres aux siennes. Des larmes affluèrent subitement aux yeux de Nami. Elle ne tentait plus de cacher ses sentiments.

— Merci… Je t'aime.

Est-ce que je porte malheur ? Depuis que le jeu du roi a commencé, tous mes proches disparaissent les uns après les autres.

— J'espère que les choses se passeront bien entre toi et Chiemi.

— Ne va pas t'inquiéter pour moi dans un moment pareil !

— C'est normal de souhaiter le bonheur de la personne qu'on aime. Je t'en prie, garde-moi une place dans tes souvenirs pour toujours. Tant pis si je n'arrive qu'en deuxième position à tes yeux.

Lun. 26/10, 23:59. Expéditeur : Roi. Titre : Jeu du roi.
Message : Élève n° 22, Nami Hirano.
Condamnée aux ténèbres éternelles pour avoir failli à exécuter les ordres du roi. Je suis dans la classe. Il existe un moyen de me trouver. END.

Qui ça, « je » ? Le roi ? C'est absurde, Nami a prouvé qu'il n'était pas dans la classe. Il existerait un moyen de le dénicher ? Mais lequel ?

— Nobuaki ? demanda Nami d'une voix éraillée.

— Tu vas bien ?

— Où est-ce que tu es ?

— Juste à côté de toi, voyons, répondit le garçon en la serrant très fort, comme s'il cherchait à joindre leurs cœurs.

— Où est-ce que tu es ? Il… il fait tout noir, je ne vois rien. Pourquoi ? Qu'est-ce qui se passe ?

Nobuaki s'assit en tailleur devant elle et posa les mains sur ses épaules.

— C... comment ça ? Je suis juste devant toi. Tu ne me vois pas ?

— Non, rien, tout est noir...

— Mais alors, ça veut dire...

Les ténèbres éternelles dont parlait le message...

— Nami ! Je suis là, en face de toi !

— Est-ce que j'ai... perdu la vue ? Je ne perçois plus que ta voix. Mais j'ai survécu. Je suis encore en vie ! Je pourrai encore passer du temps avec toi !

Nami sourit gaiement et effectua le signe de la victoire – mais elle l'adressa au mur.

— Oui, on pourra se retrouver n'importe quand ! Je viendrai te voir quand tu veux ! S'il t'arrive quoi que ce soit, j'accourrai tout de suite ! Je viendrai t'aider sur-le-champ si ta cécité te pose des problèmes !

Nami pleura à chaudes larmes, de ses yeux désormais incapables de voir le visage de Nobuaki.

— Je suis si heureuse ! J'ai peut-être perdu la vue, mais j'ai gagné quelque chose d'autre.

— Je ne te fais pas une promesse à la légère, cette fois !

Les portables sonnèrent, indiquant l'arrivée d'un message.

Mar. 27/10, 00:00. Expéditeur : Roi. Titre : Jeu du roi. Message : Toute votre classe participe à un jeu du roi. Les ordres du roi sont absolus et doivent être exécutés sous 24 heures.

Aucun abandon ne sera toléré.
Ordre n° 9 : Élève n° 12, Nobuaki Kanazawa.
Nobuaki doit perdre quelque chose de précieux. END.

— Perdre ce qui m'est précieux ? Des choses qui m'étaient chères, j'en ai déjà perdu beaucoup ! Qu'est-ce qu'il me reste encore ?

— Quoi ? C'est toi qui as été désigné, ce coup-ci ? Ton ordre, c'est de perdre quelque chose d'important ?

Nobuaki jeta son portable à terre.

— Tout va bien, tu n'as pas à t'inquiéter. Ça ne te concerne pas.

— Mais…

— Pense plutôt à toi !

Le téléphone de Nobuaki l'avertit d'un appel.

— Ton portable sonne, tu ne réponds pas ? demanda Nami. C'est sûrement quelqu'un qui s'inquiète pour toi.

— Non.

— Si tu ne décroches pas, tes amis vont s'alarmer encore plus.

— Peut-être, mais cette fois, je me débrouillerai seul. Je ne veux plus impliquer mes proches.

La sonnerie retentit une nouvelle fois quelques instants après. Nobuaki ne décrocha pas.

Nami aussi reçut un appel. Nobuaki attrapa le portable de son amie pour le déposer au creux de sa main, mais elle non plus ne répondit pas.

— Tu ne le prends pas ? Tu veux que j'appuie sur le bouton ?

— Je n'ai pas envie de décrocher, moi non plus. Sûrement un coup de fil pour me dire que ça doit être dur d'être devenue aveugle et me demander si je vais bien.

— C'est seulement qu'on s'inquiète pour toi, non ?

— Et qu'est-ce que je devrais répondre ? Il faut que je répète « tout va bien, ne t'en fais pas » à chaque fois que le téléphone sonne ?

Nobuaki ne sut quoi dire. Au bout d'un moment, le portable de Nami se tut.

0 mort, 27 survivants.

Ordre n° 9 – Mar. 27/10, 00:43

Le portable de Nobuaki continuait de sonner. Il l'éteignit. Nami aussi recevait sans cesse des appels, et elle lui demanda de régler son téléphone en mode vibreur et de configurer le répondeur.

Nobuaki voulait rester aussi longtemps que possible auprès de la jeune fille désormais aveugle. Tous deux assis contre le mur de la chambre, ils répétaient en boucle le même dialogue monotone sans savoir quand ils s'arrêteraient.

— Tu as froid ?

— Ça va.

— Tu n'as pas sommeil ?

— Je veux rester éveillée.

Le ciel commençait à s'éclaircir à l'est. La conversation s'étant interrompue, Nobuaki jeta un coup d'œil à côté de lui : Nami dormait d'un air serein, sa respiration pareille à celle d'un jeune enfant.

Nobuaki souleva la jeune fille et la déposa doucement sur le lit avant de regarder par la fenêtre. Les étoiles scintillaient comme des larmes dans la lumière de l'aube.

« Je suis dans la classe. Il existe un moyen de me trouver », disait le message du roi.

Pourquoi est-ce que le roi se donne la peine de nous fournir cette information, alors qu'on pensait qu'il était impossible qu'il se trouve dans la classe ? Un moyen de le démasquer ? Qu'est-ce que ça peut bien être ?

— Tu es debout ? demanda soudain une voix derrière lui, au moment où il sortait des toilettes.

Il se figea sur place.

— Ne me fais pas des frayeurs pareilles, maman !

— Je n'essayais pas de te surprendre.

— Dis, je peux te poser une question ? Pour toi, c'est quoi, ce qui est précieux ?

— Toi !

— Je te demande pardon pour tous mes caprices.

La mère de Nobuaki sourit.

— Ce n'est rien ! J'ai sans doute ma part de responsabilité dans tout ça… Au fait, qui est cette fille ? Tu trompes ta petite amie ? Je n'aurais jamais pensé ça de toi !

— Pourquoi lui as-tu permis de rester dormir ici, alors ?

— Quand j'ai vu son regard triste, je n'ai pas pu lui dire non.

Nobuaki ne retourna pas dans sa chambre, mais s'assit sur le palier et s'adossa au mur. Puis il se mit à pleurer, la tête posée sur les genoux, les bras enserrant ses jambes.

Perdre ce qui m'est précieux. Je dois perdre ce qui m'est précieux, maman…

Il finit par s'endormir dans cette position.

— Aïe !

Il se réveilla lorsque sa tête cogna le plancher. Il ouvrit tout de suite la porte de sa chambre en frottant ses yeux ensommeillés.

Nami n'est plus là. Où est-elle passée ?

Un cahier était ouvert sur la table au milieu de la pièce. On pouvait y lire des mots rédigés dans une écriture tordue, comme celle d'un individu ivre.

La journée que tu m'avais promise est terminée, alors je ne te dérangerai plus.

— Mais qu'est-ce qu'elle compte faire, sans rien y voir ? s'exclama le garçon. Et pourquoi elle me dérangerait, c'est moi qui suis responsable de ce qui lui arrive !

Nobuaki se précipita hors de sa chambre. Sa mère apparut, vêtue d'un tablier, alors qu'il enfilait ses chaussures dans le hall d'entrée.

— Maman ! Tu n'as pas vu Nami, euh... la fille qui était là hier soir ?

— Elle est venue me dire au revoir il y a une demi-heure, sauf qu'elle marchait d'un pas mal assuré et touchait tout ce qui lui tombait sous la main.

— Tu aurais dû la retenir !

— J'ai bien essayé ! Mais elle m'a dit qu'elle devait rentrer parce qu'elle avait des choses à faire. Ensuite, elle m'a demandé de ne pas te réveiller.

Comment est-ce qu'elle a l'intention de rentrer chez elle, dans son état ? S'il lui arrive un accident...

— Tu n'as pas école, aujourd'hui ?

— Non, c'est férié !

Dès qu'il fut chaussé, Nobuaki sortit en trombe de chez lui, puis ralluma son portable et appela Nami.

« *Votre correspondant n'est pas joignable pour l'instant...* », lui annonça la voix venant du microphone.

Comme il ne s'est écoulé que trente minutes, elle n'a pas dû aller bien loin. Elle ne va sans doute pas se rendre à l'école... chez elle, alors. Mami doit sûrement savoir où elle habite.

Il téléphona donc à sa camarade de classe.

— Dis, tu connais l'adresse de Nami ?

— Non mais tu as vu l'heure qu'il est ? répondit d'une voix endormie sa camarade. L'adresse de Nami ? Résidence Star Mansion, appartement 502, à côté d'un restaurant.

— Merci, tu me sauves la mise.

— Au fait, Nami va bien ? Depuis que j'ai le message d'hier, je n'ai pas arrêté de l'appeler mais impossible de la joindre, je m'inquiète. Qu'est-ce qui lui arrive ? Si tu sais quelque chose, dis-le-moi.

— Sa vie n'est pas en danger, mais elle est devenue aveugle.

— C'est pas vrai ! Aveugle ?

— Oui, et en plus elle est partie toute seule, malgré son état. Tu pourrais m'avertir si jamais tu la vois ?

Pas d'autre choix que d'aller chez elle. Avec de la chance, je la croiserai peut-être sur le chemin.

Nobuaki courut jusqu'à la résidence de Nami sans apercevoir la moindre trace de la jeune fille.

Une fois devant son appartement, il sonna à l'interphone.

— Oui ! Qui est-ce ? lui répondit une voix féminine

– sans doute la mère de Nami.

— Euh... je m'appelle Nobuaki Kanazawa, je suis dans la même classe que Nami. Est-ce qu'elle est là ?

— Hier, elle m'a prévenue qu'elle passait la nuit chez un ami. Elle n'est pas encore rentrée.

— Je vois. Merci beaucoup.

Le garçon fit un pas vers l'ascenseur. À cet instant, il entendit une porte s'ouvrir derrière lui.

— Tu as dit que tu t'appelais Nobuaki Kanazawa, c'est bien ça ?

— Oui...

La mère de Nami eut un sourire joyeux. Quelque chose dans son expression rappelait celle de sa fille.

— C'est toi, alors. Nami m'a beaucoup parlé de toi. Est-ce qu'il lui est arrivé quelque chose ?

Nobuaki était incapable de la regarder dans les yeux.

— Non, j'avais juste quelque chose à lui dire, déclara-t-il la tête baissée.

— Je me mêle de ce qui ne me regarde pas, mais est-ce que tu es son petit ami ?

— Non.

— Je vois. En fait, j'ai l'impression que quelque chose l'effraie, ces derniers temps, et ça m'inquiète... mais comme elle avait l'air contente à chaque fois qu'elle parlait de toi, je me disais que vous sortiez peut-être ensemble, alors je t'ai posé la question à tout hasard. Désolée si j'ai été un peu brusque.

— Ça... ça ne fait rien.

— Prends soin de ma fille, Nobuaki !

— Oui, bien sûr.

Nobuaki partit de chez sa camarade comme s'il s'enfuyait.

Nami avait peur depuis le début. Elle était si joyeuse au lycée, pourtant... Elle se forçait. Elle s'évertuait à faire bonne figure et à garder le sourire. Elle est plus menteuse et têtue que n'importe qui.

Son cœur était sur le point de se briser. En sortant du hall d'entrée, il tenta à nouveau de la joindre.

« Votre correspondant n'est pas... »

— Pourquoi elle ne décroche pas ? s'écria-t-il, exaspéré. Où est-elle ?

Et comme elle ne voit rien, je ne peux même pas lui envoyer de texto.

Nobuaki eut beau errer longuement dans les rues, il ne retrouva pas Nami. Il avait l'impression de chercher une aiguille dans une botte de foin.

Un coup de fil à Mami lui apprit que la jeune aveugle n'était pas encore arrivée en cours.

En outre, l'échéance de l'ordre imposé à Nobuaki se rapprochait à grands pas.

Il courut pendant des heures, ne parvenant qu'à accroître sa nervosité et son inquiétude. Avant qu'il s'en rende compte, le soleil s'était couché.

Éreinté, il rentra chez lui et s'enferma dans sa chambre. Il n'avait trouvé ni Nami, ni ce qui lui était précieux. Son énervement et son anxiété étaient à leur comble.

Est-ce que Nami est devenue quelqu'un d'important pour moi ?

En désespoir de cause, Nobuaki se mit à fracasser les

objets qui se trouvaient autour de lui.

— Là, je détruis des choses précieuses, alors envoie-moi un message de confirmation, bon sang !

Il réduisit en miettes réveil, cadre photo, lampe et tirelire sur son bureau, envoya voler sa corbeille à papier d'un coup de pied et déchira ses mangas. Il jeta par la fenêtre l'adorable lapin en peluche qu'il avait gagné avec Chiemi dans une salle d'arcade.

Il découpa aux ciseaux le bonnet en laine que sa petite amie lui avait offert parce qu'il « lui allait bien ». Trop heureux, il ne l'avait encore jamais porté : il attendait une bonne occasion.

— Message… toujours rien ! Je ne fais que casser des trucs comme un idiot !

Nobuaki s'affala par terre et se mit à sangloter doucement.

Une sonnerie signala l'arrivée d'un message.

Mar. 27/10, 18:33. Expéditeur : Chiemi Honda.
Titre : Où es-tu ?
Message : Tu n'es pas venu en cours, je suis super inquiète. Qu'est-ce que tu vas faire pour ton ordre ? Je t'en prie, appelle-moi.

Il referma son portable.

Pardon de t'ignorer, Chiemi ! En ce moment, je suis en train de casser des objets, mais je n'ai toujours pas trouvé ce qui était précieux pour moi.

Son téléphone sonna une nouvelle fois : un appel de

Nami. Il décrocha.

— Où est-ce que tu es ? Je t'ai cherchée partout, je suis fou d'inquiétude !

— C'est vrai ? Ça me fait plaisir. Mais je ne veux plus te causer de souci… Je n'ai pas envie de devenir encore plus casse-pieds que d'habitude.

— Mais pas du tout. Où est-ce que tu es ? insista-t-il.

— Je ne sais pas, j'ai marché au hasard. Ne t'en fais pas. Savoir que tu te préoccupes de moi, ça me suffit pour être heureuse.

Le bruit des vagues qui se mêlait à la voix de Nami n'échappa pas à Nobuaki.

Elle se trouve en bord de mer, et la côte la plus proche d'ici, c'est… la plage de Nata.

— Ne bouge pas d'où tu es !

— Attends ! Tu as réussi à exécuter ton ordre ? s'écria Nami alors qu'il s'apprêtait à raccrocher.

— Non ! Mais peu importe, att…

— Je suis au courant, tu sais. De ce que le roi te demande. Perdre quelque chose de précieux.

— En fait, j'ai cassé un à un tous les objets qui se trouvaient chez moi et j'ai fini par recevoir un message de confirmation.

— Merci, c'est gentil de mentir.

— Je ne mens pas !

— Je t'ai dit que j'étais au courant. Mami m'a tout expliqué, au téléphone. Quelque chose de précieux… est-ce que ma vie peut faire l'affaire ?

— Ne va pas te mettre cette idée absurde en tête ! Il

existe forcément d'autres manières d'exécuter l'ordre ! Je te l'ai promis, s'il t'arrive quoi que ce soit, j'accourrai tout de suite. Je viendrai t'aider sur-le-champ si ta cécité te pose problème. Je serai tes yeux !

— C'est plus dur que ce que je pensais, d'être aveugle… Au bout d'une journée sans rien voir, je m'en suis bien rendu compte. Et puis j'ai peur de poursuivre le jeu du roi. Je t'ai entendu pleurer dans le couloir, ce matin.

— C'est…

— Toi aussi, tu te forçais alors que tu avais peur. Au fait, il faut que je te demande pardon… J'ai volé une peluche qui se trouvait dans ta chambre. Désolée, elle avait ton odeur. Je n'oublierai pas le temps qu'on a passé ensemble, et je suis heureuse que tu m'aies embrassée. Merci d'avoir été aussi gentil. Tu es ce qu'il y a de plus précieux pour moi. Je t'aime… Ne meurs pas.

La voix de Nami était extrêmement paisible, ce qui eut pour effet de rendre Nobuaki d'autant plus nerveux.

— Attends !

Mais la communication avait déjà été coupée.

Elle m'a de nouveau raccroché au nez ! Je refuse de perdre encore une amie.

Il fallait trouver un moyen de dissuader Nami… Nobuaki prit une décision puis téléphona à Chiemi.

— Enfin, on arrive à se joindre !

— Chiemi, j'ai quelque chose à te dire.

— Quoi donc ?

— À ton avis, qu'est-ce que j'ai fait pendant tout ce

temps où je ne répondais pas au téléphone ?

— Tu réfléchissais à un moyen d'exécuter ton ordre ?

— Non, répondit froidement Nobuaki. J'étais avec Nami tout du long.

— Pardon ?

— Elle a passé la nuit chez moi. Je l'ai prise dans mes bras, on s'est embrassés et on a même couché ensemble ! Je suis tombé amoureux d'elle, alors je veux qu'on se sépare !

— Quoi ? Qu'est-ce qui te prend tout à coup ? Pourquoi tu dis des choses pareilles ?

— L'amour, c'est fugace. J'aime Nami maintenant, tu comprends ? s'écria-t-il. C'est fini entre nous ! Tu n'as qu'à sortir avec Naoya. Vous l'avez déjà fait, de toute façon.

— Crétin ! lâcha seulement Chiemi avant de raccrocher.

Le bruit électronique de la tonalité résonna dans le vide.

Pardonne-moi, Chiemi.

Le portable de Nobuaki l'avertit de la réception d'un message.

Mar. 27/10, 18:58. Expéditeur : Roi. Titre : Jeu du roi.
Message : L'ordre a bien été exécuté. END.

Lorsqu'il ferma les yeux, les larmes jaillirent d'elles-mêmes. Ce n'était pourtant pas le moment de se laisser gagner par l'émotion. Il téléphona en urgence à Nami.

« Votre correspondant n'est… »

— Mais pourquoi elle ne répond pas ? hurla-t-il.

Il eut beau réessayer plusieurs fois, le résultat fut le même.

— Je suis sauvé, alors tu n'as pas besoin de te sacrifier !

Nobuaki se précipita hors de chez lui et courut à perdre haleine vers la plage de Nata, ses tentatives d'appeler Nami sur le chemin demeurant infructueuses.

Il lui fallut une vingtaine de minutes pour atteindre le bord de mer. Reprenant son souffle, il inspira profondément, rassembla toutes ses forces et hurla : « Namiii ! »

Pas de réponse. La plage de Nata s'étendait sur environ deux kilomètres de littoral.

Tout en continuant d'appeler sa camarade, Nobuaki longea au pas de course la côte, qui formait un élégant croissant de lune. Toujours aucune réponse. La nuit était à présent tombée, aussi n'y voyait-il pas à plus de quelques dizaines de mètres devant lui.

Au bout d'un bon kilomètre, il s'arrêta, posa les mains sur ses cuisses et, haletant, scruta les environs. Hors saison, la plage n'abritait pas âme qui vive.

Elle ne serait pas à Nata, mais sur une autre plage ?

Nobuaki donna un coup de pied dans le sable puis téléphona de nouveau à Nami. Il entendit alors un portable sonner faiblement dans le lointain. Fermant les yeux pour se concentrer, il avança à pas lents dans la direction d'où provenait le son.

Il aperçut bientôt un sac qui lui était familier – la

sonnerie de téléphone s'était faite plus forte. Nobuaki coupa la communication et s'approcha.

Des lettres avaient été tracées dans le sable blanc et fin : « Je me demande si j'ai réussi à devenir importante à tes yeux. »

Ses jambes se mirent à trembler et il pâlit à vue d'œil.

— Nami ? Qu'est-ce que ça veut dire…

La voix de Nami accompagnée de son tendre sourire, le temps passé assis l'un près de l'autre… jamais il ne pourrait les oublier.

Nobuaki se jeta à la mer tout habillé, sans même quitter ses chaussures.

— Namiii ! hurla-t-il, éperdu.

L'eau était glacée. Il s'avança jusqu'à ce qu'elle lui arrive à la taille et en recueillit dans ses mains en coupe.

— Elle est gelée !

Il observa les alentours. Devant ses yeux s'étendaient l'océan scintillant sous la lumière de la lune, la plage de sable blanc et les vagues bordées d'écume. Il ne discernait aucune présence humaine.

Une larme s'écoula doucement sur sa joue pour venir mourir dans sa bouche.

— C'est salé ! C'est de l'eau de mer ou quoi ? lâcha-t-il avec un petit rire inquiétant.

Puis il s'allongea sur le dos et, se laissant flotter, contempla le ciel nocturne.

— Tout le monde meurt par ma faute…

Il eut beau chercher Nami deux heures durant, il ne

parvint pas à la retrouver. Alors qu'il était sur le point de renoncer, il aperçut une peluche de Rilakkuma à la dérive sur l'océan.

Il était déjà cerné par les ténèbres. Les vagues renvoyaient un son des plus paisibles.

C'est dans cette vaste étendue d'eau sombre et froide que Nami…

De retour sur le rivage, Nobuaki s'affala dans le sable, bras et jambes écartés, les yeux tournés vers le ciel. On ne distinguait pas les étoiles. Seule la lune projetait une lumière vacillante à travers les nuages.

— Moi aussi, je veux mourir.

Il n'avait pu sauver personne. N'avait pu protéger personne. N'avait rien pu faire. Il s'en voulait énormément.

— Merde ! hurla-t-il de toutes ses forces en martelant le sol du plat de la main.

Son portable se mit alors à vibrer. Il se redressa.

Mar. 27/10, 19:27. Expéditeur : Roi. Titre : Jeu du roi. Message : Vous avez commencé à vous rapprocher de l'avenir que je crée. Les rails de la voie qui mène à l'anéantissement ont été posés. END.

Nobuaki éclata d'un rire amer.

Ça fait déjà un moment que je marche sur le chemin de l'anéantissement ! Pas la peine d'y mêler ton avenir !

Il jeta son portable et s'allongea à nouveau sur le sable, puis tendit le bras vers ce ciel vide de toute étoile.

— Rends-moi tous ceux que tu m'as pris ! Est-ce qu'on

a fait quelque chose de mal ? Si c'est le cas, je te demande pardon, alors mets un terme à tout ça et rends-les-moi ! supplia-t-il avant de se couvrir les yeux de la main.

Après s'être relevé, il ramassa le sac de Nami, d'où tomba un téléphone. Sur l'écran, on pouvait lire :

1 message non envoyé.

Avait-elle prévu d'envoyer un message à quelqu'un ? Ou bien s'agissait-il d'un genre de note ? Nobuaki consulta les brouillons.

Lun. 26/10, 23:59. Titre : Pas de titre.
Message : N. END.

C'est bien Nami qui a écrit ça ? Une phrase, encore, je comprendrais, mais pourquoi laisser un message avec une seule lettre ?

Le bruit des vagues dans son dos attisa sa terreur, comme une entité mystérieuse qui lui rongerait progressivement le corps.

Tout en faisant les cent pas, il réfléchit :

Est-ce que ce SMS a un lien avec le jeu du roi ?

Peut-être que les portables de ses autres camarades décédés contenaient aussi des messages non envoyés. Il devait vérifier.

— Si j'allais fouiller le téléphone de Daisuke ?

Lorsqu'il eut repris haleine, Nobuaki lâcha un petit

rire nerveux puis s'assit sur la plage.

— Je vais rester ici encore un petit peu. Je m'occuperai de ce nouveau mystère demain. Après tout, Nami doit se sentir seule…

Il érigea un petit monticule de sable à côté du sac de la jeune fille, puis y planta une branche d'arbre et joignit les mains en prière.

Nami, je ne t'oublierai jamais. C'est promis.

Enfin, il traça du doigt un message au bord du tas de sable :

Oui, tu es devenue importante à mes yeux.

Nobuaki s'accroupit puis observa longuement la mer, les yeux perdus dans le lointain.

1 morte, 26 survivants.

Ordre n° 10 – Mer. 28/10, 00:00

Mer. 28/10, 00:00. Expéditeur : Roi. Titre : Jeu du roi.
Message : Toute votre classe participe à un jeu du roi. Les ordres du roi sont absolus et doivent être exécutés sous 24 heures.
Aucun abandon ne sera toléré.
Ordre n° 10 : Élève n° 1, Shingo Adachi, élève n° 15, Akemi Kinoshita.
Chacun d'eux doit envoyer le message « meurs » à deux de leurs camarades de classe.
Le gage en cas de non-exécution sera la mort, une mort de causes naturelles. Un châtiment identique attend les destinataires de ces SMS. END.

Autrement dit, quatre élèves mourraient s'ils recevaient un texto contenant le mot « meurs » de la part de Shingo ou Akemi.

L'avenir que créait le roi. Une obéissance absolue aux ordres qui mènerait à l'anéantissement, un lieu où ne se trouvait rien d'autre qu'une peur panique de la mort…

Deux minutes plus tard, un message arriva sur les portables de tous les élèves.

Mer. 28/10, 00:02. Expéditeur : Roi. Titre : Jeu du roi.
Message : Élève n° 15, Akemi Kinoshita.
L'ordre a bien été exécuté. END.

À sa lecture, Nobuaki comprit ce qu'Akemi avait fait et ne put s'empêcher de trembler. En l'espace de quelques minutes, la jeune fille avait tué deux de ses camarades pour sauver sa propre vie…

Shingo avait-il déjà envoyé un message à quelqu'un ? Nobuaki attrapa le sac et le téléphone de Nami puis se leva avant de contempler la mer.

— Je reviendrai, Nami, c'est promis, murmura-t-il. Et cette fois-là, le soleil brillera et la mer resplendira de mille feux. Parce que tu étais aussi rayonnante que ça.

Il courut à toute vitesse vers la maison de Shingo, à travers les rues désertes. Au bout de cinq cents mètres se trouvait un pont qu'il franchit avant de prendre à droite au carrefour pour arriver chez son camarade.

Il perçut aussitôt un certain tumulte : une rumeur de voix et une sirène d'ambulance. Une vingtaine de badauds s'étaient réunis devant le domicile de Shingo. Nobuaki se fraya un chemin dans la foule.

— Pardon ! Excusez-moi, je peux passer ?

Parvenu au premier rang, il fut assailli par la vision du lycéen allongé sur un brancard, que l'on chargeait dans une ambulance.

— Shingo ! s'écria Nobuaki en s'approchant de la civière. Qu'est-ce qui s'est passé ? Pourquoi est-ce qu'on t'emmène ?

Pas de réponse.

— Ne viens pas nous gêner, toi ! Il est inconscient et a les os du cou brisés. Son état est critique, ne t'approche pas !

Les ambulanciers repoussèrent Nobuaki sans ménagement, hissèrent Shingo dans leur véhicule et s'en allèrent.

— Qu… qu'est-ce que ça veut dire ? Les os du cou brisés ? C'est le roi qui l'a puni ? Mais non ! C'est à Shingo d'envoyer des messages, il n'a pas encore reçu de gage, balbutia Nobuaki, en proie à la confusion.

Aussitôt l'ambulance partie, une voiture de police au gyrophare en action vint s'arrêter devant la maison. La rumeur environnante redoubla.

Quelqu'un sortit de chez Shingo et Nobuaki se déplaça afin de voir de qui il s'agissait.

Il aperçut alors le visage blême de Motoki Ushijima, un élève de sa classe.

Un policier descendit du véhicule pour aller à la rencontre du garçon, qui marchait d'un pas amorphe et chancelant. Après quelques mots échangés, Motoki accompagna l'agent dans la voiture.

Nobuaki se précipita auprès de son camarade.

— Motoki ! C'est moi, Nobuaki ! Qu'est-ce qui s'est passé ? s'écria-t-il.

L'élève se retourna lentement dans sa direction et lui répondit d'une voix apathique :

— Ah, c'est toi… J'ai peut-être tué Shingo. Mais je ne l'ai pas fait exprès. On s'est disputés et…

Ce fut tout ce qu'il eut le temps de dire avant d'être engouffré de force dans le véhicule de police, qui s'éloigna alors, sirène éteinte.

— Je n'y comprends rien... Je croyais que Shingo et Motoki s'entendaient bien.

Tous deux étaient inscrits au club de ping-pong et jouaient en double. L'un était droitier et l'autre gaucher, un avantage dont ils tiraient pleinement parti. Leur tandem était si redoutable que personne en ville n'était de taille face à leur jeu subtil et parfaitement coordonné – mais leur niveau en simple était tel qu'ils avaient chacun grand-peine à tenir plus de deux matchs en compétition.

— Je vis parce que Shingo est là.

— Je vis parce que Motoki est là.

Même en dehors du club, ils passaient tout leur temps ensemble.

Vingt minutes avant l'arrivée de Nobuaki, ils s'étaient querellés dans la chambre de Shingo au sujet du nouvel ordre du roi.

— Il faut que tu envoies ces messages ! Tu vas mourir, sinon ! s'était emporté Motoki, en disputant le téléphone à son ami.

— Ça, j'ai bien compris ! Lâche ce portable !

— Non, tu ne comprends pas. Tu n'as pas l'intention d'agir. File-moi ça ! Je vais expédier ces textos à ta place... Akemi l'a déjà fait, elle.

— Eh bien, ça la regarde, ce n'est pas parce que quelqu'un commet un crime que je dois l'imiter ! Je n'enverrai rien.

— Passe-moi ton téléphone, je te dis ! Je vais désigner Mami et Minako.

— Quoi ? s'était exclamé Shingo. Hors de question !

Poussé par Motoki, il était tombé à la renverse en percutant la porte coulissante et, emporté par son élan, avait dégringolé l'escalier.

Dans sa chute, il s'était brisé la nuque.

Motoki mourut d'un arrêt cardiaque dans la voiture de police qui l'emmenait au commissariat. Au même moment, Maki décéda dans sa chambre.

Ils avaient tous les deux reçu un message d'Akemi.

S'éloignant du domicile de Shingo, Nobuaki se rendit au pas de course chez Daisuke. Il devait vérifier si le portable du garçon contenait lui aussi un message non envoyé. S'il y retrouvait une lettre comme sur le téléphone de Nami, cela signifierait forcément quelque chose.

Lorsque Nobuaki arriva devant la demeure de Daisuke Tasaki, il était déjà plus de 2 heures du matin. Il n'en tint pas compte et martela le bouton de l'interphone.

— Oui, vous êtes chez les Tasaki, qui êtes-vous ? répondit une voix de femme.

— Pardon de vous déranger à une heure aussi tardive. Je m'appelle Nobuaki Kanazawa, je suis un camarade de classe de Daisuke. Je sais que c'est un peu soudain, mais est-ce que je pourrais jeter un coup d'œil à son portable, s'il vous plaît ?

— À cette heure-ci ? Un peu de bon sens, enfin ! Ça ne se fait pas ! Quelle éducation est-ce que tu as reçu ? J'aimerais bien voir la tête de tes parents. Ils n'ont pas dû t'envoyer à la bonne école.

— Je suis vraiment désolé, mais sur le portable de Daisuke se trouve une photo qu'on a prise ensemble... et je voudrais absolument la récupérer, s'il vous plaît ! Je vous en prie.

— D'accord, j'ai compris, soupira-t-elle. Je vais te l'apporter, viens jusqu'au hall d'entrée.

Nobuaki entendit le portail se déverrouiller. Il le franchit puis alla attendre sur le palier jusqu'à ce que la lumière s'allume. La porte s'ouvrit alors et une femme en chemise de nuit apparut – sans doute la mère de Daisuke.

— Tiens, c'était son téléphone. Tu as l'air trempé, qu'est-ce qui t'est arrivé ?

— Beaucoup de choses... Merci du fond du cœur.

Nobuaki se dépêcha de consulter les brouillons.

Ven. 23/10, 23:59. Titre : Pas de titre.
Message : O. END.

Ça ne peut pas être une coïncidence. C'est bel et bien le roi qui laisse ces messages. Peut-être m'apporteront-ils un indice pour le trouver et mettre un terme à ce jeu cruel.

Nobuaki revint au menu principal. Comme il avait prétexté une photo à récupérer, il devait en transférer une sur son propre téléphone.

En ouvrant le dossier intitulé « Images », il resta sans voix. Il y trouva des dizaines de clichés pris le vendredi précédent. Oui, le jour où Daisuke s'était pendu.

Une photo de Nobuaki et Naoya en train de grignoter joyeusement des chips, une autre d'une porte ouverte sur Naoya prenant son bain. Nobuaki pouvait encore entendre les cris de protestation de son ami.

Une autre image montrait Nobuaki s'esclaffant devant Naoya tout nu. Daisuke avait pris toutes ces photos sans qu'ils s'en rendent compte… Le dossier en renfermait encore plusieurs dizaines.

Nobuaki envoya tous les clichés sur son téléphone par liaison infrarouge, puis rendit le portable à la mère de Daisuke. Les larmes lui étaient montées aux yeux.

— M… merci beaucoup, vraiment !

Nobuaki s'inclina profondément et s'en alla de chez son ami.

Une mince lueur d'espoir s'était allumée en lui :

On a une chance de découvrir le roi.

Il partit vers chez Hideki mais s'arrêta soudain en cours de route, prenant conscience de quelque chose.

— C'est abject, ce que je fais ! s'exclama-t-il au milieu de la rue plongée dans les ténèbres silencieuses.

L'effectif de la classe était de trente-deux élèves. Jusque-là, six d'entre eux sont morts. En rajoutant les deux qu'Akemi a peut-être tués, on arrive à huit.

Actuellement, je connais deux lettres sur huit, et à supposer qu'aucune ne soit attribuée au roi, il en existe trente et une en tout. Pour obtenir un indice supplémentaire, il faut tuer quelqu'un. Pour tous les connaître, il faut tous les tuer…

Est-ce qu'on parviendra à trouver le roi avec si peu d'indices, avant que tout le monde ne meure ?

Je relève le défi. Si je te trouve le premier, je te tuerai de mes mains.

Il est 2 h 15 du matin. C'est sans doute un peu tard pour aller sonner aux portes… Non, je ne dois pas perdre une seconde, ou il pourrait y avoir de nouvelles victimes.

Nobuaki repartit au galop. Il avait passé sa journée à courir et ses mollets criaient grâce, mais il poursuivit tout de même son sprint, galvanisant ses jambes prêtes à le lâcher d'un instant à l'autre.

Parvenu à la résidence de Hideki, il appuya sur l'interphone, prenant de profondes inspirations pour retrouver son souffle. Quelques instants plus tard, la lumière s'alluma sur le perron et la porte s'entrouvrit, retenue par une chaîne.

— Qui êtes-vous ?

— Pardon de vous déranger au milieu de la nuit. Je m'appelle Nobuaki Kanazawa, je suis un ami de Hideki.

La chaîne se décrocha et la mère de Hideki sortit.

— Qu'est-ce que tu veux, à une heure pareille ?

— C'est très urgent, sans quoi je ne serais pas venu vous déranger. S'il vous plaît, est-ce que vous voulez bien me laisser voir le portable de votre fils ? Il y a un message très important écrit dessus que j'aimerais vérifier.

— Son téléphone ? Il est là, fit la dame en tendant à Nobuaki le portable jusque-là posé sur la console dans l'entrée.

Nobuaki consulta les brouillons.

0 message non envoyé.

— Rien. Qu'est-ce que ça signifie ? murmura-t-il.

— Il y a un problème ?

— Un message important aurait dû se trouver là, mais il a disparu. Est-ce que vous avez effacé quelque chose ?

— Je n'ai pas touché au portable de mon fils.

Qu'est-ce qui se passe ? Pourquoi est-ce qu'il n'y a aucun message non envoyé ?

— C'est peut-être la fille qui est passée hier, alors... poursuivit la femme, tandis que Nobuaki scrutait l'écran du téléphone.

— Quelqu'un d'autre que moi est venu consulter ce portable ?

— Oui, elle m'a dit qu'elle était dans la même classe que Hideki, comme toi.

— Son nom ! Est-ce qu'elle a donné un nom ?

— Il me semble... qu'elle s'appelait Satomi Ishii, marmonna-t-elle après un bref silence.

— Satomi Ishii... Satomi ?

Le sang de Nobuaki se figea et des frissons s'emparèrent de lui.

Satomi Ishii était la première victime du jeu du roi. Elle s'était pendue le même jour que Hideki.

— À quoi ressemblait-elle ? demanda-t-il d'un ton craintif. C'était quel genre de fille ?

— Elle faisait environ un mètre soixante, je dirais. Une jolie fille, les cheveux mi-longs.

La description correspondait exactement à Satomi.

— C'est absurde… Satomi devrait être morte, laissa échapper Nobuaki, le visage blême.

— Ça ne va pas, jeune homme ?

— P… pardon, je réfléchissais à quelque chose.

La tête lui tournait.

Je rêve. Satomi serait vivante ?

Il rendit le portable puis s'en alla de la maison de Hideki. Mais, d'un coup, il se ravisa et fit demi-tour.

— Euh… est-ce que je pourrais brûler un bâton d'encens pour Hideki ?

La femme accepta de bon cœur et le conduisit devant le petit autel bouddhique de la maison, orné des deux côtés de magnifiques gentianes et chrysanthèmes blancs qu'on aurait dits fraîchement cueillis. On y avait aussi déposé le grand uniforme de Hideki ainsi qu'un paquet de ses cigarettes.

Savoir que Hideki fumait avait dû faire enrager ses parents de son vivant, mais désormais…

— Maintenant que tu ne reviendras plus, ils veulent exaucer tes souhaits et te donner tout ce que tu veux. Toi qui disais toujours que tu ne pouvais pas vivre sans tabac…

Nobuaki s'agenouilla devant l'autel, alluma un bâton d'encens, joignit les mains et ferma les yeux.

Les fragrances légères qui se répandaient dans l'air lui firent du bien.

Repose en paix, Hideki.

Nobuaki inclina profondément la tête. Son visage était inondé de larmes.

Il s'essuya les yeux puis se releva avant de présenter ses condoléances et de s'en aller de chez Hideki.

Alors qu'il s'éloignait du hall d'entrée, la fatigue le rattrapa soudain. Il s'arrêta net sur le trottoir et s'adossa au poteau électrique le plus proche.

C'est alors qu'il se mit brusquement à trembler de tout son corps. Les environs étaient plongés dans des ténèbres que rien ne venait éclairer.

Il ne faisait pas froid : une terreur pure était responsable de ces frissons.

Penser à l'avenir l'effrayait.

Afin de réfréner son tremblement, il s'assit là où il se trouvait et passa les bras autour de ses genoux. Puis il ramassa une cannette vide qui traînait par terre et la jeta contre un mur. Le fracas résonna dans le silence de la nuit.

Est-ce que Satomi est vivante quelque part ? Est-ce que le roi est capable de ressusciter ses victimes ? Non, peut-être que Satomi n'est jamais morte, ce qui signifierait que…

Adossé au pylône, Nobuaki sombra dans un sommeil profond comme la mort.

Il fut réveillé par les rayons du soleil sur son visage. Aveuglé, il se frotta les yeux en grognant.

Puis il se releva et se dirigea vers un parc situé non loin de là où il se lava la figure à l'eau froide au lavabo des toilettes.

À propos, est-ce que Satomi a un message non envoyé sur son portable ?

Nobuaki s'essuya avec sa manche de chemise puis se rendit chez sa camarade.

Arrivé devant l'entrée, il appuya sur le bouton de l'interphone.

— Oui, qui est là ? lui répondit-on aussitôt.

Nobuaki fut traversé d'une nervosité et d'une inquiétude telles qu'il n'en avait jamais ressenti jusqu'à présent.

— Je m'appelle Nobuaki Kanazawa, j'étais dans la même classe que Satomi. J'ai quelque chose à vous demander : son portable contient un document très important, est-ce que je pourrais le regarder ?

La porte d'entrée s'ouvrit alors sur une femme âgée dont le visage peu expressif laissait poindre un soupçon de colère et d'irritation. Probablement la mère de Satomi.

— Encore ? C'est la deuxième fois depuis hier ! Ça vous paraît normal, de venir chez des parents qui ont perdu leur enfant pour demander à voir son portable ? Tu ne comprends pas ce qu'on peut ressentir ? fulmina la mère de Satomi.

Elle tenait à la main le portable rose qui avait appartenu à sa fille.

— P… pardon. Je ne sais pas comment m'excuser.

— Quelqu'un est venu hier pour voir le portable de Satomi et m'a dit exactement la même chose.

— Qui… qui était-ce ? s'emporta soudain Nobuaki. (La femme, impassible, le dévisagea d'un œil froid.) Pardon. Euh… si ça ne vous dérange pas de me le dire.

— Une fille qui s'appelait Kana Ueda.

Mais Kana est morte. Elle a perdu lors du concours de popularité contre Naoya et s'est défenestrée.

Elle n'a pas pu se rendre chez Satomi.

— Est-ce que vous vous souvenez d'une particularité physique ? Sa chevelure, sa taille, l'impression qu'elle dégageait, n'importe quoi.

— Elle avait les cheveux mi-longs et devait faire un mètre soixante environ. Elle avait l'air discrète mais elle était très belle.

Kana avait les cheveux longs et était plutôt du genre à aimer qu'on la remarque. La description ne colle pas. Pas de doute, quelqu'un se fait passer pour Satomi et Kana et se sert de leurs noms pour vérifier les portables des disparus avant d'effacer leurs messages non envoyés.

Nobuaki jeta à tout hasard un coup d'œil au téléphone de Satomi, même s'il se doutait que la probabilité de trouver quelque chose était faible.

0 message non envoyé.

Bien sûr…

— Merci beaucoup.

— Dis, je voudrais seulement savoir une chose. Réponds franchement. Est-ce que Satomi était persécutée par d'autres élèves ? Ce jour-là, elle a déclaré subitement qu'elle ne voulait pas aller à l'école.

— Non, je vous assure qu'elle n'était pas martyrisée. Notre classe était peut-être très individualiste et sans cohésion, mais il n'y avait pas de brimades.

— Je n'avais pas confiance en ce professeur principal. Je me demandais s'il n'essayait pas de me cacher ce qui s'était vraiment passé… Désolée de t'avoir posé une telle question. C'est que Satomi n'était pas du genre à se suicider.

De grosses larmes roulaient sur les joues de la femme.

Qu'est-ce qu'il faut dire dans ces cas-là ? « Courage » ? « Non, Satomi n'aurait jamais fait une chose pareille » ? Je n'en sais rien !

— Je vous présente toutes mes condoléances.

Au bout du compte, ce furent les seuls mots qui vinrent à l'esprit de Nobuaki. Il rendit alors le portable de Satomi puis s'éloigna de la maison.

Un lycéen immature tel que lui ne se sentait pas d'offrir des paroles de réconfort pleines de suffisance à une adulte ayant au moins le double de son âge et donc beaucoup plus d'expérience.

À cet instant, il se considérait peut-être comme l'être le plus vil qui soit.

Je me comporte de manière abjecte en allant demander à des parents accablés par le chagrin de me montrer le portable de leur enfant bien-aimé sans même tenir compte de leurs sentiments.

— Un mètre soixante, cheveux mi-longs, l'air discrète, murmura-t-il, le visage défait.

Aucun nom de fille ne lui vint soudain à l'esprit dans un éclair de génie, ce qui le mit en colère contre lui-même.

Ça ne sert à rien de se tourmenter.

Nobuaki entreprit de se rendre chez Kana et chez Akira. Peut-être pourrait-il en apprendre plus sur la mystérieuse anonyme. Il était aussi possible que leurs messages non envoyés n'aient pas encore été effacés.

Chez Akira, personne ne répondit à ses coups de sonnette. Il poursuivit son chemin jusque chez Kana et demanda à la mère éplorée le portable de sa fille.

C'est moi qui ai poussé Kana au suicide. Est-ce que rendre visite à ses parents fait de moi un monstre ? Qu'est-ce qu'ils me diraient s'ils savaient la vérité ?

Le garçon ne put s'empêcher d'éprouver un certain malaise. Toutefois il n'avait pas le droit d'abandonner, ne serait-ce que pour la mémoire de Kana.

— Hier, une adolescente du nom de Satomi Ishii est venue nous voir. Elle voulait regarder le portable de ma fille. Ses cheveux lui tombaient un peu au-dessous des épaules et elle faisait une taille normale, mais elle dégageait une impression de… je ne sais pas très bien… lui apprit gentiment la mère de Kana, les yeux rougis de larmes.

Une jeune femme qui correspondait à la description qu'on lui avait faite un peu plus tôt s'était aussi rendue chez eux. Comme Nobuaki s'y attendait, le message non envoyé avait été effacé.

Il dit alors au revoir puis tourna les talons.

— Ah, au fait… ajouta la mère de Kana, comme si elle venait de se rappeler quelque chose.

— Vous vous souvenez d'un autre détail ?

— Je ne sais pas trop si je devrais en parler, mais… elle avait des traces de coupures au poignet, déclara la femme en pointant le sien du doigt.

À cet instant, les pièces du puzzle s'assemblèrent dans l'esprit de Nobuaki : il savait qui avait effacé les messages.

Il salua de nouveau puis s'en alla de chez Kana.

— Alors c'était elle…

Il était plus de 8 heures du matin, les cours commençaient. Il pourrait la voir et l'interroger directement.

Dès qu'il entra dans la salle de classe, Nobuaki la parcourut du regard. Plus de la moitié des élèves étaient déjà là, y compris la lycéenne qu'il cherchait, assise à sa place et silencieuse comme à son habitude.

Nobuaki se dressa devant elle et cogna des deux mains sur son pupitre.

— Dis-moi quelles sont les lettres des messages non envoyés, Ria !

Malgré ses vociférations, la jeune fille ne bougea pas d'un cil, mais se contenta de le dévisager en plissant les yeux. Devant son regard, Nobuaki eut un mouvement de recul.

— Tu as compris, bien joué.

— J'ai eu une trouille d'enfer à cause de toi ! Mais chez Satomi, j'ai senti que quelque chose clochait. Et le déclic, ça a été ces entailles à ton poignet.

Plus d'une dizaine de cicatrices à l'aspect douloureux barraient l'intérieur du bras gauche de la jeune fille.

Les coupures de Ria avaient déjà suscité de nombreuses discussions parmi les élèves.

— Est-ce qu'elle a commis une tentative de suicide ?

— Par haine de soi, tu crois ?

— Elle essayait peut-être d'évacuer du stress en se blessant elle-même ?

Sa voisine de classe lui avait demandé d'un ton craintif la raison de ces marques, mais Ria n'avait rien répondu, ce qui n'avait fait qu'attiser les rumeurs, jusqu'à ce que tout le monde soit persuadé qu'elle avait des tendances suicidaires.

Parmi les filles se propageaient des ragots alimentés par la jalousie.

— Sans doute qu'un sale type lui aura fait du mal, pour qu'elle ait voulu en finir malgré une beauté pareille.

— Elle cherche à s'attirer la compassion des autres en exhibant son passé difficile.

— Je suis démasquée, dit Ria d'un air imperturbable.

— Pourquoi est-ce que tu as effacé ces messages ? Tu es allée jusqu'à utiliser un faux nom, en plus.

— Tu ne veux pas monter sur le toit ? répliqua-t-elle. On sera plus tranquilles pour discuter.

La terrasse en haut de l'école était déserte, presque lugubre. De plus, Ria dégageait une aura particulière, inhabituelle chez les filles de son âge, qui rendait Nobuaki nerveux.

Son regard profond et glacé semblait pénétrer le cœur des gens, comme si un assassin se terrait au fond de ses prunelles.

— Toi aussi, tu es au courant pour les messages non envoyés, alors ? déclara-t-elle d'un air indifférent.

— Oui.

— Je ne voulais pas qu'on sache que c'était moi qui les effaçais, voilà pourquoi j'ai utilisé des alias. Sinon, à tous les coups, on viendrait me demander les lettres… comme maintenant.

— Et pourquoi est-ce que ça te pose problème ? s'exclama Nobuaki. Quelle raison peut bien te pousser à usurper le nom de tes camarades mortes ?

Ria ouvrit grands les yeux.

— La raison est simple. J'ai envie de poursuivre le jeu du roi, fit-elle, avec pour la première fois un peu de chaleur dans la voix.

— Tu penses que ces lettres sont des indices qui mènent au roi ? Mais pourquoi est-ce que tu veux continuer ? À ce rythme, tu risques de mourir, toi aussi !

Ria se dirigea sans se presser vers la rambarde, tout en contemplant les nuages qui flottaient haut dans le ciel.

— J'ai envie de mourir, sauf que je ne veux pas d'une mort simple… Je souhaite connaître une fin tragique, comme Nami, poussée à se tuer.

— Tu comptes te servir du jeu pour orchestrer ton suicide ? Quelle idée stupide !

— En fait, le jeu du roi m'est indispensable. Je sais tout, y compris la raison pour laquelle Nami a mis fin à ses jours.

Lorsqu'elle fixa subitement Nobuaki par-dessus son épaule, ses yeux le firent frémir malgré lui.

Tout en contenant son frisson, il s'approcha d'elle.

— Comment est-ce que tu es au courant ? « Tout », ça signifie quoi ?

— Qu'est-ce que je peux bien savoir, à ton avis ?

Ria escalada soudain la balustrade puis se laissa glisser de l'autre côté. Un seul faux pas et elle tomberait dans le vide.

La jeune fille déploya alors les bras avant de marcher le long de la bordure du toit sans quitter Nobuaki du regard.

— Est-ce que tu es capable de me tuer ?

L'espace d'un instant, deux jolies fossettes se dessinèrent sur son visage. Ses yeux, cependant, demeuraient froids comme la glace. C'étaient ceux d'une folle qui ne faisait aucun cas ni de sa propre vie, ni de celle des autres.

Pouvait-on vraiment qualifier de sourire une telle expression ?

— Qu'est-ce que tu mijotes ? demanda Nobuaki, déconcerté.

Une fois arrivée à l'angle, Ria se tourna vers lui puis tendit les deux mains devant elle, comme en une invitation sinistre.

— Le roi, c'est moi ! Là, maintenant, il te suffirait d'une petite poussée pour me tuer. Vas-y, essaie donc.

— Qu'est-ce que tu fiches ? C'est dangereux, arrête !

Nobuaki passa précipitamment la main entre les barreaux du garde-corps et empoigna Ria par le bras.

— Pourquoi est-ce que tu m'as attrapée ? Il fallait me pousser !

Ria agrippa le poignet de Nobuaki et l'appliqua doucement sur son sein gauche.

— Tu sens les battements de mon cœur ? murmura-t-elle, en observant le trouble sur le visage du garçon. C'est que je suis en vie.

— Non mais qu'est-ce que tu cherches à faire ?

— C'est à moi de te demander ça. Pourquoi est-ce que tu viens m'aider ? Je t'ai pourtant dit que j'étais le roi.

— Na… Nami a prouvé au péril de sa vie qu'il ne se trouvait pas dans notre classe.

— Tu es ridicule ! Pas de quoi s'en faire : même si tu trouves le roi, tu ne pourras pas mettre un terme au jeu, parce que tu es incapable de tuer quelqu'un. Si personne n'élimine le roi, la partie se poursuivra éternellement, tu sais. Ce jeu est un casse-tête où chacun risque sa vie.

— Un casse-tête ? Qu'est-ce que tu veux dire ?

— Je ne peux pas t'expliquer maintenant. Tu veux bien me lâcher le bras ? Je voudrais revenir de ce côté de la rambarde. Il ne faut pas que je meure avant d'avoir atteint mon objectif. Je voulais simplement te tester…

Nobuaki lâcha prise, impressionné par l'aura qui se dégageait de Ria.

La lycéenne repassa par-dessus la balustrade.

— Je veux bien t'expliquer une chose : la raison pour laquelle

Akira a reçu le gage qui t'était destiné, dit Ria tandis qu'elle remontait ses chaussettes longues. C'est arrivé parce que vous tirez des conclusions trop hâtives. Pourquoi est-ce que tu pensais que la carte posée sur la table à ce moment-là était la centième ?

— Parce qu'il y avait écrit 100 sur le dernier papier...

— Tu te souviens que c'est moi qui ai amené ces cartes numérotées ? J'avais posé cent une feuilles sur la table. Il y avait deux numéros 60, et c'est Shôta qui les a tirés. Autrement dit, la carte marquée 99 était en fait la centième.

— Mais... pourquoi est-ce que tu as fait une chose pareille ?

— Parce que je trouvais ça intéressant. Imagine, si tu tires le numéro 99, tu dois condamner un ami à mort et écouter ses suppliques, alors que c'est toi qui vas recevoir le châtiment. Akira nous a offert un beau spectacle : ordonner à Chiemi de se déshabiller sans même savoir ce qui l'attendait... L'être humain est fascinant. Bien sûr, seul Shôta, qui a tiré les deux cartes identiques, était au courant du stratagème.

Trois jours plus tôt, au parc de Nata, alors que toute la classe était sous le coup de la stupéfaction après la mort d'Akira, Shôta avait discrètement attrapé Ria par la main.

— Une seconde ! Tu avais prévu ce qui allait se passer, pas vrai ?

Elle avait dégagé son bras et s'en était allée sans rien dire. Shôta l'avait rattrapée à l'entrée du parc.

— Pourquoi est-ce que tu as fait ça ? Explique-moi !

— Toi, réponds plutôt à cette question : pourquoi est-ce que, quand tu as tiré les deux cartes identiques, tu n'en as parlé à personne ?

— Ben… éluda Shôta d'un air embarrassé.

Lorsqu'il avait prononcé « Soixante et soixante et un », sa main avait marqué un temps d'arrêt car la deuxième carte qu'il avait tirée portait aussi le numéro 60. Seule Ria avait perçu son hésitation. Il avait alors discrètement tiré une troisième carte.

— Je pensais informer Nobuaki ou Naoya en secret, si jamais je voyais qu'ils risquaient de tirer la dernière carte. J'ai une grosse dette envers eux, avait-il répondu à Ria d'un ton grave.

— Hypocrite. Être au courant qu'il y avait cent une cartes te permettait de t'assurer de ne pas perdre. Tu savais bien qu'un seul numéro en plus changerait complètement la donne, mais tu as préféré te taire.

— Pas du tout ! Je voulais vraiment les aider, rien d'autre.

— Décidément, les gens changent.

Ria avait eu un petit rire froid avant de le planter là.

Elle est complètement folle, cette fille.

En la regardant s'éloigner, Shôta avait ressenti une terreur indicible.

Une fois Ria partie, Nobuaki s'assit sur le sol en béton de la terrasse.

Elle est complètement folle, cette fille.

En la voyant disparaître par la porte du toit, il avait éprouvé une envie de meurtre.

— Si tu veux me tuer, tu n'as qu'à le faire, avait-elle lancé par-dessus son épaule, comme si elle avait deviné ses intentions. Mais dans ce cas, ce que je sais sombrera dans les ténèbres avec moi !

De retour en classe, il apprit de Naoya les détails des événements rapportés par leur professeur principal.

Shingo, Motoki et Maki étaient morts.

Le premier s'était brisé les cervicales en tombant dans l'escalier lors de sa dispute avec Motoki. Dans la voiture de police qui l'emmenait au poste, le deuxième s'était soudain tordu de douleur et avait succombé sur-le-champ. La mère de la troisième l'avait trouvée morte dans sa chambre le matin même. Tous deux étaient décédés d'un arrêt cardiaque.

Nobuaki déglutit. Ce n'était pas le moment de pleurer, mais il ne put retenir ses larmes. S'apitoyait-il sur sa propre impuissance, ou bien était-il affligé de voir ses camarades de classe disparaître un à un ? Les deux, sans doute.

Il sortit de la salle son sac sur le dos, après s'être contenté d'annoncer à Naoya qu'il voulait vérifier quelque chose. Chiemi le regarda s'en aller d'un air triste.

Il faut que j'aille demander à voir les messages non envoyés qui se trouvent certainement sur les portables de Shingo, Motoki et Maki avant Ria. Je risque de retourner le couteau dans la plaie pour ces parents qui viennent de perdre leurs enfants, mais…

Il n'avait pas le choix. De colère, il frappa violemment le mur de béton, et ses phalanges se mirent à saigner.

Il se rendit à l'hôpital ainsi qu'au domicile des trois disparus, et obtint les messages en dépit des pleurs et des protestations de leurs parents.

Les lettres qu'il avait découvertes jusque-là étaient I pour Shingo, D pour Maki, A pour Motoki, O pour Daisuke et N pour Nami. Seule Ria connaissait celles de Satomi, Kana, Akira et Hideki.

Nobuaki envisagea de proposer à Ria de lui révéler les signes qu'il connaissait en échange des siens, cependant il doutait qu'elle lui dise la vérité.

I, D, A, O, N.

— Qu'est-ce que ça peut bien signifier ?

Il se rendit brusquement compte que, tout à sa réflexion, il était finalement arrivé devant chez lui, et reprit ses esprits.

Au fait, c'est encore le matin. Maman va m'engueuler. En plus, je ne suis pas rentré hier non plus.

Il ouvrit doucement la porte d'entrée en veillant à ne pas faire de bruit, la referma avec délicatesse et entreprit d'enlever ses chaussures.

Soudain, un claquement retentit dans son dos, qui le fit bondir de surprise.

— Salut. Tu rentres drôlement tôt, aujourd'hui !

Avec appréhension, il se retourna. Sa mère se tenait derrière lui, un sac de courses à la main.

— Oui, c'est parce que…

— Ne reste pas planté là, avance ! fit-elle en lui donnant un coup sur les fesses avec son cabas.

Il se hâta alors d'ôter ses souliers puis se dirigea vers sa chambre.

— Chiemi m'a prévenue par texto, poursuivit sa mère, tandis qu'elle vidait son sac dans la cuisine. Alors comme ça, vous n'avez qu'un seul cours, aujourd'hui ? Veinards !

Nobuaki se figea sur place. Son amie avait dû envoyer ce message pour qu'il ne soit pas soupçonné de sécher les cours, même en rentrant tôt.

— Ah, oui... Du coup, je suis revenu tout de suite.

Et si jamais l'école appelle ? Enfin, c'est Chiemi tout craché, ça.

— Mais n'en profite pas pour aller jouer dehors. Reste dans ta chambre bien sagement.

— O.K., je vais rester à flemmarder.

Une fois à son bureau, il sortit d'un tiroir un stylo-feutre et cinq feuilles de classeur, écrivit une lettre sur chacune d'elle, puis les étala devant lui.

I, D, A, O, N.

Il tenta d'imaginer des phrases en intervertissant et rajoutant des lettres :

don(n)ai...

on a di(t)...

aid(ez-)no(us)...

on (v)a...

adi(eu) no(s)...

on d(o)i(t)...

Il aurait sans doute pu en imaginer bien d'autres mais se focalisa pour l'instant sur ces six-là. Le mot qui revenait le plus souvent était « on ».

— Est-ce que le roi ne serait pas seul ? Il pourrait y en avoir plus d'un ?

Si c'était le cas... Nobuaki s'enfonça dans sa chaise et laissa échapper un profond soupir.

Non, il n'y a jamais qu'un seul roi.

Il leva les yeux vers l'étagère et son regard tomba sur un vieux livre intitulé *Véritables Histoires de malédictions.*

Et si c'était un fantôme qui avait créé ce jeu par le biais de pouvoirs surnaturels pour assouvir sa rancœur ? Une espèce de maléfice ou de malédiction... quelqu'un est forcément à l'origine de tout ça.

— Peut-être que les lettres des messages non envoyés indiquent l'endroit où le coupable se trouve, qui sait ?

Nobuaki reporta son attention sur les cinq feuilles de papier.

Si le roi est déjà mort, l'emplacement pourrait être une tombe ou encore une montagne déserte... Est-ce qu'on doit le retrouver et lui offrir des funérailles ? Dans ce cas, qu'est-ce qui a bien pu lui arriver par le passé ? Quoi qu'il en soit, je dois absolument arracher les quatre lettres restantes à Ria...

Nobuaki fut réveillé par la sonnerie de son téléphone – il avait fini par s'assoupir sur son bureau sans s'en rendre compte.

Un appel de Naoya. Il était plus de 21 h 30.

— Qu'est-ce que tu veux ?

— À ton avis ? s'exclama son ami. Je m'inquiète pour toi !

— Ah, pardon.

— Akemi n'est pas venue à l'école, aujourd'hui. Au fait, c'était terrible après ton départ. Tout le monde s'en est pris à Ria. Ils la soupçonnaient de savoir quelque chose sur le jeu du roi.

— Et alors, est-ce qu'elle a parlé ?

— Non, rien. Elle a nié être au courant de quoi que ce soit jusqu'à ce qu'ils abandonnent. D'ailleurs, tu sais des trucs, toi ? Si oui, dis-moi !

Ces paroles décontenancèrent Nobuaki. Ne pouvait-il pas tout raconter à Naoya ? Il n'avait aucune raison de lui cacher l'histoire des messages non envoyés.

— Non, rien du tout. Désolé, répondit-il après une longue hésitation.

Puis il raccrocha subitement.

Je ne veux plus impliquer qui que ce soit là-dedans. Je ne veux plus perdre personne.

Nobuaki punaisa au mur les cinq feuilles sur lesquelles il avait inscrit des lettres et les contempla longuement.

Environ une heure s'écoula avant que sa mère ne l'appelle.

— Naoya est là !

— Quoi ? s'écria-t-il.

Il se rendit dans le hall d'entrée où l'attendait son ami. Naoya lui adressa un signe de la main, accompagné d'un grand sourire.

— Je suis venu te voir !

Nobuaki émit un grognement de désapprobation et lui tourna le dos.

— Qu'est-ce que tu fiches ici ? Va-t'en, je veux rester seul, aujourd'hui !

— Tu pourrais me parler plus gentiment. J'étais inquiet, tu sais. Allez, j'entre.

Naoya, bien décidé à rester, était déjà en train d'enlever ses chaussures.

— Mais oui, entre, entre ! l'encouragea la maîtresse de maison.

Nobuaki finit par céder devant leur insistance mais, juste avant que Naoya n'entre dans sa chambre, il se rappela quelque chose.

— Attends un instant !

Il s'engouffra seul dans la pièce, ferma la porte et se dépêcha de détacher les feuilles du mur pour les ranger dans un tiroir.

Une fois qu'il l'eut rejoint, son ami balaya l'endroit du regard d'un air perplexe.

Depuis que Nobuaki avait détruit ou jeté un à un tout ce qui se trouvait dans sa chambre, dans l'espoir d'exécuter l'ordre qu'il avait reçu, la pièce était restée en l'état.

Impossible de donner le change, évidemment.

— Elle est plus vide qu'avant, ta chambre, non ? Et puis surtout, c'est quoi tous ces débris ?

— J'ai fait du tri pour avoir un peu plus de place. Attends, je vais te dégager un coin pour t'asseoir. En fait, pour l'ordre que le roi m'avait donné, l'objet précieux se trouvait dans ma chambre, en fin de compte.

— Menteur ! lui lança Naoya.

Nobuaki fut surpris par son expression, d'une gravité qu'il ne lui connaissait pas.

— Ce qui était précieux pour toi, c'était Chiemi, non ?

Naoya ramassa un jeu vidéo brisé qui traînait par terre et le remit dans sa boîte. C'était celui que Daisuke avait offert à Nobuaki juste avant sa mort.

— Comment est-ce que je pourrais m'excuser auprès de lui ? demanda Nobuaki dans un rire amer.

— Je suis sûr qu'il te pardonnera.

— Je suis vraiment un salaud, hein ? Je n'avais pas le choix, ni le temps, et pas de meilleure idée.

— Tu sais que Chiemi t…

— Stop, n'en dis pas plus. Avoir quelque chose à protéger, c'est une faiblesse, c'est douloureux… Quand tout sera terminé, je lui ferai à nouveau part de mes sentiments.

Nobuaki ne parvenait pas à endiguer le flot de ses larmes. Avec un sourire, Naoya lui tendit un mouchoir.

— C'est plutôt l'inverse. Avoir quelque chose à protéger est une force. C'est l'impression que j'ai parfois en voyant ta mère. Elle est devenue forte pour te protéger… Ce que tu viens de me dire, jure-le. Je suis sûr que Chiemi comprendra.

Il était déjà arrivé à Nobuaki de souhaiter remonter le temps pour refaire sa vie. S'il disposait d'un tel pouvoir, à quelle époque choisirait-il de revenir ? À celle du collège, ou bien à l'instant où il avait poussé son premier cri ?

Mais, bien sûr, une telle chose était impossible. L'être humain vivait dans le présent et pour l'avenir.

Soudain, deux sonneries de portable retentirent dans la pièce.

Jeu. 29/10, 00:00. Expéditeur : Roi. Titre : Jeu du roi. Message : Toute votre classe participe à un jeu du roi. Les ordres du roi sont absolus et doivent être exécutés sous 24 heures.
Aucun abandon ne sera toléré.
Ordre n° 11 : Toute la classe.
Ne commettez pas l'acte qui ne sert à rien dans le jeu du roi. D'autre part, certains élèves se verront attribuer un gage sur-le-champ.
Élève n° 28, Yûsuke Mizuuchi, condamné à la mort par arrêt cardiaque. Élève n° 30, Shôta Yahiro, condamné à la mort par asphyxie. Élève n° 15, Akemi Kinoshita, condamnée à la mort par noyade. Ils ont enfreint une des règles. END.

Nobuaki serrait son téléphone d'une main tremblante. Il lui semblait que le cauchemar ne faisait que commencer.

— Shôta, Yûsuke et Akemi ont reçu un gage ? Ils ont enfreint une règle ? Mais laquelle ? C'est quoi, cette fichue règle ? Explique-moi, Naoya !

Son ami fixait le message, abasourdi. Il ne répondit même pas à la question. Un second texto arriva.

Jeu. 29/10, 00:00. Expéditeur : Roi. Titre : Jeu du roi. Message : Élève n° 20, Misaki Nakajima.

Condamnée à la mort par pendaison pour avoir failli à exécuter les ordres du roi. END.

7 morts, 19 survivants.

Ordre n° 11 – Jeu. 29/10, 00:01

— Misaki, maintenant… ça fait quatre d'un coup. Qu'est-ce qui se passe ? s'exclama Nobuaki.

Qu'autant d'élèves reçoivent un gage en l'espace de si peu de temps leur était incompréhensible.

Naoya s'effondra sur le lit recouvert de cahiers et de manuels scolaires déchirés, tandis que Nobuaki s'appuyait des deux mains contre le mur, serrait les dents et se cognait violemment la tête.

— Calme-toi, calme-toi, réfléchis posément. Il doit y avoir une explication !

Une fois qu'il eut repris ses esprits, il ramassa son portable et relut le message.

— Ils ont enfreint une règle… enfreint une règle… Qu'est-ce que ces trois-là ont fait ? En plus je ne comprends pas le sens de cet ordre. Ne pas faire ce qui ne sert à rien dans le jeu du roi, qu'est-ce que ça veut dire ? (Il força Naoya à se redresser et lui secoua les épaules.) Est-ce qu'à l'école ces trois-là se sont comportés de façon inhabituelle, après mon départ ?

— Quatre victimes d'un coup… Ce sera qui, la prochaine ? Moi, peut-être.

— Reprends-toi ! Ce n'est pas le moment de flancher, il faut d'abord qu'on comprenne la situation ! Tu m'écoutes, oui ? cria Nobuaki.

Il gifla Naoya pour le sortir de son état second.

Leurs portables annoncèrent l'arrivée d'un autre message.

Jeu. 29/10, 00:02. Expéditeur : Roi. Titre : Jeu du roi.
Message : Élève n° 5, Yûko Imoto.
Condamnée à la mort par auto-immolation pour avoir failli à exécuter les ordres du roi. END.

— Mais c'est pas vrai, qu'est-ce qui se passe ? éclata Nobuaki. On doit découvrir la raison de tous ces gages ou ça va être l'hécatombe ! Sauf si tu t'en fiches, bien sûr…

— Pardon… je vais mieux, maintenant, lui assura son camarade.

Revenu à lui, Naoya vérifia les messages sur son mobile.

— Je m'inquiète pour Chiemi, alors je vais déjà l'appeler, elle, dit Nobuaki. Tu veux bien passer un coup de fil à Yûsuke ou Shôta ? Demande-leur ce qu'ils ont fait aujourd'hui.

Je t'en supplie, réponds… pria Nobuaki tandis qu'il téléphonait à la jeune fille.

« Votre correspondant n'est pas… »

— Pourquoi est-ce qu'elle ne décroche pas dans un moment pareil ? s'emporta-t-il. Naoya, tu as réussi à joindre quelqu'un ?

— J'ai appelé Yûsuke, mais pas de réponse.

Nobuaki l'imagina à l'agonie, en train de se tordre de douleur. De colère et de frustration, il envoya valser d'un coup de pied sa corbeille à papier.

Puis il téléphona à Shôta, qui décrocha aussitôt. Malgré tout, il était déjà trop tard.

Nobuaki entendait des râles de suffocation sortir du microphone. Il pouvait quasiment voir Shôta ramper au sol, le visage déformé par la souffrance.

— Peux pas… resp…

— Shôtaaa ! Il paraît que tu as enfreint une règle, qu'est-ce que tu as fait ?

— No… Nobuaki… Désolé… de ne pas t'avoir été… plus utile… J'ai résilié…

La voix de Shôta s'interrompit, contrairement au flot de sonneries annonçant la mort de camarades de classe.

Jeu. 29/10, 00:05. Expéditeur : Roi. Titre : Jeu du roi. Message : Élève n° 29, Emi Miyazaki. Condamnée à la mort par démembrement pour avoir failli à exécuter les ordres du roi. END.

Nobuaki n'avait même plus de mots pour exprimer sa douleur.

Tout autour de lui, les vies de ses camarades étaient en train de s'éteindre aussi facilement que des chandelles, et il avait beau tendre sa paume pour les protéger du vent, des rafales implacables s'infiltraient par tous les interstices en ricanant.

Nobuaki baissa le regard et se rendit compte qu'il serrait son portable si fort que l'appareil émettait d'inquiétants craquements.

— Bon sang ! Naoya, est-ce que tu as eu quelqu'un ?

Son ami répondit par la négative. Nobuaki trépignait. Il ne parvenait même plus à tenir le compte des disparus.

Ils tentaient désespérément de compléter un puzzle difficile, en noir et blanc et finement tracé, sachant que seule la mort attendait ceux qui n'y parviendraient pas.

— Continue d'appeler tous ceux qui ont reçu un gage jusqu'à ce que quelqu'un décroche ! On doit trouver la cause de ce carnage !

La santé mentale de Nobuaki ne tenait plus qu'à un fil.

Enragé par sa propre incapacité à trouver ne serait-ce qu'un début de solution, il dirigeait sa colère contre Naoya.

— Je vais appeler aussi ! Qu'est-ce que Shôta voulait dire par « résilié » ? murmura Nobuaki pour lui-même.

À ces mots, Naoya redressa la tête d'un coup.

— Résilié ? Il a parlé de résiliation, à l'instant ? S'il a bloqué sa messagerie… S'il a résilié son forfait et qu'il ne peut donc plus recevoir de messages, ce ne serait pas une infraction aux règles ? Je me rappelle que Shôta et les deux Yûsuke s'étaient demandé ce qui se passerait si on désactivait sa messagerie.

Les messages du roi précisaient bien qu'aucun abandon n'était toléré. Bloquer sa messagerie revenait à abandonner : une pièce de ce puzzle qu'ils pensaient insoluble s'emboîta.

— C'est ça ! Tous les trois ont désactivé leur messagerie, et comme ça équivaut à un abandon, ils ont enfreint les règles. Voilà pourquoi ils ont reçu un gage.

Mais dans ce cas, qu'en est-il d'Akemi ? Elle n'est pas venue en cours, aujourd'hui... Est-ce qu'elle a résilié son forfait le même jour par pur hasard ? Et si... oui, peut-être...

Afin de transformer sa conjecture en certitude, Nobuaki téléphona à Akemi.

« Ce numéro n'est actuellement pas en service. »

Pour l'ordre n° 10, Akemi avait tué deux camarades de classe en leur envoyant un message. Si un autre élève avait reçu des consignes similaires, il aurait bien pu s'en prendre à elle...

Akemi avait résilié son abonnement par crainte de représailles.

Ça signifie que le roi ne nous laissera jamais nous échapper... Pendant ce temps, l'ordre n° 11 – ne pas faire ce qui ne sert à rien dans le jeu du roi – fait tomber les élèves comme des mouches. Si on ne résout pas aussi ce mystère, le nombre de morts ne va faire qu'augmenter.

Jeu. 29/10, 00:09. Expéditeur : Roi. Titre : Jeu du roi.
Message : Élève n° 13, Yûsuke Kawakami.
Condamné à la mort par démembrement pour avoir failli à exécuter les ordres du roi. END.

— En seulement dix minutes... ça fait combien de victimes, déjà ?

La rage bouillonnait en Nobuaki comme de la lave en fusion. Il se dépêcha de téléphoner à Yûsuke, qui décrocha tout de suite.

— C'est toi, Nobuaki ? Je t'en supplie, aide-moi !

Yûsuke était d'ordinaire un garçon plein d'entrain et d'énergie, mais à présent qu'il était confronté à sa propre mort, sa voix n'était plus qu'un mince filet. La peur l'avait ébranlé au plus profond de son âme.

Il appelait au secours d'une voix perçante.

— À l'aide ! Je suis désolé pour ce qui s'est passé avec Akira !

J'aimerais bien, mais je n'arrive jamais à secourir mes camarades... Pardon, Yûsuke. Je dois te demander quelque chose avant que tu ne meures, pour éviter qu'il y ait plus de victimes.

Surmonter une telle épreuve nécessitait autant de force mentale que pour traverser en sifflotant un champ de bataille jonché du sang d'innombrables cadavres.

— Yûsuke, calme-toi et écoute-moi. Qu'est-ce que tu as fait durant les dix minutes qui se sont écoulées depuis qu'on a reçu le nouvel ordre du roi ?

— Rien du tout, je te jure ! Pourquoi est-ce que je dois recevoir un gage ? gémit-il.

— Juste une question : Shôta et l'autre Yûsuke ont résilié leur abonnement téléphonique ?

— Oui. Mais cherche plutôt un moyen de me sauver ! Allez, on est amis, non ?

L'image de Yûsuke tremblant de peur à l'autre bout du fil s'imposa à l'esprit de Nobuaki.

— Dis quelque chose ! Argh…

— Qu… qu'est-ce qui t'arrive, Yûsuke ?

Instinctivement, Nobuaki serra encore plus son téléphone.

— J'ai mal ! J'ai mal ! Aaaargh !

Ses cris furent accompagnés d'un bruit de choc indiquant que le portable était tombé.

Pourtant, il était encore rivé au bras sectionné à l'épaule de Yûsuke. Affalé au sol, les deux membres supérieurs coupés, le jeune homme posa le menton par terre et rampa telle une chenille vers l'appareil.

— Au secours, Nobuaki ! s'écria-t-il de ses dernières forces, avant de vomir un flot de sang brun.

Quelle que soit la distance à laquelle Yûsuke se trouvait, ses appels à l'aide étaient si poignants que Nobuaki pouvait se représenter la scène.

Sa silhouette effondrée au sol, en train de se tordre de douleur, ses cris de souffrance, ses suppliques désespérées…

— Yûsuke !

Pas de réponse. Seuls des gémissements lui parvenaient à travers le combiné.

N'y tenant plus, Nobuaki s'apprêtait à raccrocher quand un dernier hurlement retentit. Le cri d'agonie de Yûsuke fut accompagné de craquements atroces, comme si ses vertèbres étaient brutalement tranchées par une énorme lame.

Aussitôt, le sang de Nobuaki se figea dans ses veines. Un froid glacial assaillit tout son corps, qui fut secoué de spasmes.

Après avoir raccroché, il se mit à griffer une poutre de sa chambre avec tant de force qu'il manqua s'arracher les ongles. Dix marques bien nettes étaient désormais visibles sur le bois.

Si jamais Chiemi recevait un gage…

Nobuaki voulut téléphoner à la jeune fille mais ses doigts tremblaient tellement qu'il lui était difficile d'appuyer sur les touches. Réprimant les tressaillements de sa main droite à l'aide de la gauche, il parvint tant bien que mal à composer le numéro de sa camarade avec son index et pria pour qu'elle décroche…

« Votre correspondant n'est p… »

— Mais qu'est-ce qui t'arrive ? hurla-t-il. Je t'en prie, réponds !

Il ferma les yeux pour calmer ses nerfs, mais quoi qu'il fasse, il ne pouvait penser à rien d'autre qu'à Chiemi. Les jours passés ensemble défilèrent dans son esprit comme les images d'une lanterne magique.

— Naoya, désolé ! Je m'inquiète pour Chiemi, je vais voir chez elle.

— Dépêche-toi, alors ! fit son ami en lui donnant une claque dans le dos.

— Merci ! Si tu découvres quelque chose, appelle-moi tout de suite. Préviens les autres de ne pas résilier leur abonnement. Occupe-toi des garçons, je contacterai les filles en chemin.

— D'habitude, je ne suis sans doute pas bon à grand-chose, mais là, tu peux compter sur moi. Fais attention à toi, surtout !

— Ne t'inquiète pas ! Et pardon d'avoir passé mes nerfs sur toi tout à l'heure.

Naoya lui donna un coup de pied au derrière, comme pour lui ordonner de se dépêcher.

Yûsuke, Shôta et Akemi leur avaient appris ce qui se passait quand on résiliait ses fonctions de messagerie. Il ne restait plus qu'à résoudre l'énigme de ce qui était inutile dans le jeu du roi.

Nobuaki enfila ses chaussures en quatrième vitesse puis se précipita dehors. Il sortit alors son portable et appela Hiroko en s'élançant à toutes jambes.

— Allô, Hiroko ?

— Nobuaki... Ils meurent tous les uns après les autres...

— Je sais. Du calme, écoute-moi. Ne résilie surtout pas ton abonnement, c'est bien compris ? C'est pour cette raison que Shôta et les autres ont reçu un châtiment.

— Juste pour ça ?

La voix de Hiroko se brisa et la jeune fille finit par fondre en larmes.

— Est-ce que tu sais pourquoi tout le monde reçoit des gages avec cet ordre ? lui demanda Nobuaki.

— Comment est-ce que j'en aurais la moindre idée ?

— Si tu apprends quelque chose, contacte-moi sur-le-champ. Est-ce que tu pourrais prévenir tout le monde de ne pas résilier son forfait, toi aussi ? L'information circulera plus vite si on s'y met à plusieurs.

— D'accord…

— Je compte sur toi ! Et ne bouge pas de là où tu es, pour ne pas recevoir de sanction. Si tu es dans ta chambre en ce moment, reste donc au lit.

— Oui, compris.

Nobuaki aurait voulu prodiguer quelques mots de réconfort à sa camarade terrifiée, mais il avait encore des appels à passer. Il raccrocha.

Alors qu'il s'apprêtait à traverser la route afin de prendre un raccourci menant chez Chiemi, il détourna un instant les yeux de son chemin pour faire défiler les noms des filles de la classe dans son répertoire.

Il trébucha contre la bordure du trottoir et s'affala violemment par terre. Ses genoux et sa poitrine percutèrent le sol, puis, dérapant sur le bitume dur et rugueux, il s'écorcha les mains et les coudes.

Ses blessures étaient pleines de gravillons et suintantes de sang.

Son portable avait volé environ cinq mètres plus loin, près de la bande centrale.

Il avait du mal à respirer – en raison du choc qu'il avait reçu au thorax – et avançait à quatre pattes tout en appuyant d'une main sur son torse. Au moment où il fut pris d'une quinte de toux, son téléphone se mit à scintiller et fit entendre sa sonnerie dans le calme de la nuit, indiquant la réception d'un message.

Encore… Est-ce que c'est une nouvelle victime ?

Il s'approcha du portable en traînant du mieux qu'il pouvait ce corps qui ne lui obéissait plus, à l'aide de ses jambes et de sa main droite.

Alors qu'il était à deux doigts de l'atteindre, l'appareil sonna de nouveau, impitoyablement.

— Combien est-ce que tu comptes en tuer ? s'écria Nobuaki de toute la force de ses poumons.

Il ramassa son portable d'une main toute contusionnée et ouvrit le premier message.

Jeu. 29/10, 00:16. Expéditeur : Roi. Titre : Jeu du roi.
Message : Élève n° 31, Hiroko Yamaguchi.
Condamnée à la mort par arrêt cardiaque pour avoir failli à exécuter les ordres du roi. END.

— Hiroko ? Je viens pourtant de lui dire de ne rien faire, alors pourquoi… pourquoi ?

Pris d'une envie de tout laisser tomber, autant par colère que par impuissance, Nobuaki s'apprêtait à fracasser son portable contre le sol.

C'est alors que les visages de Daisuke et de Nami se mirent à flotter devant ses yeux.

Je porte sur mes épaules les vies de mes camarades.

La main au-dessus de la tête, il interrompit son geste et se dépêcha d'appeler Hiroko.

— Pourquoi ? Pourquoi est-ce que j'ai reçu un gage ? demanda-t-elle, en larmes. Explique-moi ! Je n'ai vraiment rien fait, je suis restée blottie dans mon lit comme tu me l'as conseillé.

— Est-ce que tu pourrais me raconter exactement et en détail ce que tu as fait après que j'ai raccroché ?

— Je me suis glissée sous mes couvertures et j'ai serré mon oreiller. Comme je n'avais même pas le courage de téléphoner, je n'ai appelé personne. Je t'assure que je n'ai rien fait du tout !

— C'est impossible. Il s'est forcément passé quelque chose.

— Non, rien, je te dis !

Nobuaki réfléchit froidement.

Hiroko et Yûsuke m'ont assuré être restés tranquilles. Mais s'ils ont reçu un gage, ça signifie bien que ce n'est pas le cas. Il s'est passé un truc, c'est obligé.

Hiroko et Yûsuke ont dû faire quelque chose pendant ce bref intervalle que moi je n'ai pas fait. Ou inversement, quelque chose que moi j'ai fait et pas eux.

Nobuaki repassa désespérément dans sa tête les étapes du jeu du roi depuis le premier jour. Quelles injonctions avaient été envoyées, qui avait reçu des gages, dans quel ordre et lesquels. N'avait-il rien laissé passer ?

— Ah ! Si ça se trouve…

Son cœur se mit à battre si fort qu'il aurait pu éclater.

J'ai du mal à y croire… Mais si j'ai vu juste, les gages vont se multiplier.

Nobuaki se mit à genoux et dit à Hiroko :
— Je vais raccrocher. Je te rappelle tout de suite.
Il lut aussitôt le dernier SMS reçu.

Jeu. 29/10, 00:17. Expéditeur : Roi. Titre : Jeu du roi.
Message : Élève n° 4, Hirofumi Inoue.
Condamné à la mort par auto-immolation pour avoir failli à exécuter les ordres du roi. END.

— Je suis ignoble...

Il se détesta profondément pour s'être senti, l'espace d'un instant, soulagé à l'idée de ne pas avoir à vérifier sa théorie auprès de Chiemi ou de Naoya.

Il appela Hirofumi afin de tester son hypothèse.

— Allô, Hirofumi ? Hirofumi ?

Aucune voix ne se faisait entendre. Son camarade était pourtant bien au bout du fil, car on l'entendait renifler.

Au bout de plusieurs secondes de silence, il prit enfin la parole :

— Qu'est-ce qui va m'arriver ?

— Je ne sais pas, désolé.

Nobuaki était parfaitement au courant de ce qui allait se passer, mais était bien incapable de le dire à l'intéressé.

Toutefois, Hirofumi devait avoir compris ce qui allait advenir. Il retomba dans son mutisme.

Pardonne-moi, Hirofumi.

— Tu veux bien me révéler une chose ? demanda Nobuaki. Quand est-ce que tu as pleuré ? Ce ne serait pas tout à l'heure, quand tu as appris que Hiroko avait reçu un gage ?

— Ce n'était pas qu'elle ! s'exclama Hirofumi. À minuit, quand le message est arrivé, j'ai voulu le regarder. Mais d'autres se sont mis à débarquer les uns après les autres et je n'ai pas pu les ouvrir, de peur qu'il se soit passé quelque chose de terrible !

— Alors pourquoi maintenant ?

— Je me suis dit que j'étais bien obligé de les lire, au cas où ce serait moi qui aurais reçu un ordre, et quand j'ai vu ce qui était arrivé aux autres... Et à présent, c'est mon tour.

— Dans ce cas, tu as vérifié tes messages, et tu t'es mis à pleurer après 00 h 16, c'est ça ?

La réponse de Hirofumi pourrait bien éclaircir les conditions selon lesquelles les gages étaient attribués.

— Oui ! Il y a un rapport ? Est-ce que c'est mal de pleurer quand il arrive des choses pareilles aux autres ? C'est normal d'être triste, non ? Normal de pleurer ! Ou alors est-ce qu'on reçoit un châtiment en regardant ses messages ?

À cet instant, toutes les forces de Nobuaki le quittèrent. Il ne sentait même plus la douleur de ses blessures. Tous ceux à qui il avait téléphoné jusqu'alors avaient versé des larmes... et l'effet ainsi engendré avait largement dépassé ses prévisions.

Le monde voulu par le roi était un monde anéanti où seuls étaient indispensables l'obéissance absolue, la colère, la traîtrise, la vengeance, le ressentiment et la jalousie. Pleurer n'était pas nécessaire.

Tout le monde devait regarder ses messages pour se tenir au courant des ordres. Quand Shôta avait reçu un gage, sa petite amie, Misaki, avait certainement pleuré.

Emi et Yûsuke Mizuuchi aussi sortaient ensemble : Emi avait donc sangloté quand le jeune homme avait reçu un gage. Yûko ayant toujours eu la larme facile, elle avait pleuré en apprenant le sort de Hiroko.

Hirofumi et Yûsuke Kawakami, affligés de voir tant de leurs camarades recevoir des gages, avaient eux aussi versé des larmes en consultant leurs messages.

Si quelqu'un pleurait, il recevait un gage, et le message annonçant sa condamnation poussait d'autres individus à pleurer, répétant le cycle. Un vrai cercle vicieux.

Un penseur américain, William James, avait déclaré : « Nous nous sentons tristes parce que nous pleurons », et ses paroles avaient eu une influence considérable sur la philosophie moderne.

Nobuaki aurait souhaité réfuter cette thèse de fond en comble.

Nous pleurons parce que nous nous sentons tristes.

Yûsuke, Shôta et Akemi lui avaient fait comprendre au prix de leurs vies ce qui se passait quand on résiliait son abonnement téléphonique, mais, ironiquement, leur mort était à l'origine de la nouvelle épreuve qui les touchait.

— Quelle blague ! Donner un ordre pareil avec ce timing… Le roi avait tout prévu. Si ces trois-là n'avaient pas reçu de gage, personne ne serait mort.

Hirofumi semblait avoir accepté son sort.

— Je vais recevoir un châtiment, c'est certain. Je t'en prie, si tu en connais la raison, est-ce que tu peux me l'expliquer ?

Nobuaki ne savait que répondre. Devait-il lui révéler une vérité aussi cruelle ?

— Si tu es au courant, dis-le-moi ! poursuivit Hirofumi. Je veux au moins comprendre pourquoi j'ai reçu une sanction !

Son cri déchirant toucha Nobuaki en plein cœur.

Un homme sur le point de mourir avait le droit de savoir pourquoi.

— Parce que tu as pleuré, répondit-il après une longue hésitation.

— Je vois… C'était pour ça.

Nobuaki ignorait si cette seule phrase avait suffi à son camarade pour tout comprendre, mais toute amertume avait quitté la voix du jeune homme.

— Si c'est ça la raison, heureusement que j'ai reçu un châtiment.

— Quoi ? s'exclama Nobuaki.

— Eh bien oui, devoir te retenir de verser des larmes quand tes amis meurent, quand même… C'est normal de sangloter face à la mort de ceux qu'on aime. Même si tu m'avais appris plus tôt ce qui causait les gages, je suis tellement pleurnichard que… j'aurais sans doute commis l'irréparable malgré tout. Merci de m'avoir mis au courant… Je suis content de ne pas être devenu un être sans cœur que la mort de ses proches laisse indifférente. Salut, Nobuaki, fit seulement Hirofumi avant de raccrocher.

— Et moi, qu'est-ce que je vais devenir, Hirofumi ? Dis-le-moi !

Nobuaki sentait la chaleur gagner ses yeux. Il se cogna plusieurs fois la tête contre le bitume, tentant de refouler ses larmes par la douleur.

Du sang perlait à son front.

— Hirofumi, qu'est-ce que je dois faire ? Moi aussi, j'aimerais bien pleurer, si je pouvais. Mais au train où vont les choses…

Un nouveau message lui parvint.

— C'est bon, je vais le regarder, alors laisse-moi d'abord téléphoner ! s'emporta-t-il contre son portable avant d'appeler Hiroko.

Il était trop tard : la jeune fille ne décrochait plus.

Il tenta aussi de joindre Chiemi : *« Votre correspondant n'est… »*

En quelques minutes, son historique d'appels s'était rempli de manière tragique. Chaque ligne correspondait à un mort.

Nobuaki posa la main sur son front afin de palper sa blessure.

— Je vais me faire engueuler, avec une facture de téléphone pareille, ironisa-t-il en appelant Naoya.

— Nobuaki, est-ce que tu as découvert quelque chose ?

Son camarade avait répondu à la première sonnerie.

— Dis aux autres de ne pas regarder leurs messages

de toute la journée, de ne pas téléphoner et de ne pas décrocher si on les appelle, le pria-t-il calmement.

— D'accord, mais pourquoi ?

— Selon l'ordre actuel, on reçoit un gage si on verse des larmes.

Naoya en resta sans voix.

— Pourquoi est-ce qu'on ne devrait pas se servir de son téléphone, alors ? parvint-il tout de même à articuler.

— Et si en parlant avec quelqu'un tu apprenais qu'un de tes camarades était mort ? Que plein de tes camarades étaient morts ?

— C'est vrai. Les pleurs, ce n'est pas quelque chose qu'on peut contrôler.

— Heureusement que tu n'as pas craqué, même après tous les messages qui sont arrivés depuis mon départ.

— On a reçu beaucoup de textos ? Je n'ai pas consulté mes SMS depuis que tu es sorti. J'étais toujours en train de passer des coups de fil, alors je n'ai pas fait attention.

— Je vois. Tant mieux, à quelque chose malheur est bon.

— Je pense que j'aurais sûrement pleuré si j'avais regardé ces messages tout seul.

Nobuaki resserra sa prise sur son portable.

— Dans le premier tiroir de mon bureau en partant du haut se trouvent cinq feuilles avec des lettres marquées dessus. Tu pourrais les sortir ?

— Oui, fit Naoya en se raclant la gorge. Je les ai trouvées. C'est quoi ?

Nobuaki lui expliqua tout.

Il lui parla des messages non envoyés sur les portables des disparus, des feuilles où il avait inscrit les cinq lettres que contenaient les messages de Shingo, de Nami et des autres, de Ria qui connaissait quatre lettres supplémentaires.

— Je pense que ces lettres sont étroitement liées au jeu du roi. D'autres devraient se trouver sur les portables de ceux qui ont reçu un gage aujourd'hui. Est-ce que tu pourrais te charger de vérifier ? demanda Nobuaki. Et puis, c'est une supposition, mais je crois que, pour une raison ou une autre, Chiemi n'a pas regardé ses messages. Sinon, une pleurnicheuse comme elle devrait déjà avoir succombé.

— Mais oui ! Dépêche-toi de la contacter avant que les choses ne s'aggravent !

— J'aimerais bien, sauf que je l'ai appelée je ne sais combien de fois et qu'elle ne répond toujours pas. Tu pourrais essayer de la joindre toi aussi pour lui dire d'ignorer ses messages ?

— D'accord. Mais pourquoi tu me demandes ça à moi ?

— C'est juste au cas où, vu que je ne peux pas prévoir quand je vais craquer et me mettre à pleurer ! Toi non plus, ne consulte pas tes textos de la journée, c'est plus prudent. Je vais faire pareil.

— C'est promis.

— Bien ! Préviens vite les autres !

Nobuaki raccrocha et poussa un profond soupir.

Il respirait mieux, mais ses jambes le faisaient

toujours souffrir. Regardant ses membres couverts de contusions, il murmura :

— Maintenant, j'ai le corps dans le même état que le cœur.

Il essaya d'appeler Chiemi une dernière fois mais, comme il s'y attendait, elle ne décrocha pas.

Le garçon soupira de nouveau et s'assit là où il se trouvait, passant les bras autour de ses jambes.

Réponds, Chiemi ! En tout cas, Naoya devrait bien s'en sortir. Il va réussir à la joindre et mettre un terme au jeu du roi à ma place.

Des nuages voilaient la lune, toutefois une lumière orangée brillait à intervalles réguliers : la lueur lugubre des lampadaires donnait l'impression de se trouver dans un tunnel.

— Ces temps-ci, je me retrouve souvent seul dans la rue au beau milieu de la nuit. Il y a toujours des morts, dans ces moments-là, murmura Nobuaki en tournant son regard vers le firmament. Pardonnez-moi, je n'ai pas pu tenir ma promesse. Mais j'ai confié la mission à Naoya. Lui, il y arrivera.

Le regard tourné vers le ciel, il joignit les mains.

— Je suis désolé, Chiemi. J'aurais vraiment voulu être là pour te sauver, mais… je suis à bout.

Qui a reçu un gage, tout à l'heure ?

Il posa son pouce sur la touche correspondant aux messages.

Je ne veux pas devenir un être sans cœur.

Il s'apprêtait à vérifier le texto, résolu à mourir, lorsque le téléphone sonna. Il se dépêcha d'accepter l'appel.

— Enfin, j'arrive à te joindre ! Ça sonne occupé depuis tout à l'heure.

Yôsuke semblait pressé. Il parlait si fort que Nobuaki dut éloigner le combiné de son oreille.

— Qu'est-ce qui t'agite comme ça ?

— Écoute-moi ! Un autre jeu du roi a déjà eu lieu par le passé, et j'ai découvert où !

— Comment est-ce que tu as trouvé ça ? demanda Nobuaki, sans manifester un grand intérêt.

— Nous aussi, on a cherché tous les moyens possibles de mettre un terme à ce jeu ! Même Shôta se rendait à la bibliothèque après les cours.

— Je vois... Mais tout ça ne me concerne plus.

— Pourquoi ?

— Je veux recevoir un gage et en finir.

— Qu'est-ce qui te prend de dire des âneries pareilles ? s'écria Yôsuke. Dans ce cas, laisse-moi t'apprendre une chose. Tous ceux qui sont au courant de cette information sont morts aujourd'hui, à l'exception de Kaori. Mais je n'arrive pas à la joindre, poursuivit Yôsuke au bord des larmes.

— Ne pleure pas, crétin, ou tu seras puni ! Ne pleure surtout pas !

Poussant sur ses jambes douloureuses, Nobuaki se releva.

— On reçoit un gage si on pleure, cette fois ?

— Oui, alors défense de sangloter ! Naoya ne t'a pas prévenu ?

Quelques secondes s'écoulèrent en silence. Nobuaki entendit son correspondant renifler.

— C'est trop tard. Ma sanction a déjà été décidée. Naoya m'avait prévenu pour les résiliations de messagerie, mais j'ignorais qu'il ne fallait pas verser de larmes...

Peut-être le message que Nobuaki avait voulu regarder tout à l'heure annonçait-il le gage de Yôsuke, dont la voix se mit soudain à trembler.

— J'ai froid... tout d'un coup...

— Ça va ?

Depuis tout à l'heure, Nobuaki ne pouvait rien faire d'autre que répéter la même question. Il se sentait impuissant et démuni au-delà du concevable.

La cause en était sans doute les quinze années qu'il avait passées à se laisser vivre. Il aurait voulu exprimer des tonnes de choses, mais les mots lui manquaient.

Il était constamment tiraillé entre plusieurs façons de formuler ce qu'il avait à l'esprit, ne sachant jamais laquelle choisir, à plus forte raison quand il craignait de blesser ou de peiner son interlocuteur.

Yôsuke va quitter ce monde sur ce coup de téléphone. Ce seront les dernières paroles qu'il entendra avant de mourir... celles qui vont accompagner son dernier soupir... Je ne peux pas endosser une si lourde responsabilité. C'est pitoyable.

Nobuaki serra le poing si fort que ses ongles semblaient sur le point de transpercer sa peau. Son impuissance le mettait au supplice.

Les tremblements dans la voix de Yôsuke s'intensifièrent, comme s'il était transi de froid, seul sur un sommet enneigé.

— Le… le… le jeu du roi s'est déjà produit, ça s'est pa… passé dans la préfecture de Hiroshima… dans un village au fond des montagnes du Chûgoku, près de la frontière de la préfecture de Shimane… le village de Yonaki. Je n'ai pas réussi à re… retrouver le nom de l'école.

— Le village de Yonaki, dans la préfecture de Hiroshima. Je m'en souviendrai.

— Et aussi… ce village n'apparaît sur aucune carte.

— Ah non ?

La voix de Yôsuke s'étiolait petit à petit, on aurait dit que sa vie était aspirée.

— S'il… te plaît. Tu pourras t'occuper de… Ka… Kaori ?

— D'accord. Compte sur moi, je te jure que je la sauverai et que je mettrai un terme au jeu du roi ! Vous sortiez ensemble, alors ?

— Pardon. C'était encore tout… tout récent, et Kaori ne voulait pas… que ça se sache.

La voix de Yôsuke s'interrompit. Nobuaki leva la tête vers le ciel et ferma les yeux très fort afin de contenir ses larmes.

Ainsi, Yôsuke sortait avec Kaori… Celle qui fourre son nez partout et rouspète constamment… Avec elle, il devait filer droit, j'imagine.

Kaori s'était portée candidate aux élections du conseil des élèves qui avaient eu lieu en septembre. Elle avait choisi Yôsuke comme orateur pour son discours de soutien électoral.

Pourquoi avait-elle fait une chose pareille ?

En effet, Yôsuke avait des notes excellentes et toute la confiance de ses camarades, mais d'ordinaire on choisissait quelqu'un du même sexe pour éviter les persiflages. Si un garçon sélectionnait une fille pour le soutenir lors de son discours électoral, il susciterait immanquablement des commentaires du style : « Il ne se passe pas un truc entre eux ? »

Kaori avait choisi Yôsuke car elle désirait une occasion de lui parler. Elle voulait discuter en tête-à-tête avec lui, à la bibliothèque, après les cours.

Bien sûr, elle ne perdait pas de vue son objectif d'obtenir la confiance des élèves en tant que déléguée.

— Dis, Yôsuke, quels aspects de moi est-ce que tu vas mettre en valeur ? Pour me soutenir, tu dois me connaître mieux que personne. Comment est-ce que tu me vois ? demanda-t-elle d'un air ingénu qu'elle n'affichait pas d'habitude.

Elle s'était servie du discours comme prétexte pour amener Yôsuke à révéler l'opinion qu'il avait d'elle. C'était toutefois son opinion sur elle en tant que femme qui l'intéressait vraiment.

— Tu es d'une droiture exemplaire et pourtant tu ne montes jamais sur tes grands chevaux, lui avait-il répondu avec le plus grand sérieux. Ça t'arrive d'être enquiquinante, mais tu sais écouter ce que les autres ont à dire. C'est un compliment. Être assez flexible pour tenir compte de l'avis d'autrui tout en conservant son opinion, ce doit être difficile, j'imagine. Quelqu'un de têtu ne ferait que s'affirmer lui-même en ignorant le point de vue de son entourage. Un esprit étroit, en somme. Alors que toi, tu as l'esprit plus large que n'importe qui, selon moi. Tu as encore plein d'autres bons côtés, tu veux les entendre ?

— Garde-les pour le discours… J'ai bien fait de te choisir.

Les élections avaient eu lieu dans le gymnase et Yôsuke avait fait l'éloge de Kaori devant toute l'école.

— Elle est indispensable au conseil des élèves. Je suis sûr qu'elle vous sera d'une aide précieuse, avait-il plaidé.

Kaori avait assisté à son discours les yeux humides de larmes et un sourire jusqu'aux oreilles.

Tout en contemplant les étoiles qui brillaient à l'ouest, Nobuaki se dit :

Repense à des moments joyeux, des moments amusants. Rigole !

— Impossible, dans un moment pareil ! s'écria-t-il en s'arrachant les cheveux.

Il prit alors une profonde inspiration pour calmer son halètement.

— Ne pleure pas ! Ne pleure pas ! Ne pleure pas ! Ris ! Ris ! Ris ! Ris, Nobuaki ! s'exhorta-t-il.

Il se força à sourire, fronçant les sourcils en une grimace atroce.

— Je dois faire une drôle de tête, en ce moment. Peut-être que je rirais si je me voyais dans le miroir ? Ha ha ha… Les cris d'orfraie de Naoya au réveil, chez Daisuke, et le curry infâme de Chiemi… La tête qu'elle a tirée à ce moment-là était géniale !

Chiemi, Naoya, je n'ai pas de mots d'encouragement bien sentis pour vous, mais je ne parlerai plus de recevoir un gage, je tiendrai ma promesse coûte que coûte.

Nobuaki se mordit vigoureusement le bras droit. Il faisait tout ce qui était en son pouvoir pour éviter de pleurer, transformant ses larmes en colère et en sourire.

— Est-ce que tu comprends ma douleur, espèce de salaud ? Sais-tu au moins à quel point c'est dur de se retenir de pleurer ? hurla-t-il.

Puis il sortit son portable et effaça sans le lire le message qu'il supposait être celui indiquant le gage de Yôsuke. Le rétro-éclairage de l'écran illumina son visage.

— Il faut appeler les autres, je n'ai pas le choix ! Je dois les aider, j'ai des amis qui voulaient s'en sortir et qui sont morts malgré tout, dit-il en haussant le ton afin de chasser le sentiment de faiblesse qui pesait lourdement sur ses épaules.

Il tentait d'ériger des barrières dans son esprit afin de repousser la peur.

Il ouvrit son répertoire et téléphona à Kaori Maruoka en priant pour qu'elle décroche. Il laissa sonner plus d'une minute, en vain.

— Pourquoi est-ce qu'elle ne répond pas ? Yôsuke a dit qu'il n'arrivait pas à la joindre, lui non plus... Et merde !

Cependant, il ne pouvait pas s'arrêter là, et il se dirigea vers chez Chiemi. En cours de route, il téléphona à Masami ainsi qu'à Minako et leur expliqua la situation.

Alors qu'il se demandait quels amis il n'avait pas encore prévenus, des voix féminines se firent entendre dans son dos.

Il rebroussa chemin et tomba dans une rue transversale sur Chiemi, Kaori et Mami. Quelqu'un d'autre les accompagnait, mais l'obscurité empêchait Nobuaki de distinguer ses traits.

— Chiemi... laissa-t-il échapper malgré lui.

Sans doute par soulagement, ses glandes lacrymales s'activèrent l'espace d'un instant.

— Attention... fit-il en se pinçant la joue, avant de saluer les filles de la main.

Chiemi se dirigea à petits pas dans sa direction, pour s'arrêter à un mètre de lui, une expression de surprise sur le visage.

— Qu'est-ce qui t'est arrivé ? Tu as les mains et le front en sang... Tu t'es battu ?

Elle empoigna la main droite de Nobuaki, en essuya le sable avec délicatesse et souffla doucement dessus.

— Alors, qu'est-ce que tu as fait ? Qu'est-ce qui s'est passé ?

— Ce n'était pas une bagarre, c'était de ta faute !

— Comment ça ?

— Je plaisante ! J'ai trébuché, c'est tout. Ne t'inquiète pas. Explique-moi plutôt ce que tu fiches ici à une heure pareille.

— Ria m'a appelée, elle a dit qu'elle avait une annonce importante à nous faire.

— Ria ?

Nobuaki observa avec attention les trois filles qui marchaient lentement vers lui : à l'extrême gauche se trouvait Ria. Oubliant la douleur de ses blessures, il se précipita sur elle et l'agrippa par le bras.

— Pourquoi est-ce que tu as fait venir Chiemi ? cria-t-il.

— Je n'aurais pas dû ? J'ai quelque chose d'important à lui dire, c'est tout.

Chiemi s'interposa entre eux deux.

— Calme-toi ! On discutait normalement, rien de plus.

Nobuaki lâcha prise.

— Pourquoi est-ce que tu es si agité ? demanda Mami, inquisitrice. Et d'où te viennent toutes ces blessures ?

— Et si tu m'expliquais plutôt où sont passés vos portables ? répliqua-t-il.

— J'ai le mien sur moi.

— Tu as regardé tes textos ?

— Non. J'ai essayé mais Ria m'en a empêchée.

— Ah oui ?

Nobuaki regarda Ria, qui demeurait impassible.

Il l'attrapa de nouveau par le bras et l'entraîna un peu à l'écart.

— Pourquoi est-ce que tu leur as défendu de consulter leurs messages ? Tu as décrypté l'ordre d'aujourd'hui ?

— Il ne faut pas pleurer, c'est bien ça ? Pour peu qu'on repense au genre d'ordres que le roi a donnés jusqu'à présent, ça tombe sous le sens, déclara Ria d'un ton égal.

— Tu as parlé de ça à quelqu'un ?

— Non.

— Si tu le savais, il fallait le dire ! Est-ce que tu te rends compte du nombre de victimes qu'a fait cet ordre ? s'écria-t-il.

Nobuaki empoigna sa camarade par les épaules et la plaqua contre un mur.

— Ça ne me regarde pas.

— Tu es vraiment une belle garce !

— À quoi bon se mettre en colère ? ou exprimer ses émotions ? Tu peux me l'expliquer en peu de mots ? Si ça a un sens, alors moi aussi je vais m'énerver.

Si Ria n'avait pas été une fille, Nobuaki l'aurait certainement frappée, mais il ne pouvait nier que Chiemi avait eu la vie sauve grâce à sa présence d'esprit.

— Pourquoi est-ce que tu les as rassemblées toutes les trois ? demanda-t-il. Explique-moi !

— Il paraît que certains ont découvert un endroit où un autre jeu du roi s'est produit, autrefois. Je voulais demander plus de détails à Kaori.

— Chiemi et Mami ne sont pas concernées, dans ce cas. Pourquoi est-ce que tu les as appelées, elles aussi ?

Ria plissa les yeux et passa la main dans ses cheveux.

— Tu risques de ne pas apprécier la réponse.

— Je m'en fiche, parle !

La lune perça les nuages. Sa lueur éclaira faiblement le visage de Ria, comme un coup de projecteur.

— Je pense que le roi est soit Chiemi, soit Mami.

— C'est impossible... murmura Nobuaki, choqué.

— Sache qu'il n'y a qu'à Kaori que j'ai défendu de regarder ses messages.

— Chiemi ne peut pas être le roi ! Il y a des limites à la plaisanterie ! s'emporta-t-il alors.

— Qu'est-ce qui te permet d'affirmer une telle chose ?

— On parle de Chiemi, enfin ! C'est impensable qu'elle soit le roi, ça ne tient pas debout !

— En réduisant son champ de vision, on se crée des angles morts. Tu veux que je t'explique pourquoi je pense que c'est elle ?

À cet instant, les portables de Nobuaki et de Ria signalèrent l'arrivée d'un message. Un unique bip se fit entendre de là où se trouvaient Chiemi et les autres.

Nobuaki contempla son écran.

— Tu ne le lis pas ? demanda Ria en le dévisageant.

— Non ! Je n'ai plus envie de les lire… On en est à combien, à ton avis ?

— Si personne ne regarde, celui qui a reçu un gage mourra en vain.

— Au contraire ! C'est pire si sa mort entraîne de nouvelles victimes parce qu'elles auront pleuré en voyant le message !

— Qui sait ? Il souhaite peut-être avoir des compagnons de voyage.

— Ça m'étonnerait.

— Un élève en moins, ça facilite un peu plus la recherche du roi. Même si je persiste à penser que c'est Chiemi ou Mami.

— Si tu dis un mot de plus, je serai sans pitié avec toi, fille ou pas ! lui lança Nobuaki avec un regard noir, le poing serré.

Puis il ferma les yeux et fourra son portable dans une poche de pantalon en murmurant un « pardon » silencieux.

— J'ai quelque chose à te demander. Est-ce que Chiemi a son portable sur elle ?

— Non... Je peux te poser quelques questions à mon tour ? Pourquoi est-ce qu'elle ne l'a pas emporté, à ton avis ?

— Qu'est-ce que j'en sais ? Elle l'a sans doute oublié, tout simplement.

Ria afficha un sourire effronté.

— Deuxième question. Quand on sort, comment faire pour être sûr de ne pas pouvoir consulter ses messages ?

— Ne pas regarder son portable...

— Réponse insuffisante. Troisième question. Est-ce que tu penses que Chiemi pleurerait si elle voyait les messages d'aujourd'hui ?

— Je n'en ai aucune idée ! Ça dépend, j'imagine.

— Quatrième question. Si une pleurnicheuse comme Chiemi ne versait pas de larmes à la vue de ces messages, tu ne trouverais pas ça suspect ?

Nobuaki s'approcha de Ria.

— Non mais qu'est-ce que tu insinues depuis tout à l'heure ?

— Ta réponse ?

— Si elle n'est pas seule, quelqu'un lui montrera les messages ! Elle regardera sur le portable d'un autre !

Même si elle a laissé son téléphone à la maison, elle finira par les voir quand même, non ?

— Tu n'as pas répondu à ma question.

— Oui, je trouverais suspect que Chiemi ne pleure pas en lisant ces messages. Et alors ? Ça suffit à faire d'elle le roi ? Juste parce qu'elle a oublié son portable ?

— Tu as à moitié raison.

— Tu m'énerves, exprime-toi clairement !

— Si Chiemi regardait ses messages devant nous sans pleurer, on la suspecterait d'être le roi. C'est pour éviter ça qu'elle n'a pas emporté son portable.

— C'est tout ? Tu es bête, ou quoi ? fit sèchement Nobuaki. Ça ne tient pas la route. Dans ce cas, il lui aurait suffi de ne pas répondre à ton invitation.

— Exact, répondit Ria avec une parfaite franchise.

— D'autant plus que si l'une d'entre vous recevait un gage, la tragédie aurait lieu sous vos yeux et celle qui ne pleurerait pas serait forcément suspecte. N'importe qui s'en rendrait compte.

— C'est vrai. Tu n'es pas si idiot que ça, finalement… Mais le roi avait une raison d'accepter mon invitation.

— Laquelle ?

— Hier, quelques élèves, dont Kaori, ont découvert un endroit où un jeu du roi a eu lieu par le passé. Je pense que le roi n'avait pas prévu ça. C'est pourquoi j'ai réuni Kaori, qui est au courant du lieu, ainsi que Chiemi et Mami, que je soupçonne toutes deux d'être le roi, en prétextant quelque chose d'important à leur dire. À mon avis, le roi est venu, conscient de s'exposer au danger, car il veut découvrir ce que sait Kaori. J'ai aussi remarqué un détail intéressant, tout à l'heure : quand le message est arrivé, on n'a pas entendu les portables de Chiemi et de Mami.

Nobuaki ne pouvait plus ignorer les paroles de Ria.

Mais que mijote cette fille ?

Elle qui auparavant n'ouvrait quasiment jamais la bouche était devenue d'un coup plus loquace depuis le début du jeu.

« Je souhaite connaître une fin tragique », avait-elle dit.

Cette fille est dangereuse. Il ne faut pas s'approcher d'elle. Le jeu du roi l'amuse, murmurait l'intuition de Nobuaki.

— Normalement, aucun d'entre nous ne partirait sans son portable, pour pouvoir vérifier le message du roi à minuit. Et pourtant, elles ont toutes deux oublié le leur, comme par hasard. Ça m'a fait tiquer. Une seule des deux, j'aurais pu comprendre, mais…

— Elles n'ont pas pu l'oublier toutes les deux. L'une a dû le faire exprès pour ne pas qu'on la soupçonne d'être le roi…

— Exact. Kaori m'a seulement expliqué que quatre élèves, dont elle, savaient où le jeu avait eu lieu. Elle ne m'a pas donné l'emplacement.

— Une seconde ! Tu n'es pas au courant de l'endroit ? Kaori ne te l'a pas dit ?

— Tu le connais, toi ?

— Oui.

— Je n'aurais pas dû empêcher Kaori de regarder ses messages, alors, fit Ria d'un ton à vous glacer le sang.

Si elle était morte sous les yeux de Chiemi et de Mami, j'aurais pu vérifier si elles pleuraient ou non. Comme je croyais que Kaori était la seule au courant du lieu où s'est déroulé l'autre jeu du roi, je me disais que ç'aurait été embêtant qu'elle meure. Voilà pourquoi je l'ai retenue.

— Tu es sérieuse en disant ça ?

— Garde ton sentimentalisme pour plus tard. On ne rigole plus, maintenant. L'ordre d'aujourd'hui peut faire de nombreuses victimes, contrairement aux autres. À mon avis, c'était prévu ainsi depuis le début. Dans quel but, à ton avis ?

— Le but… Tu crois que le roi veut éliminer tous ceux qui sont au courant de l'emplacement, alors ? Il tirerait dans le tas, en quelque sorte…

— Oui. Il cherche à tuer tous ceux qui savent. Les morts ne parlent pas, après tout. De tous ceux qui connaissaient le lieu, Kaori et toi êtes sans doute les deux seuls encore en vie.

Nobuaki repensa à la discussion qu'il avait eue tout à l'heure avec Yôsuke.

Effectivement, il m'a dit que tous ceux qui possédaient cette information, à l'exception de Kaori, étaient morts aujourd'hui.

— Cet endroit doit receler un grave secret que le roi cherche à nous cacher. Tu ne voudrais pas me révéler l'emplacement ? demanda Ria.

— À toi ? Et puis quoi encore ?

— Bon, dommage. Si tu comptes t'y rendre, tu ferais mieux de te dépêcher. Après le carnage d'aujourd'hui, la police ne va pas en rester là, et ils risquent de ne plus nous laisser libres de nos mouvements.

» Un dernier détail : Chiemi et Mami ont toutes deux regardé le premier message du roi sur mon portable. Je le leur ai montré. Elles étaient attristées mais elles n'ont pas pleuré. Désolée de ne pas te l'avoir dit plus tôt.

Est-ce qu'elle voulait les tuer, en faisant ça ?

Nobuaki se demanda sérieusement s'il n'allait pas finir par se servir du jeu du roi pour tuer Ria.

— Tu vas me rendre fou !

— Ah oui ? Moi, je t'aime bien. J'ai une dernière question pour toi : si c'était Chiemi le roi, qu'est-ce que tu ferais ?

— Si j'étais vraiment persuadé que c'était elle… je la châtierais de mes propres mains. Ensuite… je m'infligerais le même sort. Ce serait mon rôle en tant que petit ami, la dernière faveur que je pourrais lui accorder.

— Tu la tuerais et tu la suivrais dans la mort, alors ?

Il acquiesça avec résolution.

— Toi et moi ne sommes sans doute pas faits pour nous entendre.

Nobuaki lança un regard cinglant à Ria puis s'éloigna d'elle.

Les autres se tenaient un peu à l'écart, devant un distributeur de boissons.

— Désolé de vous avoir fait attendre.

— Vous avez mis le temps, de quoi est-ce que vous parliez ? demanda Chiemi d'un air boudeur.

— De choses et d'autres.

Nobuaki jeta un coup d'œil à Kaori. Elle tenait son portable à la main.

Il le lui confisqua alors promptement et le cacha dans son dos.

— Non mais qu'est-ce qui te prend ? Rends-le-moi !

— Tout de suite, mais j'aimerais que tu me promettes une chose d'abord : surtout, ne regarde pas tes messages et ne contacte personne de toute la journée. Même si le téléphone sonne, ne décroche pas.

Les trois filles ignoraient encore le grand nombre de victimes du roi ce jour-là et ne savaient pas que Yôsuke en faisait partie.

Tôt ou tard, elles devraient apprendre la dure vérité, mais cela pouvait attendre la fin de l'ordre.

— Donne-moi une raison ! Ria aussi m'a ordonné de ne pas consulter mes textos.

— Je t'expliquerai les détails demain.

— Je ne peux pas me satisfaire d'une explication pareille ! déclara quant à elle Mami, les bras croisés et le visage empreint de méfiance.

Des sirènes de voitures de police et d'ambulances résonnèrent dans le lointain. Transportaient-elles un de leurs camarades morts aujourd'hui ?

Avec autant de victimes, la réaction de la police risque d'être différente, maintenant. Qu'est-ce qui va se passer ? La situation va sans doute évoluer radicalement.

Nobuaki avait pris sa décision.

— Je te donnerai la raison demain, Mami. Alors

s'il te plaît, tu veux bien suivre mon conseil sans poser de questions ?

— Je ne vais même pas insister, tellement c'est idiot ! Toi aussi, Kaori, laisse tomber.

Mami saisit la jeune fille par le bras pour l'entraîner avec elle.

— Attends ! Nobuaki a toujours mon portable. Allez, dépêche-toi de me le rendre ! fit Kaori en tendant la main vers le garçon.

— Tu vas regarder tes messages, avoue !

— Oui, parce que je n'ai pas confiance en toi.

— Ah non ?

— Allez, rends-le-moi !

— D'accord. Juste une seconde…

Nobuaki lui tourna le dos pour consulter les textos contenus dans le téléphone.

— Qu'est-ce que tu fais ? s'écria la jeune fille. Arrête !

Il lui rendit son portable après avoir effacé tous les SMS qu'elle avait reçus dans la journée.

— Non mais ça ne va pas ?

Kaori gifla Nobuaki avec une telle violence qu'il vacilla, la claque résonnant aux alentours.

— Je sais que c'est mal, mais essaie de comprendre, reprit-il après avoir recouvré ses esprits. Tu ne dois voir ces messages sous aucun prétexte.

— Ce n'est pas une raison pour employer des méthodes pareilles !

— Tant pis si tu me détestes, pourvu que tu ne regardes pas les messages…

Kaori... J'ai fait une promesse à Yôsuke. Si tu apprenais sa mort, tu...

Furieuse, Mami se précipita sur Nobuaki.

— Tu es vraiment dégueulasse !

— Si tu veux. Mais surtout ne lis pas tes messages.

— Je vais te révéler la vraie raison pour laquelle je ne te fais pas confiance !

— La vraie raison ?

— Je te soupçonne d'être le roi ! Et je ne suis pas la seule à penser ça, beaucoup sont du même avis. C'est toi le suspect numéro un, en ce moment !

— Moi ? Pourquoi ? fit le garçon, qui n'en revenait pas.

— Qui, le premier, a suggéré que le jeu du roi était réel ? Tu le savais depuis le début, pas vrai ?

— C'est complètement faux !

— Alors je te le demande, qui a poussé Kana au suicide par des méthodes douteuses ? Pourquoi est-ce qu'Akira a reçu le gage qui t'était destiné ? Qui a causé la mort de Nami ?

— Ce n'est pas ce que tu crois...

Nobuaki secoua faiblement la tête et recula sous les assauts de sa camarade.

— En fait, tu as demandé à Nami de devenir l'être qui t'était cher ! Et peut-être que pour sauver ta peau, tu as tué cette pauvre aveugle sans défense en faisant passer sa mort pour un suicide. C'est pour ça que tu la cherchais si désespérément.

Nobuaki se sentit comme frappé en plein cœur. Un poids énorme semblait lui écraser l'abdomen. Il se figea sur place, hébété.

Tu te trompes complètement à propos de Nami. Si j'étais le roi, je ne me soucierais pas de ce genre de détail, non ? Est-ce que tu as une idée de la peine que j'ai éprouvée ? J'ai vu je ne sais combien de mes amis mourir et je n'ai même pas le droit de pleurer. Tu cherches à me faire souffrir encore plus ? Je t'en prie, dis-moi que tu plaisantes !

Nobuaki tenta de parler, mais aucun son ne sortit de sa bouche.

Dans la tempête de paranoïa où étaient pris ses camarades de classe, les soupçons entraînaient d'autres soupçons, et la vérité se déformait à la façon d'un jeu de téléphone arabe.

Ria pensait que Chiemi ou Mami était le roi. Mami soupçonnait Nobuaki qui, la conscience troublée, commença à se demander s'il n'était pas bel et bien le coupable.

Un claquement retentissant fit revenir à la réalité le garçon perdu dans ses pensées. Il releva la tête et se tourna dans la direction d'où provenait le bruit.

Mami se tenait la joue… Chiemi, qui l'avait giflée, s'écria, avec une force dont personne ne l'aurait crue capable en temps normal :

— Tu te trompes complètement ! Nobuaki n'est pas le roi ! Est-ce que tu as la moindre idée de la peine qu'il a éprouvée jusqu'à maintenant ?

— Tu as un sacré culot de me frapper ! Non, je n'en sais rien !

— Ça ne t'empêche pas de dire n'importe quoi, on dirait ! Et tu as tort pour Nami aussi. Celle que Nobuaki a perdue ce jour-là… et qui a sauvé Naoya, c'était, c'était…

Les sentiments tumultueux accumulés par Chiemi se déversèrent d'un coup, en même temps que son cri de colère. À un certain moment, sa voix se fit larmoyante. La fille douce et paisible que les autres connaissaient avait changé du tout au tout.

Nobuaki ne l'avait jamais vue dans un état pareil.

Bien sûr, elle s'était déjà mise en colère devant lui, mais son expression, sa voix et la tension qui se dégageait d'elle actuellement étaient complètement différentes de l'ordinaire.

— Elle va se mettre à pleurer ?

Nobuaki attira Chiemi à lui, l'enlaça et lui caressa le dos.

— Ne t'en fais pas pour moi, je vais bien, alors détends-toi. Ne t'énerve pas, je t'en prie.

— Mais elle t'accuse d'avoir tué tout le monde ! Je ne peux pas rester sans rien dire !

Chiemi martela la poitrine de Nobuaki d'un air dépité. Elle semblait sur le point de verser des larmes de regret.

Sa moue, ses paroles, ses gestes tendres et son âme angélique firent fondre le cœur de Nobuaki. Il ressentit à nouveau toute l'importance qu'elle avait à ses yeux.

— Ne t'inquiète pas. Ça ne me dérange pas, je t'assure. Regarde !

Nobuaki fléchit les jambes, mettant son regard au niveau de celui de Chiemi, et lui sourit.

— Tant que tu crois en moi, je me fiche de ce que les autres me disent.

— Vraiment ?

La jeune fille enfouit son visage dans le torse de Nobuaki. Elle devait être véritablement irritée car ses épaules tremblaient.

Il la serra de nouveau dans ses bras, comme s'il cherchait à envelopper doucement son âme délicate.

— N'importe quoi ! Allez-y, vous n'avez qu'à vous consoler, ça va suffire à tout arranger ! lança Mami avec fiel en disparaissant dans les ténèbres de la nuit avec Kaori.

— Je vous en prie, surtout ne pleurez pas ! s'écria Nobuaki. C'est tout ce que je vous demande !

Mami et Kaori ne prêtèrent pas attention à ce dernier souhait et furent bien vite hors de vue.

— Chiemi, on rentre, nous aussi ?

— D'accord.

Nobuaki raccompagna la jeune fille chez elle.

— Merci de m'avoir soutenu. Je ne t'avais jamais vue dans une fureur pareille.

— Je me suis emportée... Oublie ce qui s'est passé, ça me gêne.

Elle devint rouge comme une pivoine et se couvrit le visage des mains, l'air embarrassé.

— Tu n'as pas à avoir honte ! Ça m'a vraiment fait plaisir.

— Moi-même, je n'ai pas compris ce qui s'est passé, d'un coup j'ai...

— Quand on t'énerve pour de bon, tu es terrifiante !

— Arrête de te moquer de moi !

Depuis combien de jours n'avaient-ils pas ri de bon cœur ?

Chiemi, ne change pas...

Nobuaki, ne change pas...

— J'aimerais que tu m'apportes ton portable, pour que j'efface les messages d'aujourd'hui, dit Nobuaki une fois devant la maison de Chiemi, qui acquiesça et entra chez elle.

La fenêtre de sa chambre, située à l'étage, s'illumina brièvement. Cependant, la jeune fille tardait à redescendre. Il s'écoula environ cinq minutes avant qu'enfin la lumière du perron ne s'allume et que Chiemi ne revienne au pas de course. Outre son téléphone, elle avait aussi apporté des pansements, de la gaze, des bandages et du désinfectant.

— Montre-moi tes bras, tes jambes et ton front !

— Oh, j'avais complètement oublié mes blessures.

— Tu plaisantes ? Allez, dépêche-toi de tendre ton bras.

Elle appliqua de l'antiseptique sur les plaies de Nobuaki, y posa de la gaze et y enroula des bandages, puis colla des pansements sur ses petites contusions aux doigts.

— Ça pique !

— C'est bientôt fini.

— Tu es aussi nulle pour panser des blessures que

pour faire la cuisine !

— Quoi ? C'est comme ça que tu me remercies d'avoir la gentillesse de m'occuper de toi ? Tu veux que j'enlève les bandages ?

— Je plaisante ! Merci, je ne sais pas ce que je deviendrais sans toi ! La douleur a disparu.

— Ah, quand même ! Tant mieux, alors.

— C'est quoi, ce sourire niais ? Il en faut peu pour te faire plaisir.

— C'est que je suis quelqu'un de simple.

— Je sais. Bon, les messages, maintenant. Passe-moi ton portable, s'il te plaît.

Nobuaki effaça tous les SMS que Chiemi avait reçus dans la journée.

— Je sais que c'est énervant, mais ne regarde surtout pas tes prochains textos, et ne contacte personne d'autre que Naoya ou moi. Si tu sens que tu vas te mettre à pleurer, appelle-moi tout de suite. Compris ?

— Cinq sur cinq, acquiesça Chiemi en souriant.

À cet instant, son téléphone sonna. C'était Naoya.

— Pff… Il essaie de te joindre depuis tout à l'heure. Je peux répondre ?

Chiemi passa le téléphone à Nobuaki.

— J'arrive enfin à t'avoir ! s'écria Naoya. Qu'est-ce que tu faisais pendant tout ce temps ?

— C'est moi. Nobuaki.

— No… Nobuaki ? Tu as retrouvé Chiemi ?

— Oui, depuis peu. Tout va bien, maintenant.

— Je vois. Tant mieux !

— Je vais rentrer tout de suite, j'ai une affaire urgente à régler.

— Qu'est-ce qui presse tant que ça ? Tu ne devrais pas rester auprès d'elle ?

— Non, je dois faire vite. Et j'aurais besoin de ton aide. Je t'expliquerai en détail à mon retour.

En dépit de son inquiétude pour Chiemi, Nobuaki n'avait pas le choix.

Il devait se rendre au village de Yonaki, aux confins des montagnes du Chûgoku, dans la préfecture de Hiroshima, là où le jeu du roi s'était déjà produit.

Il devait aussi retrouver les lettres des messages non envoyés qui restaient sur les portables.

Il comptait se rendre à Yonaki par le premier train de la journée et confier la recherche des messages à Naoya.

Je trouverai la clé de l'énigme du jeu du roi, je le jure !

Nobuaki arriva chez lui à trois heures et demie du matin.

Naoya dormait, allongé dans un coin de sa chambre. Il devait être à bout de forces, aussi bien physiquement que mentalement. Nobuaki voulut le laisser se reposer un peu plus longtemps.

Il se dirigea donc vers son étagère à pas de loup pour ne pas le réveiller, et chercha sa carte du Japon.

Sa maison était située sur la péninsule d'Izu, dans la préfecture de Shizuoka. À vol d'oiseau, il se trouvait à huit cents kilomètres de Hiroshima. En recherchant son itinéraire sur Internet, il calcula qu'il lui faudrait plus de neuf heures pour atteindre la gare la plus proche de la frontière entre les préfectures de Hiroshima et de Tottori, où était censé se trouver le village de Yonaki.

Même s'il partait avec le premier train, il n'arriverait pas avant trois heures de l'après-midi, et il lui faudrait sans doute encore plusieurs heures avant de rejoindre Yonaki.

Il effectua ensuite une recherche sur le village, à tout hasard.

*Le nom du village de Yonaki vient des bêtes sauvages qui crient (*naki*) à la nuit tombée (*yo*).*
Le village de Yonaki n'existe plus.

Des fauves qui rugissent dans la nuit ? Il ne manquait plus que ça. Il fera nuit quand j'arriverai, et je m'effraie d'un rien.

Le moteur de recherche ne lui ramena pas d'autre résultat, par conséquent il ne put découvrir ce qui lui importait le plus : l'emplacement exact du village. Tout ce qu'il avait appris, c'était que le hameau avait existé par le passé.

Il se dit qu'il n'aurait pas d'autre choix que de se rendre dans les bourgs environnants et de poser des questions à la ronde.

— Qu'est-ce que tu regardes ?

— Aah, tu m'as fait sursauter ! Désolé si je t'ai réveillé. Je cherchais des infos sur l'endroit où s'est déroulé un jeu du roi, autrefois.

— Il y en a eu d'autres par le passé ?

Nobuaki exposa à Naoya ce qu'il savait sur Yonaki.

— Je pense que ce village renferme la clé de l'énigme. J'irai tout seul, et pendant ce temps, j'aimerais que tu rassembles les lettres des messages non envoyés. Avant Ria, car elle doit les chercher aussi. Je sais que je t'en demande beaucoup, déclara-t-il en regardant son ami dans les yeux. Si c'est trop, tu peux refuser.

— Quelqu'un doit s'en charger. Je le ferai.

— Merci. Il n'y a pas un instant à perdre. Je n'ai pas la moindre idée des ordres que le roi nous prépare.

C'est alors que leurs portables signalèrent en même temps l'arrivée d'un texto.

— Ce n'est quand même pas…

Pour retrouver les messages non envoyés, ils devaient d'abord savoir quels camarades avaient reçu des gages. Nobuaki ferma les yeux et prit une profonde inspiration avant de lire le SMS.

Jeu. 29/10, 03:42. Expéditeur : Roi. Titre : Jeu du roi.
Message : Élève n° 16, Mami Shirokawa.
Condamnée à la mort par décapitation pour avoir failli à exécuter les ordres du roi. END.

— C'est pas vrai… Elle a regardé ses textos ?

Son portable l'avertit d'un appel. C'était Mami.

Nobuaki hésita à décrocher. Il se sentait coupable vis-à-vis d'elle, rongé par le remords de ne pas avoir pu l'empêcher de consulter ses messages.

Quoi qu'il en soit, je dois m'excuser.

Il prit l'appel.

— Annule tout de suite mon gage ! hurla Mami, éperdue.

Nobuaki eut beau lui présenter ses excuses, elle ne semblait pas les entendre.

— Je ne vois pas qui ça pourrait être d'autre que toi ! Tu m'as condamnée par rancune…

La voix de Mami s'interrompit net. Nobuaki entendit un bruit similaire à celui d'un grand couteau tranchant un poisson posé sur une planche à découper, suivi juste après de celui d'une boule difforme qui roulerait au sol.

Du sang frais jaillit de son cou. Son portable tombe dans un bruit sec. Elle s'écroule…

Il pouvait imaginer en détail ce qui était arrivé à Mami à partir des sons qui s'échappaient du combiné, et il comprit qu'elle était morte.

Cependant, il avait encore des choses importantes à lui dire, aussi continua-t-il la discussion dans sa tête.

C'était dur, quand tu m'as accusé d'être le roi. Mais je ne t'en veux pas, parce que je peux comprendre tes raisons.

Si les rôles avaient été inversés, j'aurais peut-être tiré les mêmes conclusions. Je vis par le sacrifice de nombre de mes camarades, c'est normal qu'on me soupçonne.

On ne tient pas compte de ce que dit quelqu'un dont on se méfie. On ne peut pas lui faire confiance. Je regrette amèrement que Naoya ne t'ait pas déconseillé de regarder tes messages à ma place.

Tout à l'heure, j'étais tellement occupé à essayer d'aider tout le monde et à passer des coups de téléphone que je n'ai même pas pu offrir de paroles de réconfort à mes amis aux portes de la mort. Mais honnêtement, je ne savais pas quoi leur dire.

Je ne cherchais qu'à trouver la raison pour laquelle ils recevaient des gages. Je voulais juste sauver le plus de camarades possible.

Est-ce que j'avais tort ? Est-ce que j'ai été trop froid ? Je manquais de temps, même si ce n'est pas une excuse.

Qu'est-ce que tu aurais fait à ma place, Mami ? Est-ce que tu aurais parlé à ceux qui allaient mourir plutôt que de chercher la cause des gages ? Ou bien est-ce que, comme moi, tu aurais essayé de sauver le plus grand nombre de vies ?

Une dernière chose : on avait beau se disputer souvent, on était amis, non ? Je voudrais seulement que tu saches ceci : je ne t'aurais jamais tuée, même si j'avais été le roi, parce qu'on était amis.

Repose en paix, Mami.

— Pardon, dit Nobuaki, alors que plus personne n'écoutait, avant de raccrocher.

Il crut entendre Mami lui répondre :

— C'est bien de douter, mais on ne peut sauver personne avec des demi-mesures.

Il vérifia le message arrivé au cours de sa discussion avec Ria. Le texto annonçait le gage destiné à Yoshifumi Matsushima, un jeune garçon plutôt effacé qui ne prenait jamais parti.

À présent, vingt et un élèves sur trente-deux étaient morts, alors que dix jours plus tôt, tous menaient des vies banales mais heureuses de lycéens.

Les garçons avaient beau vouloir se démarquer des autres, ils se contentaient de porter leur pantalon d'uniforme à taille basse et de laisser leur chemise sortie pour suivre la mode.

Les filles, quant à elles, accordaient un soin extrême à leur coiffure, raccourcissaient leur jolie jupe à pois et affublaient leur sac à main d'accessoires, tout en discutant joyeusement de leurs histoires de cœur.

Certains cherchaient bien à sortir du moule, mais cela avait un côté attendrissant. Tous tuaient le temps dans une atmosphère policée et protégée. Jusqu'à dix jours plus tôt…

Il ne restait désormais plus que onze d'entre eux.

Nobuaki tira un sac à dos de son placard, y fourra sa carte du Japon et sa lampe torche, puis glissa toute sa fortune dans son portefeuille. Enfin, il écrivit une note qu'il tendit à Naoya.

Shingo (I)
Toshiyuki A.
Satomi (Ria)
Hirofumi ( )
Yûko ( )
Ria
Maki (D)
Yôsuke ( )
Kana (Ria)
Motoki (A)
Akira (Ria)
Nobuaki
Yûsuke K. ( )
Chia
Akemi ( )
Mami ( )
Daisuke (O)
Hideki (Ria)
Minako
Misaki ( )
Naoya
Nami (N)
Toshiyuki F.
Chiemi
Yoshifumi ( )
Masami
Kaori
Yûsuke M. ( )
Emi ( )
Shôta ( )
Hiroko ( )
Keita

Il avait ajouté des parenthèses à la suite des noms de tous les élèves déjà morts, inscrivant à l'intérieur la lettre de leur message non envoyé s'il la connaissait, ou bien « Ria » si seule la jeune fille était au courant.

— Ils sont si nombreux... fit Naoya en baissant la tête après avoir lu la note.

— Oui. Il est un peu tôt, mais j'y vais.

Nobuaki enfila son sac à dos et quitta la pièce en donnant une tape dans le dos de Naoya, comme pour s'encourager lui-même.

8 morts, 11 survivants.

Village de Yonaki – Jeu. 29/10, 04:44

Nobuaki atteignit la gare dans le demi-jour de la brume matinale.

Le quartier, habituellement animé et très fréquenté, était presque désert à cette heure-là. Seul un vieil homme promenait son chien.

Quatre corbeaux d'un noir d'ébène volaient au-dessus du rond-point devant la gare. Ils descendaient de temps à autre picorer des sacs-poubelles de leurs longs becs en croassant.

Ils étaient depuis longtemps considérés comme les messagers des dieux de Kumano, une région dont les montagnes étaient vénérées dans de nombreux sanctuaires shintô, et leurs cris étaient de mauvais augure. Si un cadavre avait été étendu là, ces oiseaux, omnivores, se seraient rués sur lui comme des flèches.

La grille métallique était encore baissée à l'entrée de la gare, en interdisant l'accès. Nobuaki s'assit donc sur les escaliers de la passerelle qui enjambait la route, et attendit.

Il sortit la carte du Japon de son sac à dos et l'observa, les yeux dans le vague, tandis qu'à l'est le ciel se teintait graduellement de pourpre puis se mit à briller faiblement, comme une chandelle qu'on allume. Alors que le garçon contemplait l'aube, fasciné par sa beauté, il entendit le rideau métallique s'ouvrir avec fracas.

Il rangea la carte dans son sac et se dirigea vers la gare.

— Bonjour.

Au guichet, Nobuaki annonça le nom de sa destination. L'employé de gare tapa les lettres sur son ordinateur et un billet en sortit.

— Voilà. Tout de même, Hiroshima, c'est drôlement loin d'ici. Tu es au lycée, non ? Tu n'as pas cours aujourd'hui ?

— Si, mais j'ai une affaire très importante à régler, alors j'ai pris un jour de vacances, répondit Nobuaki en sortant de l'argent de son portefeuille.

— Je vois. Sois prudent.

— Je ferai attention. Merci beaucoup.

L'employé le regarda partir en souriant.

— « Sois prudent » ? Il ne croit pas si bien dire...

Ne possédant que très peu d'informations sur le village de Yonaki, le jeune homme n'avait aucune idée du genre d'endroit sur lequel il allait tomber.

Pourquoi est-ce que ce village a disparu ? Est-ce que les villageois seraient tous morts ?

Gagné par l'effroi, il ressentit au bas de la nuque un frisson qui se propagea à tout son corps.

Alors qu'il se tenait sur le quai, on annonça l'arrivée du premier train de la journée qui, quelques secondes plus tard, entra en gare dans un grondement assourdissant. Un bruit de freins semblable à des ongles sur un tableau noir lui vrilla les tympans.

Les portes du convoi s'ouvrirent : il ne transportait aucun passager.

Nobuaki s'assit sur une banquette deux places située près de la porte. On n'entendait aucune conversation dans ce wagon pourtant très animé d'habitude. Le garçon se sentit de plus en plus seul.

On annonça le départ et le train démarra lentement.

Jusqu'où cette histoire va-t-elle m'entraîner ?

Bringuebalé sur les rails, Nobuaki contemplait le paysage avec des yeux mornes et injectés de sang. La ville défilait à travers la vitre à une vitesse étourdissante.

À chaque fois qu'une habitation disparaissait de son champ de vision, une nouvelle la remplaçait aussitôt. Les bâtiments se succédaient à un rythme effréné.

En ce moment, c'étaient les amis de Nobuaki qui mouraient à un rythme effréné. Dès que l'un disparaissait, un autre suivait peu après, exactement comme le paysage sous ses yeux.

Une voie ferrée avait un terminus. Le jeu du roi en avait-il un ? Et dans ce cas… où se trouvait-il ?

Soudain, Nobuaki fut saisi d'un doute.

Yôsuke, tu ne me soupçonnais pas d'être le roi ? Kaori devait sûrement me suspecter. Est-ce qu'elle ne t'en a pas parlé ? Si vous recherchiez le roi, vous avez bien dû aborder le sujet.

Pourquoi était-ce à Nobuaki que Yôsuke avait appris l'existence du village de Yonaki ? Il avait d'autres camarades encore en vie. Quitte à en parler à quelqu'un, il était évidemment préférable que ce soit une personne de confiance.

Yôsuke avait-il mis Nobuaki au courant parce qu'il le soupçonnait d'être le roi ?

Et si oui, dans quel but ?

Je dois être un peu tordu pour me méfier de tout le monde comme ça.

Yôsuke lui avait communiqué ces informations au péril de sa vie et, dans son dernier souffle, l'avait imploré de protéger Kaori.

Et dire que je le trahis... Je suis méprisable.

Une fois, Chiemi lui avait expliqué qu'il était facile de douter mais difficile de faire confiance.

Je vais choisir de croire que Yôsuke m'a confié son dernier espoir parce qu'il me pensait capable de mettre un terme au jeu du roi.

Nobuaki sortit son portable de sa poche et en essuya soigneusement l'écran, souillé de boue et de sang, sur la manche de sa chemise avant de relire ses messages.

— Combien est-ce que j'ai bien pu en recevoir ?

Son téléphone en mode silencieux se mit à vibrer : un appel de sa mère.

Elle devait certainement être en colère de l'avoir trouvé absent, ce matin-là au réveil.

J'aurais au moins dû lui laisser un mot.

Nobuaki se sentait légèrement coupable.

Désolé, maman. Je ne peux plus faire demi-tour. Pardonne mon égoïsme.

Il ne prit pas la communication.

Une annonce résonna dans le wagon : « *Prochain arrêt : Mishima, Mishima. Les correspondances pour le Shinkansen…* »

Nobuaki descendit du train et se hâta vers les quais du Shinkansen. Devant les portillons de correspondance pour le train à grande vitesse, il reçut un appel de Naoya.

— Qu'est-ce qu'il y a ? Je m'apprête à prendre le Shinkansen. Il s'est passé quelque chose ?

— Le lycée a appelé à la maison, ce matin, répondit son ami entre deux halètements. Ils m'ont interdit de sortir de chez moi. On n'a pas le droit d'aller au lycée non plus.

— Ils ont fermé l'établissement ? Forcément, ils veulent empêcher les joueurs de se voir.

— Oui, la police fait le tour des élèves pour leur poser des questions. Ils sont aussi passés chez moi, tout à l'heure.

— Qu'est-ce qu'ils t'ont demandé ?

— Ce que je faisais la nuit dernière. Ils m'ont aussi interrogé sur le jeu du roi. Ils connaissaient la situation dans tous ses détails, alors j'imagine que quelqu'un leur a tout raconté. Tu crois qu'ils soupçonnent le coupable de se trouver parmi nous ?

— Je ne pense pas. Il n'y a que des morts inexpliquées. Et puis, normalement, on ne pourrait pas tuer autant de monde en si peu de temps. La police n'est pas bête.

Tout se passait comme Ria l'avait prédit. Leurs craintes étaient devenues réalité.

En regardant le panneau d'affichage, Nobuaki vit que le départ de son train approchait. Il raccrocha alors et se précipita vers le quai, grimpant dans le Shinkansen juste avant qu'il ne démarre.

Épuisé, il plongea dans un profond sommeil dès qu'il se fut assis sur son siège.

Il descendit à la gare de Hiroshima et continua le voyage pendant trois heures sur une ligne locale, avant d'atteindre sa destination à 15 heures passées.

Il commença par se rendre à la mairie : tout le secteur environnant, Yonaki inclus, faisait désormais partie de la même commune.

Il trouva ce qu'il cherchait.

« Le village de Yonaki se trouvait autrefois sur le flanc du mont Yakura, au fond des montagnes du Chûgoku. Un chemin de montagne situé derrière le col de Yakura y mène. C'était un hameau isolé qui fut abandonné en 1977, pour des raisons inconnues », expliquait le livre d'histoire de la ville trouvé à la mairie.

Le village a été abandonné il y a trente-deux ans. Bien sûr, les portables n'existaient même pas, à cette époque-là. Et un jeu du roi a quand même eu lieu ?

Nobuaki se rendit en bus jusqu'à l'entrée du col de Yakura, mais il n'avait aucun moyen d'aller plus loin, c'était le terminus.

Compte tenu du prix du train de retour, il ne pouvait pas se permettre de prendre un taxi. Et à en croire le plan, franchir la passe à pied lui prendrait sans doute une journée entière.

Nobuaki décida de faire de l'auto-stop à l'entrée du col, espérant tomber sur un chauffeur qui soit familier de la topographie locale. Vingt minutes plus tard, un camion s'arrêta.

Le conducteur affirma connaître le chemin qui menait à Yonaki, aussi le jeune garçon le pria-t-il de l'emmener.

— D'accord. Je veux bien te déposer à l'entrée du sentier.

— Merci beaucoup, vous me rendez un fier service.

Nobuaki grimpa sur le siège passager.

— Petit, qu'est-ce que tu vas faire dans un endroit pareil ?

— J'ai une affaire à régler...

— Une affaire ? Même les habitants du coin ne s'approchent pas de ce lieu, tellement il est sinistre.

— Ah, vraiment ?

— Le mont Yakura est grand, tu sais. On raconte souvent que des cadavres y sont abandonnés.

Une heure plus tard, le conducteur alluma ses feux de détresse et s'arrêta sur le bord de la route.

— Le chemin commence là-bas, tu le vois ? Bon, sois prudent, quand même, je me sens un peu responsable.

— Ne vous inquiétez pas pour moi. Merci beaucoup.

Une fois descendu du camion, Nobuaki enfila son sac à dos puis en empoigna fermement les bretelles.

Il était déjà plus de 19 h 30.

L'entrée du sentier était recouverte de blocs de béton d'environ trente centimètres de longueur sur soixante de largeur qui formaient un gigantesque mur repoussant tous les intrus. « N'avance pas plus loin », semblait-il dire.

Les blocs de béton devaient être gris, à l'origine, mais après des années d'exposition aux intempéries, ils avaient pris une coloration plus foncée et s'étaient recouverts de mousse et de lierre, comme s'ils avaient moisi.

Nobuaki trouva dans un recoin du mur un trou juste assez large pour laisser passer un individu, et parvint à le franchir à force de contorsions.

De l'autre côté, un monde totalement différent l'attendait.

L'atmosphère avait changé du tout au tout, et Nobuaki eut soudain la chair de poule, doublée de sueurs froides. Son rythme cardiaque s'accéléra et son corps devint lourd comme s'il portait un petit enfant sur le dos.

Tous les bruits qu'il avait entendus jusque-là avaient cessé : le vrombissement des voitures, les piaillements des oiseaux, les crissements des insectes. Le monde était devenu aphone. Seuls les battements de son cœur résonnaient à son oreille.

Il eut brusquement l'impression que ses pieds allaient s'enfoncer dans la terre et frissonna en repensant aux paroles du conducteur :

« *On raconte souvent que des cadavres y sont abandonnés.* »

La route pavée qui s'ouvrait devant lui semblait assez large pour laisser passer un véhicule, mais l'asphalte était parsemé de fissures d'où s'échappaient des herbes folles.

Un enchevêtrement d'arbres et d'herbes plus hautes que Nobuaki poussait des deux côtés de la route, envahie par les branches – il restait tout juste assez de place pour qu'un homme puisse se frayer un chemin.

Tout, en ce lieu, rejetait les intrus, jusqu'à la végétation elle-même.

Nobuaki s'engagea dans cet autre monde.

Un peu plus loin se trouvaient les restes d'un miroir convexe destiné à éviter les angles morts, mais, la glace ayant complètement disparu, il ne demeurait plus qu'un poteau métallique. À chaque tournant se dressait un autre poteau au miroir manquant.

Au fur et à mesure que Nobuaki s'enfonçait plus avant, les ténèbres, déjà profondes, semblaient s'intensifier. Il eut la brusque sensation d'être aspiré dans une obscurité sans fin.

Soudain, il s'arrêta : un bras humain sortait d'une fissure dans le bitume et faisait signe à Nobuaki d'avancer.

Le garçon était paralysé, incapable de s'enfuir ni même de crier.

Mais à bien y regarder, le bras n'était qu'une mauvaise herbe des plus ordinaires. Nobuaki poussa un soupir de soulagement. Cependant, la vision lui rappela une nouvelle fois les mots du conducteur : *« On raconte souvent que des cadavres y sont abandonnés. »*

Il secoua la tête pour chasser cette sinistre pensée, puis poursuivit son chemin.

Après environ deux heures de marche, il aperçut devant lui plusieurs habitations.

Il y avait vraiment un hameau au fin fond de cette montagne.

À cet instant, la lune, comme mue par quelque volonté supérieure, se cacha derrière les nuages, privant la Terre de sa lueur.

Le champ de vision de Nobuaki se limitait désormais au rayon de sa lampe torche. Même vus de loin, les trois bâtiments ne semblaient pas habitables.

Nobuaki s'en approcha avec crainte et les éclaira : d'anciennes fermes, sans doute. Dans un endroit aussi isolé, les villageois devaient vivre en quasi-autarcie alimentaire.

Les maisons avaient des toits de chaume et des murs en torchis, leurs vitres à carreaux étaient brisées, leurs parois érodées tombaient en morceaux. Le garçon donna un léger coup de pied dans une cloison, qui s'effrita.

Il éclaira l'intérieur d'une demeure à travers une fenêtre cassée.

Était-ce une cuisine ? Il apercevait un évier et un vaisselier, mais le meuble ne contenait presque rien.

En orientant le faisceau lumineux vers le bas, il vit des éclats de vaisselle éparpillés sur le sol, ainsi qu'une faux et une houe posées négligemment par terre.

Quelque chose réfléchit la lumière de la lampe torche. Nobuaki décala un peu l'éclairage pour identifier une lame de couteau qui reluisait.

Alors qu'il n'avait rien entendu depuis un moment, le vent se leva d'un coup et le bruissement des arbres devint assourdissant. Nobuaki, rongé par l'angoisse, promena le faisceau de sa lampe alentour.

Les malédictions et les maléfices n'existent pas, ce ne sont que des superstitions. Il n'y a pas de cadavres, ici.

Il s'efforça de penser à autre chose. S'enfonçant plus avant, il aperçut encore d'autres habitations, toutes bâties sur le même modèle et si délabrées qu'on comprenait au premier coup d'œil qu'elles étaient abandonnées depuis plusieurs dizaines d'années.

L'une d'elles attirait tout de suite l'attention : par sa taille, elle se distinguait nettement des autres. Il s'agissait d'un bâtiment en béton à un étage. Peut-être avait-il servi de salle communale ?

Nobuaki s'approcha. Au milieu de la façade noircie, recouverte de lierre, se découpait une double porte dont les poignées étaient enserrées de plusieurs épaisseurs de fil de fer afin d'en empêcher l'ouverture.

Entrée interdite, alors ?

Il observa les environs du bâtiment. Sur le mur latéral se trouvait une fenêtre assez grande pour qu'un homme puisse passer.

Il lança un caillou de bonne taille contre la vitre, qui se brisa dans un craquement tonitruant. Nobuaki cassa les morceaux de verre qui restaient sur le rebord avec une pierre et les ôta avant de pénétrer dans l'édifice.

Des effluves étranges et violents lui assaillirent les narines, et il se masqua instinctivement le nez et la bouche de sa main.

Bois pourri, moisissure, peau brûlée et chair en décomposition... Divers relents de putréfaction se mêlaient en une pestilence insoutenable, provoquant un haut-le-cœur à Nobuaki qui parvint à se retenir de justesse.

Le taux d'humidité devait être élevé dans le bâtiment car l'atmosphère y était extrêmement moite. Une sueur glacée suintait par tous les pores de la peau du garçon.

Avec sa manche de chemise, il essuya la transpiration qui perlait à son cou. En revanche, il avait la bouche sèche et les lèvres craquelées. Les battements de son cœur s'accélérèrent.

Le silence et l'obscurité régnaient à l'intérieur de l'édifice. Privé de sa vue aussi bien que de son ouïe, Nobuaki ne pouvait compter que sur son odorat, qui fonctionnait à plein régime. Il ressentait aussi une violente douleur, comme si, ayant sombré au fond de l'océan, tout son corps était broyé par la pression de l'eau.

Son sixième sens, celui qui l'avertissait du danger, lui dictait de faire demi-tour. Nobuaki tourna la tête sur les côtés par petits à-coups, éclairant la pièce avec sa lampe torche.

Trois bureaux rectangulaires en bois y étaient alignés, ce devait être une salle d'accueil.

Les tatamis étaient pourris, les rideaux accrochés aux fenêtres en lambeaux.

Que s'est-il passé ici, il y a trente-deux ans ? Est-ce que ce village n'a souffert aucune intrusion depuis ?

Il fit un pas en avant. Le tatami sur lequel il posa le pied s'enfonça en crissant.

Quelque part, des gouttes d'eau tombaient à un rythme régulier. De la pluie s'était-elle accumulée, ou bien le clapotis provenait-il d'un robinet ? Y avait-il encore de l'eau courante dans le bâtiment ?

Nobuaki s'avança dans la salle d'accueil, qui donnait sur trois pièces différentes. Un escalier menant à l'étage était également visible.

Je dois chercher des indices.

Il se dirigea vers la pièce la plus proche, ouvrit la porte et jeta un coup d'œil à l'intérieur en éclairant les lieux. Les murs de la salle – d'une surface de sept mètres carrés environ – avaient une teinte rouge sombre.

Du sang. Et en copieuse quantité. Qu'est-ce qui avait provoqué un tel déluge ?

Ces éclaboussures étaient-elles à l'origine de l'odeur entêtante qui saturait l'air ?

Le faisceau de la lampe torche balaya le sol. Quelque chose scintilla l'espace d'un instant.

Nobuaki fixa le tatami du regard. Il était imbibé d'une tache rouge foncé formant un coude, à peu près de la taille d'un homme adulte : peut-être la trace d'un corps sans tête.

Quelqu'un a-t-il reçu un gage ici ? Ce devait être terrifiant… et douloureux…

De vastes giclées de sang et la silhouette nette d'un corps humain… Nobuaki pouvait voir la tragédie qui avait dû se jouer là, trente-deux ans auparavant, comme s'il y était.

Il ne put retenir un haut-le-cœur. Il sortit, une main sur la bouche.

— D'autres… indices… d'autres… indices…

Il gagna la pièce d'à côté d'un pas peu assuré.

Je ne sais pas si je pourrai en supporter davantage…

Il lui semblait avoir été dépossédé d'une part de lui-même, de son âme. Il n'agissait plus que pour accomplir son objectif, dans un état second proche de la transe.

Devant lui se trouvaient une chaise, un bureau en bois et des étagères sur lesquelles était alignée une grande quantité de livres.

Nobuaki s'en approcha à contrecœur et observa les volumes un à un à la lumière de sa lampe torche.

— Aucun rapport. Celui-là non plus. Rien qui parle du jeu du roi ?! s'exclama-t-il.

L'un après l'autre, il jetait les ouvrages par terre après en avoir vérifié le contenu.

— Non, et encore non. Il y a forcément quelque chose ici sur le jeu !

Il avait parcouru la totalité des titres entassés dans la bibliothèque.

— Rien ! Je ne trouve rien !

Il ramassa un des tomes qui jonchaient le sol et, ivre de frustration, tenta d'en arracher les pages.

Mais oui ! Les autres documents doivent être rangés dans le bureau !

Il ouvrit le premier compartiment en partant du haut, qui renfermait crayons, stylos-billes, tampons, encre et autres petits objets du même genre.

— Non ! Ce n'est pas vrai !

Il arracha le tiroir et en renversa le contenu sur le sol, puis passa à celui du milieu. Vide.

Il ouvrit enfin celui du bas, qui contenait une dizaine de cahiers. Il les sortit tous pour les passer en revue : les chroniques du village, la liste des habitants, le registre des récoltes… ainsi qu'un carnet intitulé *Compte rendu de la tragédie* qui retint l'attention de Nobuaki.

Le 20 août 1977, à 22 h 53

Dans une heure environ, mon existence prendra fin. J'ai refusé d'obéir. Il était hors de question d'exécuter un ordre pareil. J'ai donc délibérément choisi de renoncer à la vie. Mon dernier acte : laisser une trace, pour les générations futures, des événements étranges qui se sont produits ici.

Le 8 août 1977, nous avons reçu une enveloppe entièrement noire, sans mention d'un quelconque expéditeur. Elle contenait une feuille de papier sur laquelle était inscrite une consigne. Les villageois qui ne l'ont pas exécutée sont morts l'un après l'autre dans des circonstances inexpliquées, la nuit suivante, à la première heure. Les victimes se nommaient Daiki Kanda et Shizuyo Umeda, morts par pendaison.

Mais la véritable tragédie ne faisait que commencer.

Le 10 août, les corps découpés en morceaux de Takashi Saitô, Sachiko Takeda et Michiko Tominaga ont été découverts tôt dans la matinée, à leurs domiciles. Nous avons immédiatement contacté la police pour leur décrire la situation. Leur expliquer que ceux qui ne se conformaient pas aux ordres se retrouvaient punis. Que cinq personnes déjà étaient mortes pour avoir désobéi.

Mais les autorités ne nous ont pas crus. Elles sont arrivées à la conclusion qu'il s'agissait de l'œuvre d'un tueur en série et nous ont recommandé d'évacuer le village, promettant de retrouver le meurtrier. Dans ce hameau paisible, il n'y avait que des braves gens. Désormais, cet endroit est un enfer.

Yûichi et Michiyo Kondô ont eu beau partir, ils ont connu le même sort que les autres. Si seulement toute cette histoire pouvait n'être qu'un mauvais rêve !

Persuadée qu'il s'agissait d'une affaire criminelle, la police a placé le village sous surveillance, mais Tae Kudô est morte peu après d'un arrêt cardiaque, puis la tête de Hisako Nakamura s'est séparée de son corps sous les yeux effarés de plusieurs agents.

Personne ne se trouvait à moins de trois mètres d'elle, et pourtant sa tête est tombée toute seule, la bouche encore ouverte sur un hurlement.

Les policiers se sont retrouvés contraints de réviser leur théorie. C'est alors qu'un nouvel ordre est arrivé. Une injonction cryptique : l'interdiction de « faire ce qui ne sert à rien dans le jeu ». Sans comprendre quel interdit leur coûtait la vie, les villageois y ont succombé un à un.

Ils tombaient comme des mouches, sans explication. Le cauchemar semblait sans fin.

Seuls quatre villageois ont survécu : Fumiko Mikami, Shûhei Maruoka, Michiko Hirano et moi-même.

Et maintenant, il me reste moins d'une heure à vivre. Pour moi, le compte à rebours a commencé. J'ai peur au point d'en vomir. Peur de mourir, bien sûr. Ma main tremble tandis que je trace ces lignes.

Mais je refuse d'exécuter cet ordre. Parce qu'il exige que je tue à mon tour. Je vais profiter du temps qui me reste pour léguer à la postérité tout ce dont je pourrai me rappeler.

De nombreux officiers de police et presque autant de scientifiques sont venus ici tenter de résoudre l'affaire. Dans les notes qui suivent, j'ai l'intention de compiler les conclusions de ces scientifiques…

Nobuaki s'apprêtait à tourner la page, quand il entendit un frottement sur le sol, derrière lui, et reçut un violent coup sur la tête.

— C'est… une blague…

Il s'affaissa lentement sur le plancher, où il se vit administrer un second coup et perdit connaissance. Son agresseur prononça bien quelques mots, mais le jeune homme ne pouvait plus l'entendre.

Nobuaki ouvrit les yeux en poussant un gémissement. Sa vision était trouble et il ressentait une douleur lancinante à la tête, comme si son crâne s'apprêtait à éclater. Il voulut tâter la zone endolorie, mais son bras refusa de lui obéir. Il était pieds et poings liés, incapable de bouger, même d'un centimètre.

— Qu'est-ce que ça veut dire ? eut-il beau s'écrier en se débattant, il ne reçut aucune réponse.

Est-ce qu'on m'a abandonné, complètement ligoté, dans ce village désert ? s'inquiéta-t-il. *Mais au fait, il me reste mon portable !*

Il bascula sur le flanc, et sentit que son téléphone ne se trouvait plus dans la poche de son pantalon. Il faisait trop sombre pour y voir quoi que ce soit, ce qui ne fit qu'accroître sa terreur.

— Qui est là ? hurla-t-il en se démenant comme un beau diable pour tenter de se libérer de ses liens.

Hélas, sa voix ne faisait que résonner en vain dans l'obscurité.

— Qu'est-ce qui se passe ? Yôsuke, dis-moi la vérité ! Pourquoi m'avoir appris l'existence de ce village ? C'est bien la preuve que tu me faisais confiance, non ? Dans ton dernier souffle, tu m'as demandé de protéger Kaori…

Il commençait à douter de la sincérité de son camarade.

— Chiemi… Naoya… au secours ! Pitié, pas ça !

Son accès de panique passé, il se tut et ferma les yeux.

Couché au milieu des ténèbres, incapable de déterminer combien de temps avait passé, il repensa à tout ce qui s'était produit depuis le premier jour. Il s'appliqua à réunir chaque fragment de souvenir, un par un, en une image unique, comme s'il assemblait un puzzle.

— Tu m'as l'air réveillé, finit par déclarer une voix derrière lui.

Ébloui par la lampe torche qu'on braquait sur lui, il rentra la tête dans le cou.

— Alors c'était bien toi, Kaori !

— Tu n'as pas l'air très surpris.

— Je ne voulais pas y croire.

— Peu importe ! Comment as-tu pu tuer Yôsuke... Mami... et tous les autres ? jeta-t-elle, les dents serrées.

Puis elle laissa tomber sa lampe torche et se jeta sur Nobuaki pour étreindre son cou des deux mains. Le faisceau de lumière illuminait la rage démesurée inscrite sur son visage.

— Alors vous m'avez piégé... haleta-t-il.

— Tu as tout compris ! Avec Yôsuke, on avait décidé de t'envoyer faire un tour à Yonaki et de te tuer ici ! Avoue, ou je t'achève !

— D'accord... je vais parler, laisse-moi... reprendre mon souffle !

Kaori lâcha prise.

— Une remarque, pour commencer, déclara Nobuaki, encore suffoquant. Si ce que tu viens de me raconter est vrai, alors Yôsuke est un acteur extraordinaire.

— Un acteur ? rétorqua la jeune fille.

— Quelles ont été ses dernières paroles, à ton avis ?

— Un truc comme : « Ce n'est pas la première fois que le jeu du roi a lieu. Retourne là où tout a commencé. »

— En effet. Mais il m'a aussi encouragé de tout son cœur à me battre alors que j'étais sur le point de renoncer à la vie.

— Tu mens, j'en suis sûre. Il était convaincu qu'il fallait te tuer.

— Pas du tout. Juste avant de mourir, il m'a supplié, en larmes, de veiller sur toi.

— Jamais il ne t'aurait demandé une chose pareille ! Tu mens forcément !

— C'est ce que tu aurais dit, toi, à quelqu'un que tu projettes de tuer ? Tu serais allée aussi loin, juste histoire de le tromper ? Maintenant que Yôsuke est mort, je ne peux qu'imaginer ses raisons d'agir, mais… et s'il s'était tout simplement trouvé incapable de refuser quoi que ce soit à celle qu'il aimait ? C'est bien toi qui lui as suggéré de m'attirer ici pour me tuer, n'est-ce pas ?

— Oui…

— Je m'en doutais. À mon avis, il voulait que je t'empêche d'exécuter ton plan, que je te protège du jeu du roi. Après tout, si tu me tues, la police va t'arrêter.

— Dans ce cas, pourquoi ne te l'a-t-il pas dit clairement ?

— Il trouvait peut-être difficile d'avouer que sa petite amie préparait un assassinat.

Juste avant de mourir, Yôsuke avait tenté de joindre Kaori plusieurs fois, mais sans succès, car elle avait éteint son portable.

Même s'il était, bien sûr, très inquiet pour elle, il avait eu une autre raison de s'acharner à lui téléphoner. Il avait cherché à la persuader de ne pas aller jusqu'au meurtre, quoi qu'il arrive. Nobuaki la regarda droit dans les yeux :

— Si j'ai vu juste, Yôsuke réprouvait ton projet. Pire, il me croyait innocent, sinon il ne m'aurait pas retenu quand j'ai voulu en finir.

— Moi, je pense que tu es le roi !

— Je t'ai seulement donné mon opinion. Agis comme bon te semble, à présent. Mais réfléchis bien aux conséquences de tes actes. Depuis que certains de mes amis sont morts à cause de moi, le remords me ronge. Alors j'ai décidé de ne jamais en arriver là.

— Qu... qu'est-ce que je devrais faire ? murmura la jeune fille. Réponds-moi, Yôsuke. Parle-moi.

De sa poche, elle tira son badge de lycéenne, qu'elle éclaira à la lampe torche.

— Qu'est-ce que tu regardes ? Tu ne veux pas me montrer ? lui demanda gentiment Nobuaki.

De la pochette plastique de sa carte, Kaori extirpa une photo qu'elle lui montra. Le cliché représentait toute la classe, le jour où elle avait été élue au conseil des élèves.

Elle l'avait fait réduire pour qu'elle rentre dans l'étui. On pouvait y voir Nobuaki et Hideki piétiner Naoya sous les yeux d'une Chiemi indignée, qui tentait de les arrêter. Quant à Kaori et Yôsuke, ils riaient, joyeusement serrés l'un contre l'autre au centre de l'image.

— C'est la photo qu'on a prise le mois dernier ? J'en ai un exemplaire, moi aussi.

— Qu'est-ce qu'on a rigolé, ce jour-là ! Yôsuke, Mami, tout le monde était là. Mais maintenant…

— Tu es incroyable ! Moi, cet endroit me terrifiait d'avance. Tandis que toi, tu es venue toute seule. Tu n'as pas eu peur ?

— Si, très. Mais, comment dire…

Les épaules de Kaori se mirent à trembler. Nobuaki avait changé de sujet, pensant que s'ils poursuivaient sur ce terrain, Kaori risquait de devenir nostalgique et de se mettre à pleurer.

— Ne dis rien. Je sais ce que tu ressens. Tu as suivi ton instinct jusqu'au bout, malgré le danger. Il faut une sacrée dose de courage pour ça.

— Tu peux le dire. Jure-moi une dernière fois que ce n'est pas toi qui as tué les autres.

— Non, ce n'est pas moi. Et si on essayait de mettre un terme à ce jeu ensemble, qu'en dis-tu ?

Kaori marqua une infime hésitation avant de s'approcher et de lui faire signe qu'elle acceptait. La haine avait quitté son visage. Elle affichait une expression parfaitement sereine.

— Je vais dénouer tes liens.

— Merci !

— C'est drôle que tu dises ça alors que c'est moi qui t'ai attaché !

Nobuaki s'esclaffa : la terreur, le doute et la tristesse qui jusqu'à présent habitaient Kaori s'étaient envolés d'un seul coup.

Elle se glissa derrière lui et entreprit de délier les solides nœuds qui le retenaient. Cependant, il ne fallut pas longtemps à Nobuaki pour s'apercevoir que quelque chose clochait. La respiration de la jeune fille semblait un peu rauque.

— Ça va ?

— C'est parce que… je me dépêche… de te détacher.

— Prends ton temps !

Leurs portables résonnèrent tous deux au même instant dans l'obscurité.

— Un nouveau message ?

— Je me… dépêche.

— C'est l'ordre qui arrive à minuit ? Ou bien un gage ?

— J'ai bientôt fini !

— Quelle heure est-il, Kaori ? Ne me dis pas que tu es en train de pleurer…

La jeune fille resta silencieuse.

— Mais réponds-moi ! cria-t-il en se tordant le cou pour regarder dans son dos.

Toutefois, il ne put voir le visage de Kaori, penchée sur lui.

— Ces nœuds sont solides… Je les ai trop serrés… Impossible de les défaire.

Elle s'acharnait sur les liens en reniflant.

— Je ne pleure pas. Comme je n'avais pas de corde, j'ai utilisé de la ficelle, mais c'était peut-être une erreur…

— Menteuse ! Pourquoi est-ce que tu t'obstines à me cacher la vérité ? s'emporta Nobuaki en secouant brusquement la tête.

— Les larmes sont venues toutes seules il y a quelques instants. Pourquoi ? La tristesse ? Le soulagement ? Je ne sais pas…

— Arrête un peu…

Mais au fond de lui, il connaissait la raison de sa réaction : être soudain délivré d'une grande tension vous arrache parfois des larmes d'apaisement. Kaori n'y avait pas échappé.

Jusque-là, elle avait été motivée par la vengeance et la colère. Elle s'était fermement juré de ne pas mourir ou pleurer avant d'avoir tué Nobuaki. C'était cette volonté sans faille qui lui avait donné l'énergie prodigieuse dont elle avait fait preuve.

Quand cette terrible pression avait quitté son esprit tendu à craquer, elle n'avait pu retenir ses pleurs.

— Tu ne veux pas me montrer le texto qui vient d'arriver ?

— Attends, je te détache, d'abord…

— Laisse tomber, ce n'est pas grave ! Fais-moi voir ce message ! Il ne te concerne peut-être pas…

— Si, c'est grave ! Il ne me reste plus très longtemps à vivre… Tu risques de rester attaché ici ! Il faut au moins que je te délivre.

— Kaori, arrête…

— Nom d'un chien, je n'y arrive pas ! Je n'ai même pas le temps de trouver une paire de ciseaux…

— Tu es vraiment d'une droiture hors du commun, souffla Nobuaki, admiratif.

Le châtiment de la jeune fille n'allait plus tarder, mais c'est ainsi qu'elle avait choisi d'employer les quelques instants qui lui restaient à vivre.

— O.K., détache-moi, mais écoute-moi, pendant ce temps-là. Au challenge de ce printemps, Yôsuke a joué le match de base-ball, si je me souviens bien ? Il paraît qu'il a été excellent.

— Tu crois que c'est le moment de discuter de ça ? Il n'a frappé qu'une fois.

— Vraiment ? Pas étonnant qu'on ait perdu. Enfin, on était tous dans le même bateau.

— On a eu beau encourager les garçons de toutes nos forces, ils n'ont vraiment été bons à rien.

— On n'entendait que vous, je me souviens... Désolé d'avoir déçu vos attentes.

— Vous avez été minables !

— Oh, ça va ! On a fait ce qu'on a pu.

— Mais vous avez bel et bien perdu.

— Tu es dure. En tout cas, c'était marrant !

Un sourire identique à celui qui illuminait le visage du jeune homme vint se mêler aux larmes de Kaori.

— Pardon, Nobuaki. Je n'ai pas eu le t... mer... ci...

— Quoi ? Je n'entends rien...

Aucune réponse ne vint.

— Kaori ?

Toujours pas un mot. Nobuaki se mit à trembler.

— Kaori, qu'est-ce qui te prend ? Pose-moi une question ! Je répondrai à toutes tes questions !

Seul le silence fit écho à ses paroles.

— Arrête de m'ignorer ! Kaori ? Qu'est-ce qui t'arrive ?

Mais la jeune fille ne répondrait plus. Son dernier mot avait été « merci ». Un mot d'une grande douceur, deux syllabes sereines et tendres.

La jeune fille vint reposer lentement sur l'échine de Nobuaki, qui sentit la tiédeur de son corps venir se nicher contre ses côtes. Un reste de la chaleur humaine qu'elle avait toujours possédée.

— Pardon… Pardon d'avoir été inutile jusqu'à la fin.

Il baissa la tête et ferma les yeux. Kaori avait sombré dans un sommeil éternel, avec son dos pour oreiller. Il se tordit le cou pour regarder par-dessus son épaule : le visage de sa camarade était parfaitement paisible. À ce spectacle, il perdit le peu de maîtrise de soi qu'il était parvenu à conserver.

— Kaori ! hurla-t-il à pleins poumons. Pitié, aidez-moi ! Quand est-ce que ce cauchemar prendra fin ?!

C'est alors que retentit un deuxième bip. Quelqu'un d'autre était-il mort ?

Nobuaki se mit à pleurer à chaudes larmes.

— J'ai tenu le coup jusqu'à aujourd'hui. Mais je n'en peux plus, c'était trop me demander. Une telle douleur, impossible de la refouler éternellement.

À la faible clarté de la lampe torche, Nobuaki fixait le vide d'un regard si perçant qu'il eût réduit en miettes tout ce qu'il touchait.

Plusieurs minutes déjà que je sanglote. Combien de temps me reste-il à vivre ? Courage, Naoya, accroche-toi. Et toi, Chiemi, pardonne-moi. Je n'ai pas su rester près de toi. J'aurais voulu t'entendre une dernière fois prononcer mon nom de ton adorable petite voix. Et pouvoir t'exprimer à mon tour ce que je ressens. Si tu fais partie des premiers à trouver mon corps, essuie mes larmes à ma place. J'ai honte d'être mort en pleurant.

Son téléphone émit un nouveau signal : encore un message.

Non, par pitié, pas de réaction en chaîne ! Je ne supporterais pas que quelqu'un d'autre meure par ma faute...

Nobuaki s'arc-bouta pour prendre une profonde inspiration.

— Je te hais à en crever ! hurla-t-il de toutes ses forces.

Puis il ferma les yeux et se résolut à mourir.

Pourvu qu'au moins j'aie droit à un gage simple et indolore.

Une voix si implacable qu'il en eut froid dans le dos s'éleva soudain depuis l'entrée de la pièce.

— Avant d'y passer, donne-moi les lettres que tu connais.

Il en avait identifié la propriétaire sans même voir son visage. On n'oubliait pas ce timbre glacial une fois qu'on l'avait entendu.

— Qu'est-ce que tu fiches ici, Ria ?

— Je t'ai suivi. C'était facile, tu es tellement prévisible.

C'était donc pour le convaincre de monter dans le premier train en partance pour le mystérieux village qu'elle lui avait bien fait comprendre que l'enquête de police allait tous les confiner chez eux !

Elle l'avait attendu à la gare où, comme prévu, il était arrivé dès l'ouverture. Elle l'avait regardé acheter son billet, puis s'était à son tour adressée au guichetier :

— Bonjour, mon copain vient de passer à votre guichet, je dois le retrouver sur le quai. Il a pris le train de quelle heure, exactement ? Le même billet, s'il vous plaît.

Pour corroborer ces informations, elle avait filé à la mairie, où elle avait appris qu'il s'était renseigné sur le village de Yonaki.

— Donne-moi les lettres, fit Ria. Elles ne te seront plus d'aucune utilité, maintenant. Tu n'en as plus pour très longtemps, non ? C'est moi qui chercherai le roi.

— Et qu'est-ce que tu comptes faire, si tu le retrouves ?

— Lui donner un gage à ta place. Tu seras mort très bientôt.

— Comme si je pouvais me fier à toi !

Même pieds et poings liés, Nobuaki se contorsionna comme un beau diable pour tenter de s'éloigner de Ria.

— Qui est couché contre ton dos ?

— Kaori. Allonge-la par terre, s'il te plaît ! Elle est morte recroquevillée contre moi, la pauvre !

La nouvelle venue entra dans la pièce à pas hésitants, une torche à la main, et alla caresser la joue de la jeune fille appuyée contre Nobuaki.

— Laisse-la tranquille, dit-il sèchement.

Elle se pencha sur le visage du garçon.

— Je le ferai si tu réponds à ma question. Je te promets aussi de prévenir la police. Tu ne voudrais quand même pas que ton cadavre moisisse ici ?

— Tu es ignoble.

— Alors, tu t'es décidé à parler ?

Nobuaki marmonna quelques mots.

— Je ne t'entends pas, dit-elle.

Il grommela à peine plus fort.

— Tu le fais exprès, ma parole ! protesta Ria.

Quand elle approcha son visage du sien, Nobuaki s'arc-bouta pour lui donner un violent coup de tête. Le dernier acte de résistance dont il était capable.

La jeune fille tomba à la renverse puis se releva en se frottant le front.

— Hmm... Je vois... Ton dernier baroud d'honneur ?

— Tu peux le dire ! Je vais te répondre, va, mais commence par t'occuper de Kaori.

Ria saisit le cadavre par les bras et le traîna jusqu'au centre de la pièce. Nobuaki serra les dents. Il aurait voulu lui dire de montrer un peu plus de respect à leur camarade disparue, mais se contenta de la regarder faire en silence, de crainte qu'elle ne change d'avis.

À la vue du corps, il fut frappé de plein fouet par la réalité : Kaori n'était plus. Elle ne pouvait plus ni parler, ni rire, ni se mettre en colère, à présent. Une profonde tristesse serra la gorge du jeune homme. Ses larmes coulaient toujours.

— C'est fait, déclara Ria, impassible. À ton tour, maintenant !

— N, O, I, D et A. N'oublie pas ta promesse.

— Je la tiendrai, tu peux me faire confiance.

Elle plissa soudain les yeux, intriguée.

— Quoi ? s'inquiéta-t-il.

Elle s'approcha du bureau, braqua dessus sa lampe torche, et s'empara d'un des cahiers.

— *Compte rendu de la tragédie…*

— Il faudra que tu me racontes, je n'ai pas eu le temps de finir, ironisa-t-il.

— Kaori t'a attaqué pendant que tu lisais ? Quelle imbécile !

— S'il te plaît, j'aimerais que tu apportes ce carnet à Naoya. C'est très important.

La jeune fille parcourait le texte avec attention, comme sourde aux paroles de Nobuaki.

— Ria, je t'en prie. C'est la dernière volonté d'un mourant !

— Il n'y a que quand tu me demandes un service que tu m'appelles par mon prénom.

— Désolé…

— L'auteur de ce journal a peut-être survécu…

Soudain, il sembla à Nobuaki que sa tête se retrouvait broyée dans un étau. La pression augmentait graduellement, et la douleur s'intensifiait en proportion. Ses oreilles se mirent à siffler et les os de son crâne à grincer si fort qu'il lui sembla que sa mâchoire allait se détacher. La souffrance devenait de plus en plus intolérable.

Est-ce que je vais finir la tête écrabouillée, comme une tomate serrée dans un poing ?

La pulpe du fruit, ce serait ses cellules grises, molles et spongieuses, défoncées par sa boîte crânienne. Le jus, le sang rouge qui circulait dans son cerveau. Lorsqu'on rouvrirait la main dans un affreux bruit de succion, la tomate aurait perdu sa forme originelle. Pulpe et jus mêlés s'écouleraient goutte à goutte de la paume, ruisselant d'entre les phalanges.

— Montre le carnet… à Chiemi et Naoya… parvint à articuler Nobuaki, terrassé par la douleur.

— Arrête ton cirque.

— Dis-leur… de se soutenir et de s'entraider…

— Ça va, j'ai compris.

— Merci, Ria. Tu sais parfois… te montrer humaine…

— Mêle-toi de ce qui te regarde.

— Souviens-toi de la petite fille innocente… que tu étais… Aah… je n'en peux plus ! Je n'ai pas envie que tu me voies comme ça. S'il te plaît… sors de la pièce !

Ria acquiesça, un rictus sur le visage.

— Cette petite fille-là, elle est morte, murmura-t-elle en quittant la salle. Adieu, Nobuaki.

C'était la première fois qu'elle prononçait son nom.

— Après tout ce qui s'est passé, j'ai quand même peur de mourir. Pitié, aidez-moi ! gémit Nobuaki, désormais seul dans la pièce obscure.

1 morte, 10 survivants.

Ordre n° 12 – Ven. 30/10, 00:00

Lorsque le délai dévolu à l'ordre n° 11 s'acheva, à minuit, Naoya s'effondra à genoux sur le sol de sa chambre.

— Non, c'est impossible… Nobuaki… sanctionné alors qu'il ne restait que deux minutes à tenir !

Il décrochera peut-être…

Le garçon tenta d'appeler son ami, mais seule lui répondit une voix au timbre impersonnel : son correspondant n'était pas joignable.

— Que s'est-il passé à Yonaki ? Pourquoi s'est-il mis à pleurer ? J'aurais dû l'accompagner !

Naoya fut soudain assailli par un immense regret, et l'écran de son portable vite trempé par les larmes qui dévalaient ses joues. Tout à coup, son téléphone se mit à sonner.

Nobuaki ? Si ça se trouve, il est encore en vie !

Plein d'espoir, il vérifia le nom qui s'affichait : Toshiyuki Abe.

— Qu'est-ce qu'il y a ? Ce n'est vraiment pas le moment !

— Tu te fous de moi ? Tu as vu l'ordre d'aujourd'hui ? hurlait presque Toshiyuki. Qu'est-ce qu'on va faire ? Qui va lancer le dé ? Moi, je passe mon tour !

— Si seulement Nobuaki était là…

— Il est mort ! Nobuaki, c'est de l'histoire ancienne ! Pour l'instant, ce qui compte, c'est de survivre !

— Tais-toi ou je te désigne en premier après avoir lancé le dé !

— Dé… désolé. Mes paroles ont dépassé ma pensée. Mais qui va se sacrifier ? Tu en serais capable ? Moi pas !

Naoya s'approcha du mur de sa chambre et contempla sans mot dire le puzzle qui y était accroché. Toute sa classe, en pleines réjouissances.

— Pourtant, si personne ne lance le dé… finit-il par murmurer.

— Tu crois que Minako accepterait de le faire ? Je ne pense pas qu'elle me désignerait.

— Qu'est-ce que j'en sais !

— Réfléchis vite, Naoya ! Tu imagines un peu le résultat, si jamais Chia ou Masami décidaient de se jeter à l'eau ? Avec un peu de malchance, tous les mecs de la classe y passeraient !

— Donne-moi un moment.

Et Naoya de raccrocher.

— Je pourrai peut-être sauver Chiemi, si c'est moi qui me dévoue… murmura-t-il en revérifiant le contenu du message.

Ven. 30/10, 00:00. Expéditeur : Roi. Titre : Jeu du roi. Message : Toute votre classe participe à un jeu du roi. Les ordres du roi sont absolus et doivent être exécutés sous 24 heures.

Aucun abandon ne sera toléré.
Ordre n° 12 : Un élève de la classe doit lancer un dé, puis désigner autant de camarades qu'indiqué par le sort. Le lanceur et celui ou ceux qu'il aura choisis se verront attribuer un gage.
Si personne ne lance de dé, ou si personne n'est désigné, la classe entière recevra un gage.
L'élève a cinq minutes après le lancer pour faire son choix. Il recevra un message lui expliquant la méthode de désignation. Il est impossible de désigner un mort. END.

Masami et Chia éprouvaient une aversion irraisonnée pour les hommes. Comme l'avait annoncé Toshiyuki au téléphone, si l'une d'elles lançait le dé, elle désignerait les garçons l'un après l'autre.

Si je m'en charge, je pourrai protéger les êtres qui comptent pour moi… au prix de ma vie.

Cependant, il fallait désigner autant d'élèves qu'indiqué par le dé. Si un six sortait, six lycéens mourraient…

— Qu'est-ce que je dois faire, Nobuaki ? s'exclama Naoya dans le silence de sa chambre. Pourquoi est-ce qu'on doit mourir ? Comment tu agirais, toi ? Est-ce que tu lancerais le dé pour sauver Chiemi ?

Si c'est Keita qui exécute l'ordre, Chiemi et moi sommes tranquilles. Mais alors Keita va recevoir un gage et mourir. Non, je ne le supporterais pas.

Naoya, rongé par le doute et la confusion, tenta de

mettre de l'ordre dans ses pensées.

Les bons amis, auxquels une profonde confiance mutuelle le liait, ne le désigneraient sans doute pas, mais les élèves avec qui il ne s'entendait pas, qui lui vouaient une haine réciproque ou qui n'avaient d'amis que le nom, ceux-là le désigneraient à coup sûr. Il était évident que chacun ciblerait en priorité les élèves contre qui il éprouvait de la rancœur.

Même s'il ne lançait pas lui-même le dé, il risquait de recevoir un gage et de mourir. Dans ce cas, ne valait-il pas mieux qu'il s'en charge pour protéger les êtres qui lui étaient chers ?

Démons. C'est ainsi que l'on appelait les êtres d'une cruauté inhumaine qui attiraient le malheur sur les hommes, les égaraient et les entraînaient vers le vice.

— Baisse d'un ton, Toshiyuki ! Tu as vu l'heure ? lança une voix qui n'était autre que celle de sa mère, de l'autre côté de la porte.

— Laisse-moi tranquille ! s'emporta le garçon.

Incapable de contenir sa colère, il envoya valser le réveil posé sur son bureau. Puis il sortit la liste des élèves de sa classe et commença à annoter les noms un par un.

— Naoya… situation un peu délicate depuis le coup de fil de tout à l'heure. L'autre Toshiyuki… un ami proche, il ne me désignera jamais : mon deuxième choix. Keita… un parfait abruti. Comme il s'entend bien avec Chiemi et Naoya, il ne les désignera pas, sa stupidité peut servir. Ria… aucune idée de ce qu'elle pense, donc hors de question. Chia… dangereuse, surtout pour moi. Elle m'en veut. Minako… ma meilleure candidate. Si j'arrive à lui faire lancer le dé, je n'ai rien à craindre. Chiemi… les menaces marcheraient peut-être. Elle est certainement déprimée depuis la mort de Nobuaki. Masami… deuxième source de danger.

À mesure qu'il écrivait ces notes, le jeune homme s'agitait de plus en plus : il avait les yeux injectés de sang et le visage rouge vif. On aurait juré un démon tout droit sorti d'un conte.

— Je survivrai ! Yûsuke est mort. Lui, ma bête noire, celui qui n'a jamais fait que m'empoisonner la vie. Maintenant que je suis libéré de son emprise… j'ai une chance de repartir à zéro. Je survivrai, par n'importe quel moyen !

Le jeune garçon éclata de rire. Ses yeux révulsés semblaient près de sortir de leurs orbites.

— Qu'est-ce que tu attends ? Dépêche-toi de m'infliger ce châtiment !

Au milieu d'une pièce plongée dans les ténèbres, Nobuaki se préparait à sa fin. Toujours prisonnier de la cordelette, il se débattait tant qu'il pouvait, même s'il savait pertinemment que cela ne servirait à rien.

À cet instant, un bruit similaire à celui d'une télévision qu'on éteint lui parcourut le crâne. Sous le coup de la douleur, il serra les paupières de toutes ses forces.

Quelques secondes plus tard, il les rouvrit lentement, en secouant la tête. Sans qu'il s'en soit rendu compte, la lumière de la lune avait percé entre les nuages et illuminait désormais d'une faible lueur la salle plongée dans la pénombre. Nobuaki balaya la pièce du regard, l'air paniqué.

— Où suis-je ?

Il prit rapidement la mesure de sa situation, peu banale.

— Non mais… c'est quoi, cet endroit ? Et cette odeur atroce ? Elle me file la chair de poule ! Qu'est-ce qui se passe ? En plus, je suis attaché !

Les questions tournoyaient dans sa tête. Il se débattit avec l'énergie du désespoir pour se libérer de ses liens, en vain : ils ne cédèrent pas d'un pouce.

C'est alors qu'il remarqua quelque chose.

— Kaori ?

Changeant de position, il tapota du pied le corps de la jeune fille sans susciter aucune réaction. Elle ne donnait pas le moindre signe de vie ou d'activité.

Elle est morte… comprit-il bien vite avant de vomir un liquide jaunâtre à la consistance visqueuse.

Au bout de quelques instants, il releva la tête, blanc comme un linge, et jeta un nouveau coup d'œil au corps sans vie de sa camarade.

— Qu'est-ce qui s'est passé ? balbutia-t-il, soudain pris de sueurs froides.

C'était la première fois qu'il voyait un cadavre : il fut pris d'une terreur indicible.

— À l'aide, quelqu'un ! Ohé ! hurla-t-il à pleins poumons.

— Tu es encore en vie ? demanda une voix familière depuis l'entrée de la pièce.

Il fixa la silhouette du regard.

— C'est toi, Ria ? Viens m'aider ! Où est-ce qu'on est ? Kaori est morte, à côté de moi ! Qu'est-ce qui se passe ?

— Qu'est-ce que tu racontes ? Tu débloques ?

— C'est ce que j'aimerais bien savoir !

— Le jeu du roi, ça te dit quelque chose ? lui demanda Ria, perplexe.

— Bien sûr, tu me prends pour qui ? Mais je ne vois pas le rapport !

— Tu penses au jeu auquel on joue dans les soirées et les fêtes ?

— Parce qu'il en existe un autre ?

— Le message du gage parlait d'effacement... je vois. C'est ta mémoire qui a dû trinquer. Si tu me reconnais, c'est qu'il doit te manquer tous tes souvenirs depuis le début du jeu du roi.

— On m'a effacé la mémoire ? répéta Nobuaki, abasourdi.

Ria observait d'un air impassible le garçon ligoté et affalé misérablement par terre.

Nobuaki est protégé, le roi le garde en vie. Il l'a fait passer pour mort afin de le mettre à l'abri de l'ordre d'aujourd'hui. Le message précise bien qu'on ne peut désigner que des vivants. Nobuaki ne risque donc pas de recevoir un gage. Sans compter qu'avant de perdre la mémoire, il aurait peut-être été tenté de lancer le dé lui-même, mais plus maintenant. Pas de doute, le roi, c'est...

— Peu importe, détache-moi ! Je t'en prie ! Cet endroit me donne la nausée.

Ria s'approcha de Nobuaki et, tout en s'évertuant à trancher ses liens, lui demanda :

— On est quel jour, aujourd'hui ?

— Euh… le 19, non ?

Le 19 était le jour où les messages du roi avaient commencé à arriver.

Je m'en doutais, ses souvenirs depuis le début du jeu du roi ont complètement disparu.

Une idée frappa Ria tandis qu'elle regardait Nobuaki tenter désespérément de s'extirper de ses entraves.

Il peut m'être utile.

— Kaori est morte, et c'est tout ce que ça te fait ? Et puis qu'est-ce qu'on fabrique ici ?

— C'est bon, j'ai coupé les cordelettes.

— Ouf ! Merci.

Nobuaki s'agenouilla devant le cadavre de Kaori puis, non sans crainte, passa une main sous sa nuque et lui souleva la tête.

— Je n'y comprends absolument rien. Qu'est-ce qui s'est passé ? C'est quoi, cet endroit ? Pourquoi est-ce que Kaori…

— Calme-toi, dit Ria au garçon déboussolé, d'une voix dépourvue de sentiment. Je vais t'expliquer.

Nobuaki concentra son attention sur la jeune fille.

— Notre classe a été dévastée par le jeu du roi… un jeu qui dépasse l'entendement. La règle est simple : si on n'obéit pas aux ordres du roi, on meurt. Un grand nombre de nos camarades ont déjà perdu la vie à cause de ça, et Kaori est l'une des victimes.

— Comme si j'allais gober une histoire pareille !

— Personne n'en croirait ses oreilles en entendant ça, mais si tu ne me crois pas pour l'instant, je t'assure que quand tu le constateras par toi-même, tu n'auras pas le choix. Quant à l'individu qui mène le jeu, celui qui possède un pouvoir défiant les connaissances humaines, c'est ta chère Chiemi.

— Chiemi ? C'est elle qui aurait tué Kaori et m'aurait effacé la mémoire ? fit-il d'un air dubitatif.

— Exact.

— Tu mens ! s'écria alors Nobuaki.

— Non, pas du tout. Mais le temps presse, alors je te donnerai les détails de l'histoire sur le chemin du retour.

Ria s'accroupit près du cadavre et l'effleura du doigt, comme pour l'honorer ou pleurer sa mort.

Ensuite, elle profita de ce que le garçon se relevait pour fouiller l'uniforme de Kaori et tomba sur un objet dur dans sa poche intérieure : le portable de Nobuaki.

Elle le dissimula dans sa propre veste puis poursuivit son inspection. Le téléphone de Kaori se trouvait dans la poche de sa jupe.

Ria consulta son message non envoyé avant de l'effacer et de remettre l'appareil en place.

— Qu'est-ce que tu fabriques avec le corps de Kaori ? demanda la voix perçante de Nobuaki dans son dos.

— Rien. Dépêchons-nous de redescendre au bas de la montagne.

— On est à la montagne ? s'exclama le garçon, ébahi. Bon, on devrait d'abord appeler la police… fit-il en tâtant ses poches. Je ne trouve pas mon portable. Tu ne voudrais pas le faire sonner ?

— Impossible, il n'y a pas de réseau ici. Raison de plus pour partir tout de suite.

— Mais mon téléphone…

— Kaori est prioritaire.

Il leur faudrait au moins deux heures avant d'atteindre un endroit où les ondes téléphoniques passaient.

On n'a pas le temps…

Ria cachait mal son impatience.

Si jamais quelqu'un lance ce foutu dé avant… On est à dix heures de notre ville. Je dois ramener Nobuaki auprès de Chiemi et de Naoya au plus vite. En attendant, je ne peux que prier pour que personne ne lance le dé.

Elle se mit en marche, mais Nobuaki l'interpella :

— Qu'est-ce qu'on fait de Kaori ?

— Laisse-la ici. On préviendra la police dès qu'on aura du réseau.

— Pas question, on l'emmène. Je la porterai.

— Pendant plus de deux heures sur un chemin de montagne ? Kaori est morte. Ce n'est plus qu'un tas de protéines.

— Comment est-ce que tu peux dire une chose pareille ? C'est atroce ! Je ne l'abandonne pas ici !

— À ta guise. Si tu me ralentis, je partirai devant.

— Tu es sérieuse ? Tu commences vraiment à me gonfler !

Nobuaki s'assit en tailleur auprès du corps, ferma les yeux et joignit les mains pour une courte prière. Puis, il souleva Kaori et la prit sur son dos.

Elle était plutôt petite, même pour une fille, donc pas si dure à porter.

Nobuaki tourna la tête pour regarder son visage.

Qu'est-ce qui t'est arrivé ? Tu es vraiment morte à cause de ce jeu du roi ? Est-ce que c'est réellement de la faute de Chiemi ? Bon sang, je ne me rappelle rien !

Il jeta un coup d'œil vers l'entrée de la pièce : Ria avait disparu.

— Attends-moi ! s'écria-t-il en se hâtant de la suivre.

Tandis que Toshiyuki téléphonait à Naoya, Minako, elle, contactait Chia.

— Je pensais prévenir la police… Qu'est-ce que tu en dis ?

— Et si jamais on ne peut pas continuer le jeu à cause d'eux, on fera quoi ? On mourra tous ensemble ? lui rétorqua Chia.

— C'est vrai… D'ailleurs, puisqu'on n'est plus libres de nos mouvements dans la journée, on pourrait tous se retrouver au barrage de Katena, à 10 heures du soir, non ? Là-bas, il n'y a personne la nuit, ce sera parfait.

— Ça, ce n'est pas une mauvaise idée, je vais prévenir les autres. Minako, prépare-toi à tout, et n'oublie pas qu'on aura besoin de chance, aussi.

Il faut qu'on discute de qui va lancer le dé. Comme on peut difficilement bouger dans la journée, je propose qu'on se retrouve à 10 heures du soir, au parc du barrage de Katena. Si vous ne savez pas où ça se trouve, contactez-moi. Chia Kawano.

Une fois lu le message de Chia, Masami ouvrit le carnet d'adresses de son portable et fit défiler les noms un par un.

— Qui va lancer le dé ? Au fond, peu importe, pourvu qu'il ne me désigne pas, je vous en supplie.

Au bord des larmes, elle établit une liste de ses camarades restants.

Le barrage de Katena, situé à une dizaine de kilomètres de la ville, était désert la nuit.

Des arbres de toutes sortes, et en particulier des oliviers odorants, emblématiques de la préfecture de Shizuoka, peuplaient le parc attenant, qui ne recelait nulle trace de jeux tels que toboggan, balançoire ou barres horizontales, mais en son centre se trouvait une table en bois, entourée de huit tabourets en rondins.

Chia arriva cinq minutes après l'heure du rendez-vous. Les deux Toshiyuki, Naoya, Keita, Chiemi et Masami s'étaient rassemblés tous les six autour de la table. Ils se tenaient debout et gardaient le silence. Même de loin, on pouvait sentir que quelque chose n'allait pas.

Le parc ne disposait pour seul éclairage que des rayons de la lune.

Les sept élèves semblaient méfiants, sur leurs gardes. Certains scrutaient leurs voisins tour à tour d'un regard suspicieux, d'autres dégageaient une aura si menaçante que tous autour d'eux la sentaient… La tension était palpable.

En ce lieu, le mot « confiance » n'avait plus de sens.

La vie avait déserté les traits de Chiemi. Quant à Naoya, ses yeux ressemblaient à ceux d'un poisson mort, ils ne dégageaient plus la moindre énergie.

Même Keita, un plaisantin qui avait toujours le chic pour mettre une bonne ambiance, gardait la tête baissée, résigné. Toshiyuki Abe dévisageait ses camarades d'un regard perçant, tel un rapace, et esquissait de temps à autre un petit sourire inquiétant.

Tout le monde sentait qu'à l'instant où ce silence sinistre prendrait fin, la lutte commencerait.

Ce fut Chia qui le rompit.

— Minako s'est ouvert les veines, elle est à l'hôpital en ce moment. Je n'arrive toujours pas à joindre Ria. Si elle est en vie, nous ne sommes plus que neuf… neuf sur trente-deux. On est dos au mur.

— Chia, on s'en fiche de tout ça, pour l'instant ! rétorqua Toshiyuki Abe. Le problème, c'est de savoir qui va lancer le dé !

— Et si c'était celui qui aboyait le plus qui s'en chargeait ?

— Qui a dit ça ? C'était une voix de fille !

Personne ne répondit à Toshiyuki.

— Pff… ricana Chia en desserrant le poing.

On pouvait apercevoir un dé au creux de sa main.

Le prenant entre le pouce et l'index, elle le déposa sur la table ronde.

— Tiens, Toshiyuki n° 1 !

— Numéro 1 ? Qui a décidé ça ? Et pourquoi ce serait à moi de me dévouer ? s'emporta-t-il.

— Tu avais l'air si impatient… fit Chia d'un rire moqueur.

— Je te l'ai dit, je refuse de lancer le dé ! Tu n'as qu'à t'en charger, toi, puisque tu l'as apporté !

— Si tu veux, mais la première victime que je désignerai, ce sera toi.

— Fais ça et je t'étrangle ! cria Toshiyuki en donnant un coup de pied dans un siège.

— Le lanceur va mourir, de toute façon, déclara Chia d'une voix larmoyante.

— Calme-toi, Toshiyuki.

Naoya apaisa son camarade de classe haletant et remit d'aplomb le tabouret renversé.

— Tu rigoles ? Comment est-ce que tu veux que je me calme ? Tu ne comprends rien à la situation ou quoi ?

— Bien sûr que si. On est tous dans le même cas.

Chiemi tremblait. Les bras croisés autour du corps, elle tentait de contenir son frissonnement.

— Arrêtez, ce n'est pas le moment de se disputer !

Il régnait dans l'air une atmosphère explosive. Naoya murmura d'un ton déchirant :

— Ces derniers temps, je ne sais plus ce qu'est le bonheur. J'ai l'impression d'arriver à voir des éléments de mon quotidien que je n'avais jamais remarqués auparavant. Je veux retrouver une vie normale !

Le pauvre était au bout du rouleau.

Masami se couvrit les yeux des mains et chuchota à son tour d'une voix pleine de larmes :

— Moi aussi, je veux vivre une vie normale.

Les pleurs de Masami l'avaient-ils irrité davantage ? Toujours est-il que Toshiyuki se mit à hurler, comme enragé :

— Mais on s'en fout de tout ça ! Pour l'instant, on doit prendre une décision !

Mais ce n'était que de l'esbroufe : par ses cris, il tentait surtout de chasser le doute et la peur qui le tourmentaient.

— Je peux encore me joindre à vous ? demanda une voix surgie des ténèbres.

C'était une voix de femme, belle et cristalline. Sa propriétaire approchait.

— On est en retard !

Ria apparut. Elle n'était pas seule, quelqu'un la suivait.

— Nobuaki ! s'écrièrent simultanément Chiemi et Naoya.

Tous deux accoururent auprès du jeune homme.

— Tu es vivant ?! C'est vraiment toi ? Pas de doute ! Je suis si contente de te savoir en vie !

Chiemi se jeta à son cou, les larmes aux yeux.

— Je n'en reviens pas de te voir ici. Ne me dis pas que tu es un fantôme ! fit Naoya, des trémolos dans la voix, en serrant la main de son ami.

Mais Nobuaki les repoussa sans ménagement avant de leur jeter un regard glacial.

— Ne me touchez pas ! Naoya, je n'aurais jamais cru ça de toi !

— De… de quoi est-ce que tu parles ? Qu'est-ce que j'ai fait ?

— Ne joue pas les innocents ! J'aurai des questions à te poser, tout à l'heure, Chiemi ! J'ignore encore si je pourrai te pardonner.

Ses deux camarades étaient muets de stupeur.

Ils me mentent effrontément, songea Nobuaki. Ria observait la scène, un sourire sinistre au coin des lèvres.

— On décide à la majorité ? proposa-t-elle à tout hasard en regardant les élèves assemblés.

Masami essuya ses yeux embués de larmes d'un revers de manche, puis tapa des deux poings sur la table.

— Tu crois que c'est le genre de question qu'on peut régler aussi simplement ?

— Tant mieux si c'est simple. Il est absolument impossible de s'échapper du jeu du roi. Vous n'avez toujours pas compris qu'il ne prendra jamais fin si on se contente de fuir en tous sens. Il se poursuivra éternellement, je vous le dis.

— Est-ce que tu sais quelque chose, Ria ? demanda Chiemi dans son dos.

Toshiyuki éclata soudain de rire.

— Parfait ! Une personne de plus, ça augmente les chances de s'en sortir !

Naoya lui lança un regard assassin.

— Espèce de...

— Où est le problème ? le coupa Toshiyuki. Je suis sûr qu'au fond de toi, tu es content de voir tes chances de survie augmenter. Plus on est nombreux, et plus nos chances de lancer le dé ou d'être désigné seront faibles. J'ai tort ?

— Tu te fiches de moi ?

Naoya serra les poings et se rua sur son camarade, qui l'esquiva sans difficulté avant de le frapper au visage.

— Ce ne sont pas tes coups de chiffe molle qui risquent de m'atteindre !

Tandis que Naoya était accroupi par terre, la main sur la joue, Toshiyuki lui assena un coup de pied dans les côtes, comme pour l'achever.

Nobuaki observait la scène d'un regard froid, presque indifférent, sans tenter de venir en aide à Naoya, qui haletait de douleur. Toshiyuki cracha sur sa victime.

— Tu as mal, hein ? Sache que tu n'as aucune chance de gagner contre moi. Si tu ne veux pas qu'il t'arrive des ennuis, ne te dresse plus jamais sur mon chemin !

— Fais quelque chose, Nobuaki ! supplia Chiemi en se cramponnant à son bras.

Le garçon ne leva pas le petit doigt.

— Qu'est-ce qui t'arrive, pourquoi est-ce que tu n'interviens pas ? Réponds-moi !

— Il n'a que ce qu'il mérite.

— Pourquoi est-ce que tu lui en veux ?

— Interroge ta conscience ! lança Nobuaki en s'arrachant des bras de Chiemi.

— C'en est assez ! Arrête !

Incapable de supporter ce spectacle une seconde de plus, Toshiyuki Fujioka retint le poing de Toshiyuki Abe.

— Lâche-moi ! C'est lui qui a commencé !

— Ça suffit comme ça ! Ce n'est pas le moment de se battre !

— Tu veux que je t'en colle une aussi ?

— Qu'est-ce qui t'arrive ?

Toshiyuki Fujioka contempla son homonyme d'un regard soucieux. Mais quand il lui posa une main sur l'épaule, l'autre la repoussa, comme pour marquer son exaspération.

— Rien du tout !

— Tu as changé… Est-ce que tu bluffes ?

Toshiyuki et Toshiyuki. Même si les caractères utilisés pour écrire leurs noms différaient, la prononciation était la même. Leurs camarades avaient eu beau réfléchir à des surnoms pour éviter les malentendus, tous deux les avaient refusés.

— Tant pis si on se méprend. À nous deux, on forme un double Toshiyuki. Si quelqu'un prononce notre nom, on viendra tous les deux, ce sera la preuve de notre amitié éternelle ! avaient-ils plaisanté fièrement, bras dessus, bras dessous.

Toshiyuki Abe s'écria :

— Je ne bluffe pas ! Je ne veux pas mourir ! J'ai encore des choses à accomplir, je refuse de partir maintenant !

Ses hurlements résonnèrent dans le calme nocturne du parc.

— Je sais ! s'écria-t-il soudain, pris d'une subite inspiration. Et si tu lançais le dé, Toshiyuki ?

— Regarde autour de toi, mon vieux…

Tu es en train de te mettre tout le monde à dos !

Tout d'un coup, Chia s'approcha de la table où trônait l'objet du délit.

— C'est moi qui vais le lancer. Toshiyuki n° 1, tu vas me le payer !

— Non, arrête !

Toshiyuki Abe se rua vers elle et s'empara du dé le premier, pour le tendre ensuite à son homonyme.

— S'il te plaît, lance-le. Tu sais que si Chia s'en charge, elle va me désigner. Allez, fais-le pour moi ! dit-il en forçant son interlocuteur à saisir le petit cube. Il suffit que tu le lances !

— Tu plaisantes ? Arrête, mais arrête !

Ils se mirent à se battre comme des chiffonniers.

Abe tentait de forcer son adversaire à desserrer le poing. Fujioka s'y opposait de toutes ses forces. Dans le feu de l'action, le coude de l'un vint percuter le nez de l'autre, qui gémit :

— Tu as gagné, je refuse !

Il ne semblait pas se soucier le moins du monde de sa chemise et de son visage couverts de sang, et versait de grosses larmes de dépit tout en poursuivant leur empoignade.

Ria marmonna, avec son impassibilité habituelle :

— Un monde devenu fou, dominé par la terreur.

— Qu'est-ce qui vous prend, tous les deux ? s'écria Nobuaki en immobilisant Abe par derrière.

— Lâche-moi !

— Commence par te calmer !

Fujioka tomba à quatre pattes et, par frustration, se mit à racler la terre de ses ongles. Les épaules soulevées par ses halètements, il observait le dé qu'il tenait en main.

— Plus rien n'a de sens… J'en ai assez ! dit-il en levant le bras, avec l'intention de jeter le minuscule objet au loin.

— Stop ! Ça risque de compter comme un lancer ! s'écria Naoya en lui agrippant le coude au dernier moment.

— C'est insupportable ! Je ne voulais pas voir Toshiyuki dans un état pareil… non, vraiment pas !

Fujioka hurlait d'une voix prête à se briser en sanglots, ce qui détourna l'attention de Nobuaki. Abe profita de cette brève ouverture pour se dégager de son étreinte.

— Tu ne pouvais pas me lâcher ?! Encore un peu et il le lançait ! Mais oui, je sais…

Il se plaça promptement dans le dos de Chiemi, passa le bras autour de son cou et serra.

— O.K., une question pour vous, Nobuaki et Naoya ! Qu'est-ce que j'attends de vous, à votre avis ?

— Qu'est-ce que tu fiches, Toshiyuki ? s'exclama Nobuaki, l'air stupéfait.

— C'est moi qui pose les questions. Répondez !

— J'étouffe… à… l'aide…

Chiemi, les joues écarlates, remuait les jambes. Elle avait agrippé le bras enroulé autour de sa gorge et tentait désespérément de l'écarter.

— Arrête ! Lâche-la !

Nobuaki avança lentement son pied, afin de ne pas se faire remarquer par Toshiyuki.

— Pas un pas de plus ! Mes bras sont puissants, le petit cou fragile de Chiemi pourrait facilement se briser...

La jeune fille, les yeux écarquillés de douleur, jeta un regard suppliant à son ancien petit ami. Le visage cramoisi de Toshiyuki, quant à lui, trahissait son excitation.

— C'est ça, le plaisir qu'on ressent à tuer ? Que l'un de vous deux lance vite le dé, peu importe qui ! Et si vous me désignez, vous savez ce qui va se passer. Je suis au courant que Naoya aussi aime Chiemi. Au bout du compte, un regard vaut mille mots !

Les bras de Chiemi faiblirent et se mirent à pendre, ballants.

— Je... je vais m'en charger, alors lâche-la ! s'exclama Nobuaki, effectuant un pas précipité en avant.

— D'abord, tu lances. Après, je la libère.

— D'accord, mais serre moins fort ou elle va...

Toshiyuki relâcha un peu son étreinte, et Chiemi déclara d'une voix frêle et entrecoupée de violentes quintes de toux :

— Tu ne dois pas... lui obéir.

— Ne te mêle pas de ça ou je t'étrangle encore ! Allez, Nobuaki, dépêche-toi !

Sans quitter Toshiyuki du regard, Nobuaki tendit la main sur le côté.

— Que quelqu'un me passe le dé, vite ! fit-il en agitant la main de haut en bas pour hâter le mouvement.

Toshiyuki Fujioka finit par obtempérer.

— Tu es sûr ?

— Oui.

Cependant, à l'instant où Toshiyuki s'apprêtait à remettre le dé à Nobuaki, Naoya profita de l'occasion pour le dérober.

— C'est moi qui vais le lancer.

— Qu'est-ce que tu racontes ? Donne-le-moi ! protesta Nobuaki.

— Tu es le seul à pouvoir protéger Chiemi, maintenant. Et puis c'est l'heure de payer ma dette. Je lancerai le dé avec joie, si ça peut vous sauver !

Naoya adressa un large sourire à son ami, puis ferma brusquement les yeux et jeta le dé au sol de toutes ses forces.

— Ça te va, comme ça ? cria-t-il en même temps.

Le dé rebondit trois ou quatre fois avant de venir s'arrêter aux pieds de Chiemi.

— Naoya… tu… balbutia Nobuaki.

— Premier arrivé, premier servi. Bonne chance pour la suite… Je ne regrette rien.

Les yeux du garçon rayonnaient de confiance en lui.

— Tu plaisantes ? Pourquoi est-ce qu'encore à cause de moi…

Chiemi, hébétée, observa le dé à ses pieds. Le portable de Naoya signala l'arrivée d'un message.

Ven. 30/10, 22:55. Expéditeur : Roi. Titre : Jeu du roi. Message : Tu as cinq minutes pour désigner autant de personnes qu'indiqué par le dé. Pour ce faire, prononce leurs noms. Cela sera considéré comme une désignation. END.

— La méthode de désignation consiste juste à dire les noms ? C'est une blague ?

— Allez, le dé est à côté de Chiemi. Viens vite vérifier le chiffre et désigne n'importe qui sauf moi !

Le rire de Toshiyuki fit naître en Nobuaki une colère indicible à l'idée d'être à la merci d'un type pareil.

Naoya regarda la face supérieure du dé.

— Quatre… Je dois désigner quatre camarades de classe…

— Je te recommande Chia ou Masami. À moins que tu ne préfères prononcer le nom de Chiemi ? dit Toshiyuki.

— Naoya, tu peux désigner Minako. Elle n'est pas ici et elle a tenté de se suicider, poursuivit Keita.

— Tais-toi, Keita ! Laisse-moi décider seul !

Tous les portables se mirent à biper et vibrer en même temps. Naoya lança un regard stupéfait à Nobuaki avant d'ouvrir le clapet de son téléphone pour regarder le message.

Ven. 30/10, 22:55. Expéditeur : Roi. Titre : Jeu du roi. Message : Élève n° 32, Keita Yamashita. Condamné à la mort par décapitation. END.

— C'est moi… C'est moi qui ai reçu un gage ! hurla Keita.

— M… mais pourquoi lui ? Je n'ai encore désigné personne… balbutia Naoya, pétrifié de stupeur.

Keita se cramponna à lui.

— Pourquoi moi ? Je t'ai seulement donné un conseil en toute amitié ! Tu me détestes, en fait, c'est ça ? Réponds-moi !

— Je n'avais pas l'intention de te désigner, je te le jure ! Tu dois me croire !

— Pourtant, j'ai bel et bien été condamné ! Comment est-ce que tu veux que je te fasse confiance ?

Naoya se dégagea de l'étreinte de Keita et détourna le regard.

Ria marmonna :

— Il faut prononcer le nom de quelqu'un pour le désigner, et Naoya a laissé échapper celui de Keita dans le feu de la discussion.

— C'est… c'est pour ça ? Pardon, je suis vraiment désolé !

— Qu'est-ce que j'en ai à fiche de tes excuses ? Tu crois que ça va régler le problème ? Ex… pli… que…

Keita se prit la tête entre les mains et se recroquevilla sur place. Puis il se gratta, comme s'il cherchait à faire partir la crasse de sa peau.

— Ah, ma tête, ma tête ! se mit-il à crier.

Naoya serra très fort son camarade contre lui, sans cesser de répéter « pardon ». Un liquide tiède se mit à suinter du cou de la victime et goutta sur la main de Naoya.

— C'est rouge… du sang ?

D'instinct, il repoussa Keita.

Le corps du garçon vacilla, la tête se détachant petit à petit du tronc avant de tomber au sol avec un bruit mat. On aurait cru voir un arbre s'abattre au ralenti.

La chair tendre cachée sous l'épiderme était désormais visible, de même que les vertèbres cervicales, auréolées d'un rouge écarlate.

Le sang se mit à jaillir du cou tranché en une véritable averse qui vint teinter de vermillon les habits de Naoya.

La tête du condamné roula deux ou trois fois sur elle-même avant de s'immobiliser face à lui.

Ses yeux écarquillés fixaient le garçon, sa bouche remua légèrement, comme pour former un sourire sardonique.

— Arrête de me dévisager !

Le flot de sang ne tarissait pas. Il imprégnait tant la terre qu'elle semblait recouverte d'un tapis rouge à l'odeur âcre et salée.

Des gouttelettes de sang pénétraient dans la bouche entrouverte de Naoya, absent.

— Aaah, le sang, le sang ! s'écria-t-il soudain d'une voix où perçaient les sanglots.

Il recracha le liquide avant de s'effondrer sur place. Le corps de Keita, chancelant, lui tomba dessus.

— Au secours ! Que quelqu'un l'enlève !

Incrédule, Nobuaki assistait à la scène en tremblant. Il voulait aider Naoya, libérer son ami du poids du cadavre, mais son corps refusait de bouger.

Personne ne tenta d'intervenir. Quand bien même ils l'auraient voulu, la stupéfaction les en rendait incapables. Ils avaient même oublié de hurler.

Naoya repoussa tant bien que mal le corps de Keita, puis se mit à quatre pattes et tenta de s'éloigner, ne serait-ce que d'un pas. Le cadavre décapité se retrouva dans une mare de sang.

Nobuaki s'approcha de son ami et lui tapota l'épaule.

— Ça… ça va ?

Son camarade fut parcouru d'un frisson.

— Son sang… son cou… Keita est mort, murmura-t-il.

Son visage était dépourvu de toute expression.

— Il… il faut désigner le prochain, n'est-ce pas ? dit-il en se relevant, d'une voix de possédé.

Nobuaki l'enlaça doucement, d'un geste protecteur.

— Je suis désolé que tu aies à subir une chose pareille à cause de Chiemi et moi. Comment me faire pardonner ?

Les cheveux de Naoya étaient humides de sang. Il s'en écoulait aussi, goutte à goutte, des pans de sa chemise et de son pantalon, et une traînée écarlate révélait l'endroit où le garçon avait rampé.

— Minako Nakao, fit-il.

Sur ses joues, les larmes se mêlèrent au sang et se teintèrent de rose.

— Plus que deux. Qui devrait-on désigner, cette fois ?

À cet instant, tous les portables bipèrent en même temps.

Ven. 30/10, 22:56. Expéditeur : Roi. Titre : Jeu du roi. Message : Élève n° 19, Minako Nakao. Condamnée à la mort par asphyxie. END.

— C'est vraiment le pied ! Ils tombent tous comme des mouches, j'adore ça ! Rien ne vaut le malheur des autres ! J'aurais bien voulu tuer Yûsuke de mes propres mains mais lors du tirage au sort, j'ai fait exprès de m'écraser.

Toshiyuki éclata de rire, comme si tout cela ne l'atteignait pas.

— Naoya, s'il te plaît, dis mon nom… Tout est de ma faute. Tout, implora Chiemi.

— Je ne ferai jamais ça.

— Je t'en prie !

Ria s'approcha de Naoya et lui murmura à l'oreille :

— Désigne-la. C'est elle, le roi.

— Ça ne tient pas debout, enfin ! Hors de question !

— Même si tu la nommes, elle ne mourra pas. Tu sais pour les lettres qui restent sur les téléphones des victimes, n'est-ce pas ? Ces lettres suggèrent que Chiemi est le roi. J'avais l'intention de la pousser à se confesser.

— « Avais » ?

— Puisque tu as jeté le dé, mon plan est tombé à l'eau. Il ne fallait pas que tu sois le lanceur. C'est pour ça que j'ai monté Nobuaki contre toi. S'il te plaît, dis le nom de Chiemi, insista-t-elle encore.

— Quelles qu'en soient les raisons, je suis incapable d'une chose pareille. Absolument incapable !

C'est alors que des cris s'élevèrent :

— Chiemi, écarte-toi, vite !

— Merci, Toshiyuki !

Naoya tourna la tête dans cette direction. Toshiyuki Fujioka avait les yeux baissés sur son homonyme affalé par terre, tandis que Chiemi était allée se cacher derrière Nobuaki.

— Que s'est-il passé ? s'écria Naoya.

— Fujioka a frappé Abe !

— Qu'est-ce que tu fiches, Toshiyuki ?

— On va mourir ensemble ! répliqua Fujioka en s'abattant sur Abe avant de lui enserrer le tronc de ses jambes et de plaquer ses bras contre le sol.

— Qu'est-ce qui te prend ?

— Je viens de te le dire, on va mourir ensemble… Naoya, prononce nos noms et tue-nous tous les deux en même temps. Je t'en prie !

— Tu débloques complètement ! s'exclama Abe. Je n'ai aucune intention de mourir ! Ferme-la, Naoya !

Il se débattait pour échapper à l'étreinte de son assaillant. Fujioka pesait sur lui de tout son poids pour le maintenir à terre, une expression d'effort désespéré sur le visage.

— Vas-y, Naoya ! Tu sais bien qu'il faut encore désigner deux personnes ! Si Toshiyuki pète à nouveau un plomb, qui sait de quoi il sera capable ? Dépêche-toi, pendant que je le retiens ! Après nous, ce sera fini !

— Nooon !

— Tu as bien vu ce qu'il a fait, Naoya ! hurla Toshiyuki avec fureur. « À nous deux, on forme un double Toshiyuki. Si quelqu'un prononce notre nom, on viendra tous les deux, ce sera la preuve de notre amitié éternelle… » Tu te souviens de cette réplique ? poursuivit-il en s'adressant à son homonyme. Ne me dis pas que tu as oublié. C'était peut-être notre destin de finir comme ça. Recevons notre châtiment et mourons ensemble, Toshiyuki. Naoya, désigne-nous.

La voix de Toshiyuki Fujioka s'était faite peu à peu extrêmement paisible.

— Fais-le et je te bute ! Je ne suis plus le même que quand je servais de larbin à Yûsuke ! cria Abe en se débattant toujours.

— Tu ne dois pas hésiter, Naoya ! Si tu n'agis pas, je tuerai Nobuaki et Chiemi ! répliqua Fujioka.

— Compris… Fujio… tu… tu es sûr ?

Naoya hésitait. Il baissa la tête, comme pour échapper au regard et aux injonctions de Fujioka.

— Allez, désigne-nous ! Ne m'oblige pas à me répéter ! Toshiyuki, en ce moment, tu es plus faible que n'importe qui. Encore plus que quand tu étais sous la coupe de Yûsuke.

— Toshiyuki… Abe. To… Toshiyuki… Fuji… oka, prononça Naoya d'une voix saccadée avant de détourner les yeux, absolument incapable d'assister à la scène.

— Merci, Naoya. Pardon de t'avoir infligé une telle épreuve.

Un nouveau message arriva sur tous les portables.

Ven. 30/10, 22:58. Expéditeur : Roi. Titre : Jeu du roi.
Message : Élève n° 2, Toshiyuki Abe, élève n° 23, Toshiyuki Fujioka.
Condamnés à la mort par hémorragie. END.

— Je me demande quel gage on va recevoir...

À cet instant, Abe poussa un hurlement propre à vous déchirer les tympans.

Fujioka prit dans ses bras son camarade à l'agonie, comme pour lui demander pardon.

— Je ne veux pas mourir !

— Tiens bon, ce sera bientôt fini. Je reste avec toi.

Les yeux de Fujioka versaient des larmes de sang qui s'écoulaient sur le visage d'Abe.

— Mourons ensemble. Tant que nous sommes encore humains... d'accord, Toshiyuki ?

Abe se grattait le crâne : du sang suintait à travers sa chevelure. Des quantités abondantes du liquide écarlate s'écoulaient également du nez et des oreilles des deux élèves, ruisselant de leurs corps pour teinter la terre d'un rouge profond. Leurs doigts se contractèrent, comme pris de convulsions.

Ils cessèrent finalement tous deux de bouger. Leurs bouches, grandes ouvertes, révélaient des dents blanches et des langues pendantes.

On aurait dit un couple enlacé en train de s'échanger des mots d'amour.

— Comme j'ai désigné quatre victimes, c'est à mon tour, maintenant. Moi aussi...

Naoya, en tant qu'exécuteur de l'ordre, devait à présent recevoir un gage.

Une terreur comme il n'en avait jamais connu le fit trembler jusqu'au tréfonds de son âme. Les bras croisés, serrés contre son corps, il tenta d'arrêter ses frissons, mais en vain.

Ses camarades encore en vie étaient incapables de lui adresser la parole. Incapables de prononcer la moindre phrase, un « Ça va ? » ou « Ne t'inquiète pas », qui aurait été de toute façon vide de sens.

Ria s'avança pour se planter face à lui.

— S'il te restait encore un individu à désigner, tu choisirais qui ? Chia ? Masami ? ou bien Chiemi ?

Naoya n'ouvrit pas la bouche.

— Réponds-moi.

— Pourquoi est-ce que tu me demandes ça maintenant ? Tu n'as vraiment pas une once d'humanité en toi !

Nobuaki saisit Ria par l'épaule, sans ménagement.

— Toi, tu te tais. Naoya, tu choisirais qui ?

— Je ne désignerais jamais Chiemi, murmura-t-il. À choisir entre Masami et Chia... Masami, peut-être ?

C'est alors que tous les portables se mirent à biper l'un après l'autre.

Incrédule, Naoya se recroquevilla sur place : toute force paraissait l'avoir quitté.

Masami, qui avait lu son message, se mit à hurler, hystérique :

— Ce n'était pas terminé ? Pourquoi est-ce que je reçois un gage ? Tu aurais dû désigner Chia ou Ria plutôt que moi ! Je vaux quand même mieux que ce laideron qui ne mérite pas de vivre ou que cette poupée insensible ! Ma vie a plus de valeur, tu t'es trompé de cible !

Le dé avait pourtant bien indiqué le chiffre quatre, et Naoya avait déjà désigné le nombre de victimes correspondant. Pourquoi Masami avait-elle reçu un gage ?

Chia lui tira les cheveux d'un coup sec, la forçant à cambrer le dos, puis lui chuchota à l'oreille :

— Dis, c'est moi, le laideron qui ne mérite pas de vivre ?

— Est-ce que tu vois quelqu'un d'autre que toi ? Tu t'es déjà regardée dans un miroir ? Moi, si j'avais une tronche comme la tienne, j'en serais incapable.

— Je rêve ! Tu te la racontes drôlement, juste parce que tu n'es pas trop moche ! Toujours à casser du sucre sur le dos des gens, en plus… Tu parles, que tu détestes les hommes ! Ça crève les yeux que tu meurs d'envie de leur plaire, sale pimbêche !

— Tu es jalouse parce que tu n'as aucun succès, espèce de guenon ! Tu sais que tu serais très populaire, au zoo ? De quoi te faire des millions avec les tickets d'entrée ! Tu aurais eu une voie toute tracée, si tu étais restée en vie. Oups, pardon !

— Au zoo ?

— Regarde la réalité en face, ma pauvre ! Toujours à prendre ce ton niaiseux avec les garçons qui te plaisent ! Une vraie mijaurée !

Chia griffa Masami au visage. La jeune fille hurla en se couvrant la figure de la main, avant de lancer entre ses doigts un regard assassin à Chia.

— Qu… qu'est-ce que tu as fait à mon beau visage ? Tu prétends détester les hommes parce que personne ne veut de toi !

— C'est complètement faux !

Naoya ne prêtait même pas attention à leur dispute.

Si Masami a reçu un gage… Ces mots tournoyaient dans son esprit à une vitesse folle.

— J'ai prononcé le nom de Chiemi avant celui de Masami.

Il avait trop peur pour vérifier ses messages. Si le nom de Chiemi s'y trouvait, cela signifierait qu'il l'avait lui-même condamnée à mort.

Tuer de ses mains la copine de son meilleur ami… celle qu'il voulait protéger.

Pourquoi diable est-ce que j'ai lancé ce dé ? Pour sauver Nobuaki et Chiemi… mais ça n'aura servi à rien.

Naoya, blanc comme un linge, s'agrippa aux jambes de Ria devant lui.

— Est-ce que j'ai désigné Chiemi ? Ce n'était pas fini, je l'ai tuée ?

— Tu veux que je compatisse ? que je te console ? répliqua-t-elle d'un ton froid.

— Non.

— C'est maintenant qu'on va s'amuser. Je vais t'apprendre une bonne chose : Nobuaki a perdu la mémoire. Il a oublié tout ce qui s'est passé entre le

19 octobre, quand le jeu du roi a commencé, et le moment où il a reçu son gage.

Soudain, Chiemi s'effondra, comme prise de vertiges. Nobuaki se précipita pour la prendre dans ses bras.

— Je n'ai pas de portable sur moi ! Que quelqu'un vérifie à ma place !

Personne ne fit un geste pour répondre à sa demande.

Chiemi lui murmura à l'oreille :

— Tu ne dois pas en vouloir à Naoya. C'est moi qui ai tout manigancé pour que ça se passe ainsi… J'aurais peut-être dû lancer le dé moi-même ? Si seulement j'avais eu ce courage, on n'en serait sans doute pas arrivé là.

— Est-ce que tu vas mourir ?

— Occupe-toi plutôt de Naoya… Il va recevoir son gage. Accompagne-le dans ses derniers instants.

— Non ! dit Nobuaki en secouant violemment la tête, comme s'il rejetait l'inéluctable.

Chiemi le sermonna d'une voix douce :

— Des petites copines, tu pourras en trouver bien d'autres, mais pas un ami comme Naoya.

Nobuaki, les larmes aux yeux, fit encore non de la tête.

— Je t'en prie, écoute-moi !

— Non !

Ria s'approcha de Nobuaki et lui montra l'écran de son portable, le mettant ainsi face à la réalité.

— Alors… Chiemi va vraiment recevoir un gage. Non…

Naoya se mit à crier avec l'énergie du désespoir :

— Naoya Hashimoto ! Naoya Hashimoto ! Naoya Hashimoto !

Ria se tourna vers lui et lui lança d'un ton glacial :

— Qu'est-ce que tu penses accomplir en répétant ton nom ? Tu veux mourir plus vite ?

— Chiemi, Nobuaki, je suis vraiment désolé...

À côté d'eux, Masami et Chia continuaient à se battre. Masami agrippa sa camarade par les cheveux et la fit tomber.

— Tu vas me le payer ! Je vais te laisser une marque dont tu te souviendras !

Dans sa chute, Chia se cogna l'arrière du crâne contre le sol. Tandis qu'elle se passait la main sur la nuque, Masami s'assit sur elle et la bâillonna. Chia tenta de marmonner quelque chose.

Masami saisit fermement le visage de Chia de manière à l'immobiliser puis lui transperça l'œil gauche de son index.

Malgré le cri strident de la jeune fille, Masami enfonça son doigt encore plus profondément, lui écrasant le globe oculaire. Un bruit visqueux vint se mêler aux hurlements de Chia.

Un liquide rouge foncé s'écoulait de son œil.

— C'est tout tiède, l'intérieur du corps humain. Qui t'a chipé ton œil, Chia ?

Masami retira lentement son index. Des gouttes de sang perlaient de sa main, qui tenait un morceau de chair carmin. Chia la bouscula violemment puis fut prise de convulsions et poussa des gémissements inintelligibles, la main posée là où son œil gauche se trouvait encore quelques secondes auparavant.

— C'est moi qui l'ai volé ! Tu peux graver à tout jamais mon nom dans ta mémoire !

— Mon œil, mon œil ! Au secours !

— Ça t'apprendra !

L'instant d'après, Masami plaqua une main contre sa poitrine et tomba à la renverse. Son corps s'arc-bouta, comme soudain traversé par un violent courant électrique. Elle se mit à ramper sur le sol, en gémissant une malédiction.

— Chia… Je te… hais…

Les mouvements de sa bouche, de même que ceux de son corps, cessèrent alors.

Elle semblait avoir éprouvé plus de ressentiment envers Chia qu'envers Naoya. La jeune fille, désormais borgne, continuait à se tordre de douleur et lui lança un regard noir de son œil épargné.

— Ça t'apprendra !

Ria sourit.

— Haine, ignominie, jalousie, lamentations, désir, trahison. La véritable nature humaine se dévoile quand on est dos au mur. Notre vraie valeur est mise en question. C'est ça, l'humanité… Nous sommes des insectes enfermés dans une cage en osier. Ceux qui en sortent sont paralysés par les aiguilles qui leur transpercent les membres et s'abandonnent à cet écho qu'on appelle la mort.

Chiemi se couvrit le visage des deux mains et se recroquevilla sur elle-même en position fœtale.

— Nobuaki, éloigne-toi de moi... Je ne veux pas que tu me voies.

— Non !

— Ne me regarde pas, je t'en prie !

Les pieds d'un élève entrèrent dans le champ de vision du garçon.

— Pardon, c'est de ma faute.

Relevant la tête, il aperçut Naoya qui se tenait devant lui. Plus rien n'était rattaché à son épaule gauche, son bras était tombé à terre.

Il comprimait la blessure béante de sa main droite.

Le sang avait beau couler à flots de sa plaie, il n'affichait aucune expression de souffrance et parla d'une voix calme.

— Je suis vraiment désolé, Nobuaki. Je ne te demande pas de me pardonner et je ne me chercherai pas d'excuse.

— Na... Naoya, ton bras...

De son unique main valide, Naoya sortit son portable et le mit sous le nez de Nobuaki.

— Rappelle-toi bien. O, N, A, D, I. Ria connaît le reste. Ces lettres ont quelque chose à voir avec le jeu. Ce sont peut-être les clés qui te permettront de trouver le roi et de mettre un terme à la partie. Quand je mourrai, il restera une lettre dans le menu des messages non envoyés de mon téléphone. Il y en a une sur le portable de chaque élève qui est mort.

— Ce n'est pas le moment. Ton bras…

— Essaie de former une phrase avec ces lettres, ça devrait te donner un indice.

— On verra ça plus tard ! Tu viens de perdre ton bras ! s'écria Nobuaki, de plus en plus affolé.

Naoya poursuivit sans tenir compte des protestations de son ami :

— Tu as perdu la mémoire. S'il te plaît, souviens-toi de tous ceux qui sont morts… Daisuke, Nami, Yôsuke, Kana… Essaie de te rappeler les expériences que tu as vécues au cours du jeu du roi. J'étais à tes côtés tout du long et quand je t'observais, je me disais toujours que tu étais extraordinaire.

Le bras droit de Naoya tomba au sol, tel un fruit trop mûr se détachant naturellement de son arbre, incapable de résister à la gravité. Naoya n'avait plus de membres supérieurs.

Une grimace de douleur apparut brièvement sur son visage.

— Ne te force pas à parler, je t'en prie ! Chiemi aussi, tu… Aah !

Lorsqu'il aperçut sa camarade, Nobuaki en resta sans voix. Ses mains, autrefois jeunes et douces, étaient désormais striées de rides qui les rendaient semblables à celles d'une vieille dame. Les parties de son visage visibles entre ses doigts étaient également toutes fripées. Ses lèvres, auparavant roses et tendres, s'étaient flétries.

— Je m'en doutais… Naoya, je suis vraiment désolée, fit Chiemi avant de perdre connaissance.

Naoya s'effondra au même moment. Il ne pouvait plus conserver son équilibre : sa jambe gauche venait d'être sectionnée.

— C'est impossible ! Naoya, Chiemi, qu'est-ce qui vous arrive ?

Naoya, allongé sur le ventre, s'efforça de redresser la tête et de fixer Nobuaki du regard.

— Ce n'est pas le moment de se lamenter. Qui s'est rendu compte le premier que ce jeu était sérieux ? Qui m'a sauvé la vie ? Qui s'est aperçu de l'existence des messages non envoyés ? Qui a remarqué que les résiliations d'abonnement étaient dangereuses ? Qui a sauvé tout le monde en comprenant qu'il ne fallait pas pleurer ? C'est toi !

— Je ne comprends rien à ce que tu me racontes…

— J'ai une requête à te faire : mets un terme au jeu du roi. Je sais que tu en es capable.

La jambe droite de Naoya se détacha. Il n'avait plus ni bras, ni jambes, seuls lui restaient la tête et le tronc. On aurait dit un culbuto. Les os qui ressortaient de ses plaies ruisselaient de sang.

Nobuaki, en larmes, secoua violemment la tête.

— Je ne veux pas que tu meures ! Qu'est-ce que je dois faire ? Ne me laisse pas seul !

Naoya vomit presque un litre de sang.

— Arrête de pleurer à tout bout de champ… Au fait, pourquoi est-ce que tu étais en colère contre moi ? Si je connais la raison, je pourrai te présenter mes excuses. Sinon… il va me rester comme un mauvais arrière-goût dans la bouche.

— Ça n'a plus d'importance.

— Tant pis, dis-moi. Je tiens à te demander pardon... Ah, c'était ma faute si on a perdu le match de basket, cette fois-là... j'ai raté mon tir. Tu as été le seul à ne pas me le reprocher... au contraire, tu m'as défendu. Je comptais me rattraper lors de la compétition d'hiver. Je me disais que ça vaudrait mieux que des excuses... Allez, explique-moi pourquoi tu m'en veux.

— À cause du stratagème que tu as employé pour gagner des voix lors du concours de popularité contre Kana. Et parce que tu as couché avec Chiemi... Mais je ne suis plus en colère.

Les larmes de Nobuaki ne tarissaient pas. Du revers de sa manche, il s'essuya les yeux et le nez. La profondeur de ses sanglots l'empêchait de respirer correctement.

Naoya l'observa, de façon à graver son image dans sa mémoire.

Je ne t'oublierai jamais.

— Je vois... Pardon... j'ai eu tort. Tu sais, quand Daisuke est mort, tu m'as posé une question : « Quel genre d'endroit c'est, le paradis ? » Je crois que j'ai une réponse, maintenant. C'est sûrement un endroit bien. Après tout... personne n'en est jamais revenu...

Son corps se sectionna au niveau du nombril. Il ferma doucement la bouche et cessa de bouger.

— Na... Naoya ! s'exclama Nobuaki.

Levant les yeux vers le ciel, il laissa libre cours à son chagrin et à son désespoir.

Tout m'est enlevé.

L'instant d'après, la tête de Naoya roula au sol. Son corps avait été tranché à six reprises.

— Je ne veux pas que tu meures ! Non !

Le portable que Naoya lui avait confié émit un bip.

Ven. 30/10, 23:00. Expéditeur : Roi. Titre : Jeu du roi.
Message : L'ordre a bien été exécuté. END.

— Comment ça, l'ordre a bien été exécuté ? Naoya n'est... plus là.

Nobuaki ramassa la tête de son ami et la caressa doucement. Une larme s'écoula de l'œil du mort.

— Quel traitement on t'a fait subir... Rendez-moi Naoya !

Le sang qui ruisselait du cou sectionné teintait de rouge les vêtements de Nobuaki. Les morceaux du corps étaient éparpillés aux alentours.

Naoya était mort afin de protéger les êtres qui lui étaient chers.

Le douzième ordre avait pris fin en même temps que sa vie.

Nobuaki tenait toujours entre ses bras la tête de Naoya. Il ferma les yeux et ne serra soudain plus qu'un amas de chair muet. Combien de temps s'était-il écoulé ?

Le garçon continuait de pleurer et d'essuyer inlassablement les larmes qui jaillissaient les unes après les autres de ses yeux aux paupières rougies.

— Je ne t'oublierai jamais.

Nobuaki rassembla en un seul endroit les membres épars de son camarade. Il ramassa les viscères qui se déversaient du corps comme on entasserait du sable de la main – les morceaux de chair et d'entrailles étaient encore tièdes.

— Naoya, Naoya, Naoya…

Nobuaki était en train de puiser entre ses mains les flaques de sang accumulé lorsque Ria s'adressa à lui :

— En fin de compte, Naoya a désigné six victimes et a reçu six incisions.

— Où est-ce que tu veux en venir, toi ?

— Peut-être que s'il avait sorti un « un », il n'aurait perdu que le bras gauche.

Un sentiment de rage sans précédent s'empara de Nobuaki. Haine et tristesse le dominaient totalement.

La main sur son orbite en sang, Chia grommela.

— Je vais à l'hôpital.

— Tu veux que je t'accompagne ? demanda le jeune homme.

— Avec tes habits couverts de sang ? Non merci !

Elle déguerpit aussitôt.

— J'ai quelque chose d'important à te dire. On peut se parler seule à seule, Ria ?

Chiemi, que Nobuaki croyait inconsciente, était venue se placer derrière lui. Elle semblait prête à fondre en larmes.

— Je te suis… Je voulais justement discuter avec toi, répondit Ria.

Chiemi se retourna vers Nobuaki.

— Attends là une minute, s'il te plaît.

Il ne faut pas que je les laisse seules toutes les deux, l'avertit son intuition.

Mais le regard suppliant de Chiemi le dissuada d'intervenir.

Les deux filles partirent au fond du parc, sous le couvert des arbres. Abasourdi, Nobuaki les observa s'éloigner.

Une pensée le frappa soudain :

Je ne reverrai peut-être jamais Chiemi.

Il vérifia les messages qu'il n'avait pas encore lus ainsi que celui non envoyé qui se trouvait dans le portable de Naoya.

Ven. 30/10, 22:59. Expéditeur : Roi. Titre : Jeu du roi.
Message : Plus que 60 secondes. END.

Ven. 30/10, 22:59. Expéditeur : Roi. Titre : Jeu du roi.
Message : Élève n° 24, Chiemi Honda.
Condamnée au vieillissement accéléré. END.

Ven. 30/10, 22:59. Expéditeur : Roi. Titre : Jeu du roi.
Message : Élève n° 26, Masami Matsumoto.
Condamnée à la mort par arrêt cardiaque. END.

Ven. 30/10. Titre : Pas de titre.
Message : H. END.

— Au vieillissement accéléré ? Pourquoi Chiemi n'a-t-elle pas été condamnée à mort comme les autres ?

Nobuaki ressentit un malaise indéfinissable. Dans le portable de Naoya, le message non envoyé contenait un H, et s'il combinait cette lettre avec celles qu'il connaissait déjà, il pouvait former le mot « Honda » : le nom de famille de Chiemi.

Chiemi et Ria marchaient le long du chemin aménagé autour du barrage de Katena.

Chaque fois qu'on construisait un barrage quelque part, un mouvement d'opposition voyait le jour, et celui-là n'avait pas fait exception à la règle, car un hameau devait se retrouver submergé suite à la montée des eaux.

Au bout du compte, les travaux s'étaient poursuivis malgré les protestations de la municipalité et des habitants, et le village avait été englouti.

Une fois passées devant le poste de contrôle, Chiemi et Ria s'engagèrent sur le sentier qui longeait la berge. Ria s'arrêta près du canal d'évacuation d'eau.

— Quand Naoya a lancé le dé, il a atterri près de toi, Chiemi. Pourquoi est-ce que tu as changé le numéro en le faisant rouler du pied ?

— Parce que je voulais absolument qu'il me désigne !

Ria s'adossa contre le mur de la berge.

— Tu sais bien que Naoya n'aurait jamais fait ça, quoi qu'il arrive. Alors pourquoi ?

— Pour vérifier quelque chose.

Chiemi fit un pas vers Ria.

— Tu veux bien écouter mon histoire jusqu'au bout ?

Sa camarade acquiesça en silence.

— Hier, à la maison, j'ai parlé pour la première fois du jeu du roi. Mon père a eu l'air très étonné, puis il m'a demandé pourquoi j'étais mêlée à ce jeu. Je lui ai expliqué en détail ce qui se passait dans notre classe. Au bout d'un moment, il s'est mis à pleurer sans pouvoir s'arrêter. Après s'être calmé, il m'a raconté une terrible histoire qu'il n'avait jamais révélée jusque-là.

Chiemi poursuivit d'une traite, sans se soucier des larmes qui ruisselaient le long de ses joues :

— Mon père est le seul survivant d'un village qui n'existe plus. Ce village a disparu il y a trente-deux ans, car tous ses habitants, excepté mon père, sont morts. Ce qui nous arrive maintenant ressemble beaucoup à ce qu'il a vécu à cette époque-là. Parvenu au bout de l'épreuve, il a reçu un dernier ordre : choisir entre poursuivre le jeu du roi et recevoir un gage.

Ria, silencieuse, observait le visage de Chiemi.

— Il a choisi de recevoir un châtiment. Il était prêt à mourir. Mais la sentence n'est jamais tombée. Seize ans plus tard, il s'est marié et je suis née.

— Mais alors…

— Exactement. Le gage de mon père était le suivant : son enfant se retrouverait un jour ou l'autre mêlée à ce jeu atroce. L'épreuve se répète, elle ne prend jamais fin. Si mon père n'avait pas eu d'enfant, elle se serait sans doute poursuivie sous une autre forme. C'est moi qui ai entraîné la classe dans ce jeu, et je n'ai pu l'avouer à personne. Après tout, c'est comme si je les avais tous tués. Je suis le roi, c'est moi qui…

Secouée de sanglots, Chiemi se jeta au cou de Ria, qui posa doucement la main sur son épaule.

— Dis, Ria, comment est-ce que je pourrais demander pardon aux autres ?

— Pardon ? Il n'y a plus grand monde pour entendre tes excuses... En un sens, mes pronostics étaient justes et faux tout à la fois. Je viens seulement de comprendre pourquoi rien ne s'est passé quand Nami t'a touchée. Tu es le roi sans l'être.

— En fin de compte, il ne peut rester qu'un seul survivant, qui sera obligé de choisir entre continuer le jeu et faire subir cette épreuve à ses enfants. Je pense que l'ordre final sera le même que celui reçu par mon père. Et j'aimerais que le dernier d'entre nous encore en vie poursuive le jeu au lieu de recevoir le gage.

— Mais pourquoi ?

— Il ne faut plus que le jeu du roi existe ! Il ne faut plus qu'il se reproduise ! Quelqu'un doit y mette un terme... Je suis sûre que Nobuaki en serait capable. Je veux qu'il survive.

— Tu veux lui faire revivre ce cauchemar ? S'il ne parvient pas à arrêter le jeu, la seule chose qui l'attendra au bout de tant de souffrances sera la mort.

Chiemi soupira doucement.

— Il y a trente-deux ans, tous les habitants de ce village sont morts, sauf mon père et la femme qu'il aimait. Il a alors reçu un ordre : « Tue cette femme de tes propres mains. » Celle qu'il a assassinée s'appelait Natsuko. Moi aussi, je dois mourir des mains de l'homme que j'aime.

C'est mon destin ! Je ne veux pas lui causer de peine, mais il faut que quelqu'un… Essaie de comprendre !

Le carnet qu'on a trouvé à Yonaki aurait-il été écrit par le père de Chiemi ? À l'intérieur figurait cette phrase : « Je refuse d'exécuter cet ordre. Parce qu'il exige que je tue à mon tour. »

Son père a-t-il fini par tuer Natsuko ?

Avec délicatesse, Ria posa une main près du cœur de Chiemi.

— Une fatalité qui franchit les générations.

— Je vais faire en sorte que Nobuaki me déteste.

— Intéressant… Pourquoi ? Pour qu'il lui soit plus facile de te tuer ?

— Est-ce que tu veux participer au prochain jeu du roi, Ria ?

Le prochain jeu du roi… Ria ferma les yeux et les mots de Chiemi résonnèrent à ses oreilles.

Nobuaki participera sûrement au prochain jeu du roi, même s'il doit en souffrir. Je serais curieuse de savoir quelle voie il choisira et quelles peines il subira en conséquence. Quel dommage que je ne puisse pas assister à la conclusion ! En définitive, nous n'avons été que de simples pions dans une histoire qui se transmet d'un parent à son enfant et de l'enfant à la personne qu'il aime…

La voix de Nobuaki s'éleva dans les ténèbres.

— C'est donc là que vous vous cachiez ! Je n'en pouvais plus d'attendre. J'ai vérifié les messages non envoyés de ceux qui sont morts dans le parc. Maintenant, il me faut les lettres que tu connais, Ria. Donne-les-moi ! fit-il en s'avançant vers elle.

— Non, il est encore trop tôt pour que tu saches la vérité.

— Réponds-moi tout de suite ! On dirait que tu ne te rends pas bien compte de la gravité de la situation !

Nobuaki empoigna Ria par le col de son chemisier. Sans se démonter, la jeune femme recoiffa une mèche de cheveu qui lui tombait sur l'œil droit et sortit de sa poche le portable du garçon.

— Tiens.

— Alors c'est toi qui l'avais ? s'exclama-t-il, s'emparant aussitôt du téléphone.

Ria poursuivit d'un ton calme, les yeux tournés vers le lac d'un noir luisant.

— Tu te souviens du concours de popularité dont je t'ai parlé quand on est rentrés du village ?

— Oui, mais quel est le rapport ?

— Celui qui a trompé ses camarades grâce à l'envoi de messages bidon pour faire gagner Naoya, c'est toi. Celui qui a poussé Kana au suicide, c'est toi aussi. Naoya n'a rien fait du tout.

— Quoi ?

Nobuaki fixa Ria du regard.

— C'est toi qui as agi ainsi pour éviter à Naoya de subir un châtiment, mais je t'ai raconté les choses de manière à ce que tu le croies responsable.

— C'est une blague… Oui, tu me fais marcher, j'en suis sûr !

— Quelle ironie ! Toutes ces actions que tu refusais de lui pardonner, tu en étais l'auteur. À propos, tu étais furieux qu'il ait couché avec Chiemi, non ?

— Ne me dis pas que tu m'as aussi menti là-dessus !

— Non, mais tu n'as pas entendu toute l'histoire. C'était un ordre du roi. Apparemment, Naoya était prêt à mourir plutôt que de te tromper avec Chiemi. Tu les as forcés à coucher ensemble, car tu considérais sa vie comme plus importante.

Nobuaki, pris de violents frissons, sentit le sol se dérober sous ses pieds.

— C'est… c'est impossible… fit-il en mettant un genou à terre.

— C'est pourtant la vérité, j'ai demandé à Naoya. On récolte toujours ce qu'on sème.

— Pourquoi s'est-il excusé, si j'avais tort ? Il n'avait absolument aucune raison de le faire. Il lui suffisait de me révéler ce qui s'était vraiment passé.

— Naoya savait que tu t'étais comporté ainsi pour lui sauver la vie. Il pensait t'avoir incité à mal agir, voilà pourquoi il t'a demandé pardon. Tu n'arrives même pas à comprendre une chose pareille ?

— La ferme ! Pourquoi est-ce que tu m'as menti ? Si seulement tu m'avais dit la vérité, on n'en serait pas arrivés là !

— Je t'ai peut-être trompé sur certains points, mais…

— Tais-toi ! Quel intérêt est-ce que tu avais à me mener en bateau ? Je dois m'excuser tout de suite auprès de Naoya !

Ria dévisagea Nobuaki d'un air grave.

— Pardon. Je n'avais pas l'intention de te mettre au courant de ma supercherie, mais c'est ton devoir de savoir et de tout comprendre.

— Tu te fiches de moi ? Ce que tu racontes ne rime à rien !

— Écoute bien ce que je vais te dire. Des images vidéo peuvent être utilisées pour effectuer un lavage de cerveau. Il suffit d'insérer quelques photogrammes, l'espace d'un instant que personne ne remarque, au sein d'un film, et le tour est joué. Tu n'as jamais entendu parler des messages subliminaux ? Il y a même eu un incident quand un groupe religieux s'en était servi dans notre pays. Est-ce que tu vois où je veux en venir ? Essaie de te rappeler. Comment est-ce que le roi a poussé nos camarades à se pendre ?

— De quoi est-ce que tu me parles ? demanda Nobuaki en lançant à Ria un regard interrogateur.

— De lavage de cerveau, répéta-t-elle. C'est difficile à croire, mais dans notre vie de tous les jours, nous recevons des suggestions subliminales qui peuvent même avoir une influence sur notre corps. Pourquoi ? À cause de nos émotions.

D'un geste provocateur, elle tendit la main au garçon.

— Une fois, à une époque où la torture était fréquente, un bourreau aurait donné un coup de fouet dans le dos d'un supplicié, et juste avant qu'il ne recommence, de nouvelles lacérations seraient apparues toutes seules sur la peau de la victime, jusqu'à ce que mort s'ensuive.

» Selon une autre histoire, un tortionnaire aurait longuement montré à un bandit une barre de fer chauffée à blanc, si brûlante qu'elle pouvait calciner la chair en un instant, puis se serait apprêté à lui en donner un coup dans le dos. Dans un cri, le criminel aurait alors perdu tous ses cheveux, et des marques de brûlure fatales se seraient esquissées sur son dos.

» Une terreur si forte qu'elle fait tomber les cheveux, en somme. Aussi irréaliste et scientifiquement improbable que cela paraisse, ce genre de choses arrive bel et bien. Il se produit des changements parmi les soixante milliards de cellules que comporte le corps humain.

— Comme si j'allais avaler ça !

— C'est la vérité. On dirait que le jeu du roi a poussé ces deux techniques à l'extrême. À ton avis, pourquoi le roi imposait-il ces comptes à rebours ? Il y avait bien une raison. Le tic-tac de l'horloge fait monter le stress. Contrôle, obéissance absolue, peur de la mort. Oui, plus quelqu'un est effrayé, plus il approche de sa fin. Il est gagné par une terreur dont il ne peut se défaire et qui s'auto-alimente.

» Tout le monde a peur de mourir. Impossible de se débarrasser d'une telle crainte, impossible de la fuir. Les hommes meurent parce qu'ils éprouvent de la peur. Et même s'ils tentent de contenir leurs émotions, leur cœur les en empêche.

Nobuaki déglutit avant de murmurer, abasourdi :

— La peur de la mort appelle la mort.

Ria jeta un coup d'œil à son poignet gauche puis déclara :

— Exact. Toute fuite est impossible. J'étais dans ce cas, autrefois…

Le plus ancien souvenir de la jeune fille était d'avoir passé la nuit dans un jardin d'enfants, endormie aux côtés d'un petit garçon. Un mois après cet événement, elle avait déménagé pour raisons familiales.

Très jeune, Ria possédait déjà une beauté hors du commun. Les adultes autour d'elle ne se lassaient pas de la cajoler et de lui répéter : « Comme tu es mignonne ! », « Tu es jolie comme un cœur ! », « Tu deviendras actrice, plus tard ! »

Elle avait déménagé suite au divorce de ses parents. Le père, dépravé et possessif, se persuadait que sa femme lui était infidèle dès qu'elle parlait à un autre homme et la battait pour un rien, alors qu'il était lui-même un coureur de jupons invétéré.

Si son épouse faisait mine d'émettre le moindre reproche, il s'emportait aussitôt :

— Je n'ai pas d'avis à recevoir d'une femme ! C'est grâce à moi que tu as une fille aussi jolie, dont les autres parents sont tous jaloux ! Tu devrais m'en être reconnaissante !

— Je voulais juste une famille normale.

À bout, la mère de Ria avait quitté la maison dès la signature du formulaire de divorce. Sur la table de la cuisine, ce simple mot : « Je te laisse la garde de notre fille. »

L'enfant avait alors quatre ans.

Son père s'était lancé à corps perdu dans une existence de plus en plus dissolue. Il était devenu accro aux paris, aux femmes et à l'alcool, sa haine envers son ex-épouse augmentant à mesure que sa vie tombait en ruine.

— C'est de sa faute si je me retrouve dans une galère pareille ! D'ailleurs, je suis sûr qu'elle a déjà refait sa vie et qu'elle nous a oubliés...

Il s'accrochait désespérément au passé, convaincu que son comportement obsessionnel provenait d'un sentiment amoureux.

Depuis qu'elle vivait seule avec son père, Ria n'allait plus au jardin d'enfants. Elle passait le plus clair de son temps dans sa chambre, à dessiner avec ses crayons de couleur.

Elle était très intelligente et remarquablement douée pour lire dans le cœur des autres. Cependant, en dépit de sa grande sensibilité et de son tempérament amical, elle se repliait peu à peu sur elle-même.

Un soir, son père était rentré ivre, et il avait trouvé sa fille de quatre ans paisiblement endormie dans les bras de son ours en peluche. Les traits de la fillette avaient rappelé à ce grand pervers ceux de son épouse.

Un corps d'enfant, dépourvu de poitrine, ne le dérangeait pas. La petite fille ressemblait déjà beaucoup à sa mère : l'homme avait reporté sur Ria l'amour perverti qu'il vouait à son ex-femme.

Il l'avait emmenée dans la salle de bains et déshabillée.

À compter de ce jour, Ria était devenue la victime désignée de son père. Elle n'avait eu aucun moyen de résister à son bourreau.

Blessée dans sa chair comme dans son cœur, elle ne s'en remettrait jamais.

Elle s'efforça de dissimuler au mieux ses émotions. Peut-être son père se lasserait-il d'elle si son visage ne trahissait ni peur ni dégoût ?

Quelques jours plus tard, son visage n'était plus qu'un masque impassible. Elle s'était créé une véritable carapace.

Pour protéger son corps, elle avait dû se résoudre à sacrifier toutes ses émotions : joie, colère, tristesse, elle ne se laissait plus le droit de rien ressentir... C'était la seule solution, une mesure de défense contre la réalité.

— J'ai eu une période où j'aimais la vue du sang. Voir le mien m'a permis de me sentir en vie pour la première fois. Il ne s'agissait pas de pulsions suicidaires.

Lorsqu'elle était entrée au collège, la jeune fille avait plus de vingt traces de coupures au poignet.

Au jardin d'enfants, le garçon qui avait dormi aux côtés de Ria cette nuit-là portait sur sa blouse un écusson. Le nom « Naoya » était inscrit dessus.

— « Naoya, fais-moi un bisou. Tu veux bien m'épouser, dis ? » Je suis contente que ce soit la première chose dont je me souvienne. Je ne suis pas une copie de ma mère, murmura Ria d'une voix trop basse pour qu'on l'entende.

Elle vérifia l'heure sur son portable, puis se hissa sur le parapet en béton d'un mètre de haut. D'un regard empli de tristesse, elle contempla le barrage.

— Qu'est-ce que tu fais, Ria ? C'est dangereux, tu risques de tomber ! cria Nobuaki en se précipitant vers elle.

— Reste où tu es ! C'est tout ce que je sais, poursuivit-elle. Si j'avais eu un peu plus de temps, j'aurais peut-être pu tout comprendre du jeu du roi, mais ce n'est pas le cas. À toi de découvrir le reste. Moi, j'ai trouvé une réponse par moi-même. Déjà, l'autre fois… (Ria marqua alors une pause, puis reprit d'une traite :) « Elle est insensible, elle n'a pas d'émotions, elle est déprimante, on ne sait pas à quoi elle pense, cette fille… » Tous les élèves qui disaient du mal de moi sont morts les uns après les autres. Voir périr ceux qui se moquaient de moi, c'était le pied. Ils étaient drôles, à se raccrocher farouchement à leur désir de vivre.

— Ria…

— Haine, ignominie, jalousie, lamentations, désir, trahison. La véritable nature humaine se dévoile quand on est dos au mur. Notre vraie valeur est mise en question. Tu as eu le temps de t'en apercevoir, non ? Un monde d'hypocrisie et de faux-semblants, où on blesse ses prétendus amis sans aucun scrupule pour se protéger ou assouvir ses désirs.

— Ria, qu'est-ce qui te prend ?

— Tu es quelqu'un de spécial. Tu parviendras peut-être à échapper à cette fatalité.

— Quelqu'un de spécial ? demanda Nobuaki, perplexe.

— Je n'ai confiance en personne. Au fond, est-ce que je souhaitais avoir des amis ? J'ai tout fait pour les éloigner, mais, en vous regardant, j'ai ressenti une pointe de jalousie. Tout le monde n'est peut-être pas si mauvais. Parmi l'ensemble des élèves, j'étais sans aucun doute celle qui errait le plus désespérément à la recherche d'un compagnon… (Ria se frotta les yeux.) Je pleure. Moi. Est-ce qu'on ressent de la tristesse parce qu'on pleure ? Non, on pleure parce qu'on ressent de la tristesse. Des larmes ou des sentiments, lesquels viennent en premier ? Moi, je choisis de sourire parce que je ressens de la joie.

Ria ouvrit alors son portable et le cassa en deux. Les téléphones de Nobuaki et Chiemi signalèrent l'arrivée d'un message.

— Nobuaki, Chiemi, assistez à mes derniers instants. Dans ce jeu, on reçoit un gage parce qu'on a des sentiments. Si j'éprouve quelque chose… je vais recevoir un gage, moi aussi. Je crois qu'il n'est pas trop tard pour qu'une fleur s'épanouisse à nouveau en moi.

Les larmes accumulées au coin des yeux de Ria finirent par jaillir.

Lors de la création du monde, les premières gouttes de pluie avaient peu à peu donné naissance à l'océan, qui était devenu le berceau de la vie.

— Vis, souffre, et tires-en une réponse, Nobuaki.

Autour du cou de Ria se dessina un arc de cercle : goutte à goutte, un sang écarlate s'en écoula.

Elle sourit d'un air empli de bonté, ses yeux resplendissaient de vie.

— Au-delà de la tristesse, il est possible d'obtenir quelque chose. À l'instant, j'ai pu me sentir en vie… pour la première fois depuis ma… naissance.

La tête de Ria tomba dans le lac derrière le parapet. Son corps sans force bascula en arrière à sa suite et disparut, comme s'il avait été aspiré.

Quelques secondes plus tard, un clapotis se fit entendre.

— Riaaa !

Nobuaki accourut à la rambarde puis regarda en bas, mais il faisait trop sombre. Il ne pouvait pas voir le cadavre de sa camarade.

Seule l'eau qui s'écoulait du conduit troublait à présent le silence.

— Pourquoi toi aussi ? hurla le garçon. Qu'est-ce qui se passe ?

Le cri de Nobuaki, dirigé contre la surface du lac, résonna sur les parois du barrage.

Sam. 31/10, 00:00. Expéditeur : Roi. Titre : Jeu du roi.
Message : Toute votre classe participe à un jeu du roi. Les ordres du roi sont absolus et doivent être exécutés sous 24 heures.
Aucun abandon ne sera toléré.
Ordre n° 13 : Élève n° 12, Nobuaki Kanazawa.
Nobuaki doit tuer Chiemi Honda de ses propres mains. En outre, certains élèves recevront un gage immédiatement.
Élève n° 6, Ria Iwamura, condamnée à la mort

par décapitation. Élève n° 14, Chia Kawano, condamnée à la mort par asphyxie. Elles ont enfreint une règle. END.

8 morts, 2 survivants.

Ordre n° 13 – Sam. 31/10, 00:02

Nobuaki tomba à genoux.

— Ria a reçu un gage, et Chia, partie à l'hôpital, aussi. De quelle règle est-ce qu'il s'agit ? Pourquoi ont-elles été punies ?

Il n'en croyait pas ses yeux. Ne voulait pas les croire. Il souhaitait tout rejeter en bloc.

Il relut le dernier ordre qu'il avait reçu.

Tuer Chiemi de mes mains ? Moi, que je… que je… Pourquoi ? Nous sommes les deux seuls survivants.

Pris de désarroi, il frappa le sol du poing.

— C'est la règle qui stipule qu'aucun abandon ne sera toléré. Faire en sorte de ne plus recevoir les messages du roi est considéré comme un abandon. Tu t'en étais rendu compte lors du onzième ordre, dit Chiemi derrière lui, d'une voix si glaciale qu'elle semblait absorber toute la chaleur environnante.

— Qu'est-ce qui t'arrive, tout d'un coup ?

— Ria et Chia ont mis fin à leurs jours d'elles-mêmes en cassant leurs portables.

— C'est à cause de ça que… dit Nobuaki, élevant la voix. Tout le monde est… Tout le monde… Il ne reste plus que toi ! Aaaah !

Chiemi s'accroupit auprès de lui et le berça comme un enfant.

— Écoute-moi calmement. Je veux que tu me tues. Comme ça, tout sera fini. Vu comme je suis laide, ça ne devrait pas être trop difficile, si ? Pardon de t'avoir causé autant de peine.

— Qu'est-ce que tu…

— J'attendais ce moment depuis longtemps.

Nobuaki la repoussa.

— Ne me touche pas ! C'est toi, le roi ? Toi qui as tué tout le monde ? Réponds-moi !

— Je t'ai menti depuis le premier jour. Ma véritable apparence est celle d'une vieille femme de quatre-vingt-un ans, et je suis l'individu que tu n'as eu de cesse de poursuivre.

— Ça suffit, tais-toi ! C'en est assez ! Je ne veux plus rien entendre !

— Je suis celle que tu cherchais depuis le début.

Mais ce n'est pas moi qui ai tué nos camarades, et je ne suis pas non plus une vieille dame. Je suis vraiment celle que tu connais. Celle que tu regardais, que tu touchais. Désolée de ce mensonge, mais sans lui, tu ne serais sans doute pas capable de me tuer… Je t'en prie, tu dois me détester. Tout est de ma faute, c'est moi qui ai entraîné les autres là-dedans.

Nobuaki posa doucement les mains sur le cou de Chiemi. Très calme, elle ferma les yeux.

— Serre fort. Je veux que ce soit toi qui m'achèves. J'ai volé tellement de vies…

— Comment as-tu pu ? Tu es impardonnable ! Impardonnable !

— Merci pour tous ces merveilleux moments. Pardonne-moi…

— Comment ça, de merveilleux moments ? Arrête de plaisanter !

Les larmes aux yeux, Nobuaki resserra les doigts autour du cou de la jeune fille.

— Oui, c'était bien, jusqu'à l'apparition du roi, dit-il. On retrouvait nos camarades au lycée. Il y avait toujours de l'animation. Et tu as tout détruit !

— Pardon.

— Arrête de t'excuser ! Est-ce que tu as une idée de la peine que je ressens ?

Sous ses doigts, il sentait le sang battre à un rythme régulier. La douce chaleur de Chiemi lui parvenait à travers ses paumes.

C'était la même tiédeur qu'il avait ressentie chaque fois qu'il l'avait prise par la main, serrée contre lui, embrassée ou tout simplement effleurée.

La chaleur qu'il aimait tant était un mensonge.

C'est la pire issue possible, mais c'est la seule qui reste. Quand j'aurai tué Chiemi, je mourrai à mon tour. Ainsi, tout sera terminé.

— Je t'aimais vraiment, Chiemi ! Sache que c'est justement parce que je t'aime que…

Nobuaki ne termina par sa phrase, mais Chiemi avait compris ce qu'il essayait de dire.

C'est parce que tu m'aimes que tu ne peux pas me pardonner.

Elle murmura :

— Je t'ai trompé. C'est de ta faute si tu t'es laissé avoir.

— C'est parce que je t'aime que je ne peux pas te pardonner, idiote !

De grosses larmes roulaient sur les joues de Chiemi pour tomber sur les mains de Nobuaki. Lorsqu'elle s'en aperçut, elle chuchota :

— Pardon, je n'avais pas l'intention de pleurer, mais je n'ai pas pu me retenir.

Elle tenta de calmer ses sanglots, en vain. Elle fit un large sourire.

— Pourquoi est-ce que tu souris… pourquoi ?

Nobuaki sentit le corps de Chiemi se relâcher et sa vue se troubla de larmes. La jeune fille affichait un visage serein, yeux clos.

— On est toujours restés ensemble. Merci… Je t'aime… Nobu…

Nobuaki, je t'aimais vraiment. Occupe-toi du reste. Naoya, Ria et tous les autres t'ont aussi confié leurs espoirs. Ne les déçois pas. Tu dois continuer parce que moi, j'en suis incapable.

— Je me fiche que tu me dises que tu m'aimes ! Rends-moi Naoya ! Rends-moi tout le monde !

Nobuaki détourna le regard et resserra sa poigne en criant.

— Aaaah !

— C'est… bien…

— Est-ce que tu peux comprendre ce que je ressens en ce moment ? Ce que ça fait de tuer quelqu'un qu'on aime ?

— Oui… parce que… moi aussi, je…

J'ai entraîné tous ceux que j'aimais dans le jeu du roi. Tout est de ma faute. Je n'aurais jamais dû venir au monde. Mets un terme à ce jeu.

Sois heureux pour nous tous, Nobuaki, aie foi en l'avenir. Je sais que tu en es capable. On a passé de bons moments, je ne les oublierai pas. Je suis vraiment désolée de la peine que je t'ai causée.

Mais quelqu'un doit… s'en charger. Je veux… tu… Je t'… embrasse… moi… Si jamais je renais et qu'on se retrouve un jour, est-ce que… tu voudras encore de moi comme petite amie ?

Le poids de Chiemi se mit à peser lourdement sur les bras de Nobuaki. Le sourire avait disparu du visage de la jeune fille. Il retira doucement les mains de son cou.

Chiemi s'affaissa contre lui, comme si elle cherchait à se reposer sur son épaule. Nobuaki la soutint et la serra fort dans ses bras.

Son portable l'avertit de la réception d'un message indiquant que l'ordre avait été accompli.

— C'était de ta faute, Chiemi…

Il posa son front contre le sien tout en lui caressant les cheveux. Un souvenir s'imposa alors à lui.

C'était à la saison des cerisiers en fleur, alors qu'il soufflait un vent agréablement tiède. Nobuaki et Chiemi se tenaient côte à côte au bord de la rivière, bercés par le bruissement de l'eau.

— Chi… Chiemi, je t'aime. Est-ce que tu veux sortir avec moi ?

— Je te plais ?

Rouge comme une pivoine, le garçon avait répondu :

— Oui.

— Tu sais, je suis capricieuse. Parfois, j'ai des mots durs, alors je risque de te causer de la peine.

— Peu importe ! Je veux sortir avec toi, s'il te plaît, avait-il dit en inclinant la tête.

Chiemi avait alors répondu, un sourire radieux aux lèvres :

— Moi aussi, je t'aime.

— Vraiment ?

— Oui, vraiment, alors à partir d'aujourd'hui, plus de façons entre nous !

Nobuaki avait enlacé sa nouvelle petite amie.

Une décharge lui vrilla le crâne comme si quelqu'un l'avait frappé. Il se gratta la tête. Les brumes qui lui obscurcissaient l'esprit s'éclaircirent, et tout ce qui s'était passé lui revint en mémoire.

Il partit en portant Chiemi sur son dos.

Je t'avais promis que je reviendrais ici, à un moment où le soleil brillerait, quand la mer scintillerait sous ses rayons.

Nobuaki déposa doucement le corps de Chiemi sur le sable de la plage de Nata, d'où Nami s'était jetée dans l'océan.

La mer était calme, pas une vague sur le vaste horizon qui s'étendait devant lui.

Un croissant de lune couronné de lumière flottait dans le ciel nocturne et se reflétait à la surface de l'eau. On aurait dit deux astres jumeaux.

— Chiemi, regarde comme c'est beau. S'ils se rejoignaient, ça donnerait une pleine lune.

Un vent frais se leva, apportant une bouffée d'air marin. Seul le bruit des vagues se faisait entendre.

Nobuaki érigea des monticules de sable sur le rivage : des tertres funéraires pour ses camarades de classe.

— C'est à cause de Chiemi, ce qui vous est arrivé. Je suis vraiment désolé, elle n'est pas très futée… Pourquoi est-ce qu'elle a fait ça ? murmura-t-il, consolidant de ses mains les structures de sable afin qu'elles ne s'effondrent pas. La prochaine tombe est pour toi, Ria. Je te détestais… mais plus tant que ça, maintenant. Parler avec toi me mettait toujours en rage, pourtant j'aimerais bien qu'on se dispute encore. C'est étrange, non ? Je viens de penser à un truc… est-ce que tu étais amoureuse de Naoya ? Quel scoop ce serait ! Ta dernière expression était très belle. Si tu avais gardé tout le temps cette tête, ta vie aurait été différente, j'en suis sûr. Pourquoi est-ce que tu as choisi de vivre seule dans ton monde ?

Il construisit un monticule plus grand, tout contre celui de Ria.

— Naoya, tu seras son voisin. Ah, et puis Yôsuke et Kaori aussi. Tous les couples se tiendront compagnie.

Naoya, le jeu s'est conclu de la pire des manières. Je ne te dirai pas qui était le roi, il vaut mieux que tu l'ignores, je pense. Tu sais, j'ai retrouvé mes souvenirs. Alors je te demande pardon, du fond du cœur. Tu n'as rien fait de mal. Est-ce que tu voudras bien me pardonner ?

Le visage de Nobuaki était inondé de larmes.

— Chiemi, pourquoi est-ce que tu as agi ainsi ? Tu as tué tout le monde, tu as tué Naoya… Nami, c'est la deuxième fois que je t'érige une sépulture. Est-ce que celle de Naoya n'est pas un peu plus grosse que les autres ? J'en ai aussi dressé une pour Chiemi, même si c'est moi… moi qui l'ai tuée…

Devant chaque monticule, Nobuaki déposa un petit écriteau portant le nom de ses camarades.

Puis il contempla les trente et un tumulus.

— Il y en a tellement…

Il leva la tête vers le ciel étoilé pour ravaler ses larmes.

— Qu'est-ce qui me prend de construire joyeusement des tombes, tout seul, comme un idiot ?

Il alla s'allonger auprès du corps de Chiemi.

— Ces treize jours m'ont semblé durer une éternité, j'ai l'impression qu'un an s'est écoulé. Ce qui s'est passé avant semble déjà appartenir à un lointain passé.

Des myriades d'étoiles scintillaient dans le ciel et semblaient prêtes à tomber d'un instant à l'autre.

— Qu'est-ce que c'est beau ! Tiens, quelle est cette constellation ? Le Cygne ? Alors ça, c'est le Triangle d'été ? On est déjà en automne, pourtant. D'ailleurs, il commence à faire frais, la nuit. Chiemi, tu n'as pas froid ?

Seul le bruit des vagues lui répondit.

— Quelles étaient les autres lettres des messages non envoyés ? Au fait, toi aussi tu dois en avoir un… mais ça n'a peut-être plus d'importance. Je me parle à moi-même depuis tout à l'heure… Tant pis, c'est comme ça…

Quelques heures plus tard, le soleil apparut derrière la ligne d'horizon qui, sous le ciel bleu, se teinta d'une lueur magenta resplendissante.

Suivant l'angle des rayons du soleil, la mer miroitait de rouge, d'or ou d'argent en une multitude de facettes mystérieuses.

— Je ne pensais pas que l'aube pouvait être aussi belle. Même si elle apparaît tous les jours, je me réveille rarement assez tôt pour la voir.

Nobuaki contempla ce spectacle pendant un moment.

— J'ai bien fait de venir ici, dit-il, se relevant avec lenteur.

Ses camarades étaient souvent morts la nuit, aussi avait-il préféré attendre jusqu'au point du jour.

Un nuage vint cacher le soleil et, l'espace d'un instant, la mer, qui jusque-là scintillait joliment, sembla mécontente. On aurait dit qu'elle avait de la peine, qu'elle en voulait à Nobuaki d'aller mourir.

Le fracas d'une vague emplit l'atmosphère. L'onde avança sur le sable, recula, puis la mer retrouva son calme.

Quand Nobuaki ferma les yeux, toutes sortes de choses lui revinrent en mémoire. Que des souvenirs tristes. Il aurait pourtant aimé se rappeler des moments joyeux…

Des larmes tièdes coulaient le long de ses joues.

Il serra les dents, essuya ses pleurs et embrassa Chiemi.

— Finalement, je n'ai pas pu te faire part de mes sentiments une seconde fois… Allons retrouver les autres, tu veux bien ?

Il ôta ses souliers et ses chaussettes puis se dirigea vers la mer à pas comptés, laissant dans le sable des empreintes bien nettes du talon jusqu'à la pointe des orteils.

Il marqua un temps d'arrêt à la lisière des vagues. L'eau froide déferla sur ses pieds.

— Je vais vous rejoindre de l'autre côté, maintenant. Le dernier ordre portait le numéro 13… Ça porte malheur.

Nobuaki entra dans l'océan. Il était déjà immergé jusqu'aux cuisses quand le portable dans la poche arrière de son pantalon se mit à vibrer.

Sam. 31/10, 05:11. Expéditeur : Roi. Titre : Jeu du roi.
Message : Toute votre classe participe à un jeu du roi. Les ordres du roi sont absolus et doivent être exécutés sous 24 heures.
Aucun abandon ne sera toléré.
Ordre n° 14 : Élève n° 12, Nobuaki Kanazawa.
Nobuaki doit choisir entre continuer le jeu du roi et recevoir un gage. END.

Il éclata de rire en lisant le message.

— Continuer, et puis quoi encore ? Un gage ? Je l'accepte avec joie. J'avais déjà l'intention de mourir, de toute façon… Et puis ce texto est arrivé en retard !

Sur ces mots, Nobuaki se figea.

— Une seconde…

Quelque chose ne tournait pas rond. Un détail important lui échappait…

Chiemi n'est plus là ! Elle est morte. Pourquoi est-ce que j'ai reçu un message du roi, alors ? Qui les envoie ? Chiemi n'était pas le roi ?

Un deuxième message suivit le premier.

Sam. 31/10, 05:11. Expéditeur : Roi. Titre : Jeu du roi.
Message : Par vos vies, Natsuko Honda revivra.
END.

Nobuaki examina attentivement la phrase. Ces lettres lui étaient familières…

— On dirait les lettres des messages non envoyés !

Il compta le nombre de caractères employés.

— Trente et un signes ! Aucun doute, c'est la phrase composée par les messages non envoyés !

La mort de Chiemi avait complété la phrase. Le point final provenait de son portable.

— Tu parles d'un indice ! Ça n'a rien a voir, on avait faux sur toute la ligne. C'est qui, cette Natsuko Honda, d'ailleurs ? Et « par nos vies » ? On a sacrifié trente et une personnes pour en ressusciter une seule ?

Nobuaki s'efforça de rassembler les bribes de ses souvenirs. Petit à petit, une histoire prit forme, comme lorsqu'on tourne une à une les pages d'un album.

— Quel idiot, mais quel idiot !

Il inspira profondément, serra le téléphone dans son poing et effectua un nouveau pas en avant, un sourire amer aux lèvres.

— Je suis fatigué. À un point inimaginable. Mais c'est fini, maintenant.

Il fit encore deux enjambées vers le large, mais à la troisième, il s'arrêta.

Chiemi n'a jamais dit qu'elle était le roi ! Seulement qu'elle était celle que je cherchais depuis le début.

— Non, je ne veux plus penser à rien ! Rien du tout !

Il se prit la tête dans les mains.

« *C'est ton devoir de savoir et de tout comprendre* », lui souffla Ria.

Est-ce qu'elle voulait dire que je devais comprendre les pensées de Chiemi ? Et que je devais dévoiler ses mensonges ? À coup sûr, Ria connaissait déjà l'issue du jeu du roi. Elle était au courant qu'un seul d'entre nous survivrait, et savait en quoi consisterait le dernier ordre.

Nobuaki ouvrit grands les yeux et murmura :

— Comment ça, tout prendra fin si je te tue, idiote ?! Tu t'es bien fichue de moi !

Il repensa aux dernières paroles de Chiemi.

« *Écoute-moi calmement. Je veux que tu me tues. Comme ça, tout sera fini.* »

« *Vu comme je suis laide, ça ne devrait pas être trop difficile, si ? Pardon de t'avoir causé autant de peine.* »

« *Je n'avais pas l'intention de pleurer, mais je n'ai pas pu me retenir.* »

« *On est toujours restés ensemble.* »

« Merci… Je t'aime… Nobu… »

Chaque mot était comme un coup de poignard en plein cœur. Plus il y repensait, et plus les sentiments que renfermait chacune de ces paroles se révélaient à lui.

— Pourquoi est-ce que tu as choisi un moyen pareil ? Il devait bien en exister d'autres, non ?

Nobuaki contempla les mains qui avaient assassiné Chiemi, et sembla soudain y déceler les intentions de la jeune fille.

Si je n'avais pas dit ça, tu n'aurais pas pu me tuer… n'est-ce pas, Nobuaki ? Certains mensonges sont permis et d'autres pas : on peut mentir si c'est pour rendre les autres heureux, mais pas pour leur faire de la peine. Le mien rentrait dans la deuxième catégorie, mais il fallait que quelqu'un mette un terme au jeu.

Nobuaki hurla à pleins poumons, frappant des deux mains la surface de l'eau. Puis il accourut auprès du cadavre de Chiemi et caressa sa joue flétrie, pleine de rides.

— Ça n'a pas été facile de mentir, hein ?

Il se tourna vers la tombe de Ria.

— Toi non plus, tu ne regrettes rien ? Tu disais que si tu éprouvais un quelconque sentiment, tu recevrais un gage, toi aussi. Et qu'il n'était pas trop tard pour qu'une fleur s'épanouisse à nouveau en toi. Mais tu avais déjà de très belles fleurs en toi !

Puis il s'adressa au tertre de Naoya :

— Ce n'est pas Chiemi qui vous a tués ! Non, elle était innocente !

Il caressa tendrement les cheveux de Chiemi. Leur douceur le rendit nostalgique.

— Raconte-moi un dernier mensonge !

Elle ne répondit rien.

— Tu en as déjà raconté tellement ! Allez, juste un, dis-moi que tu es vivante !

Il étreignit le corps froid de toutes ses forces. Il aurait tant aimé ressentir à nouveau sa chaleur.

— Je ne peux pas encore mourir. Ça ne doit pas se terminer ainsi…

Il s'avança dans la mer en produisant de grandes éclaboussures et recueillit de l'eau au creux de ses mains. Elle s'écoula entre ses doigts.

— Il ne faut pas que tout ait été en vain. J'accueillerai en moi les espérances de Chiemi, de Naoya, de Ria… et de tous mes camarades.

Il but jusqu'à la dernière goutte le peu d'eau de mer qui restait dans la coupe formée par ses mains.

— J'endosserai tout, et quant au jeu du roi…

Le soleil du matin s'élevait déjà assez haut. Ciel et mer se fondaient l'un dans l'autre et l'est resplendissait d'un éclat qui semblait être celui de l'aube des temps.

La chaleur revenait. L'océan était calme. Les flots rouges qui s'étaient déversés sans relâche de la rivière treize jours plus tôt avaient déjà disparu.

2 mortes, 1 survivant.

Épilogue – Lun. 16/11, 08:25

— Votre nouveau camarade de classe est arrivé. Allez, entre et présente-toi. On l'applaudit, tout le monde !

Un des élèves s'esclaffa :

— Monsieur, on n'applaudit pas pour des trucs pareils !

— Ah non ? Et pourquoi pas ? Il faut lui faire bon accueil !

Le professeur, en survêtement bleu marine, semblait aussi candide qu'un enfant. Les élèves affichaient un sourire joyeux. Une atmosphère paisible régnait dans la classe. Tous attendaient avec impatience de découvrir le nouveau venu.

— Je me demande à quoi il ressemble.

— Garçon ou fille ?

— Une fille, j'espère !

La porte s'ouvrit et un brouhaha s'éleva dans la salle.

— Zut, un garçon…

— Il a l'air sympa, quand même.

— Mouais…

Le nouvel élève, debout devant la classe, se présenta :

— Bonjour, je m'appelle Nobuaki Kanazawa.

Il alla ensuite s'asseoir à la place que lui avait désignée le professeur, tout au fond, à côté de la fenêtre. Il contemplait le paysage à travers la vitre quand quelqu'un lui tapota l'épaule.

Il se retourna pour se retrouver nez à nez avec une jeune fille à la peau si nacrée qu'elle n'avait sans doute jamais attrapé un coup de soleil. Les lèvres couleur pêche, les cheveux mi-longs retenus d'un côté par une barrette rose, elle le fixait de ses grands yeux ronds, une main amicale tendue vers lui.

— Enchantée, Nobuaki ! Moi, c'est Natsuko Honda.

La classe de Nobuaki avait fait fabriquer des puzzles à partir d'une photo de groupe prise lors d'une rencontre sportive, en souvenir de leur vie lycéenne. Mais Nobuaki n'avait jamais pu terminer le sien car, en dépit de tous ses efforts, il n'avait jamais retrouvé la dernière pièce.

Le petit bout de carton était en fait coincé sous l'un des pieds de son bureau. Pourtant, jamais il n'aurait pu s'y loger sans qu'on ne soulève le meuble.

Achevé d'imprimer en France en octobre 2014 par Aubin Imprimeur

Le papier de cet ouvrage est composé de fibres naturelles, renouvelables, recyclables et fabriquées à partir de bois issu de forêts plantées expressément pour la fabrication de pâte à papier.

ISBN : 978-2-37102-005-4
Dépôt légal : mai 2014

Loi n° 49-956 du 16 juillet 1949 sur les publications destinées à la jeunesse, modifiée par la loi n°2011-525 du 17 mai 2011

Numéro d'édition : 0006-006-01-02

Numéro d'impression :1409.0277